ATSAIN Y TONNAU

Atsain y Tonnau

John Gwynne

Mae'r awdur yn cadarnhau mai ffuglen wirioneddol yw'r stori yma yn gyfan gwbl
ac nad oes unrhyw berthynas na chysylltiad rhwng unrhyw un o'r
cymeriadau yn y gyfrol ag unrhyw berson arall boed yn fyw neu yn farw.
Os oes yna unrhyw debygrwydd mae hyn yn gyd-ddigwyddiad llwyr.
Mae'r un yn wir am y digwyddiadau sydd yn y stori.

Argraffiad cyntaf: 2011

(h) John Gwynne/Gwasg Carreg Gwalch

Rhif rhyngwladol: 978-1-84527-339-2

Mae'r cyhoeddwr yn cydnabod cefnogaeth ariannol
Cyngor Llyfrau Cymru

Cynllun clawr: Sion Ilar

Cyhoeddwyd gan Wasg Carreg Gwalch,
12 Iard yr Orsaf, Llanrwst, Conwy, LL26 0EH.
Ffôn: 01492 642031 Ffacs: 01492 641502
e-bost: llyfrau@carreg-gwalch.com
lle ar y we: www.carreg-gwalch.com

I

Marjorie

a'r plant,
Andrea a Daniel a'r wyrion bach
Ben, Anya Mai ac Oliver

a hefyd i'm chwaer
Margarette Hughes a'r teulu

Diolch o galon hefyd i Esyllt am fod yn olygydd
mor amyneddgar ac i Myrddin a'r criw ffyddlon
yng Ngwasg Carreg Gwalch am 'wneud eu gwaith –
dyna i gyd' ys dywedant!

PENNOD 1

Mis Hydref 1961

Eisteddai Elisabeth Morgan yn dawel wrth i'w gŵr yrru'n hamddenol tuag at yr arfordir. Teimlai'n bur isel ei hysbryd, er y gwyddai y dylai fod uwchben ei digon heddiw o bob diwrnod – diwrnod ei phen-blwydd, a hwnnw'n ben-blwydd go arbennig. Roedd Elisabeth wedi cyrraedd ei deugain ond serch y garreg filltir honno, nid oedd ganddi fawr o reswm dros deimlo mor bruddglwyfus. Doedd ei hoedran yn mennu dim arni hi, yn wahanol i rai o'i chydweithwyr benywaidd yn Ysgol Ramadeg Llandysul. Yn ogystal â hyn, gwyddai'n iawn fod Alun ei gŵr – neu Morgan fel y câi ei alw gan fwyafrif ei gydnabod – yn mynd â hi i un o'i hoff fannau, sef i bentref bach Pwll Gwyn ar arfordir sir Aberteifi lle'r oedd y ddau wedi treulio cyfnod bendigedig cyn eu priodas dri mis yn ôl. Cyn hynny buont ar wahân am dros ugain mlynedd. Gobeithiai Elisabeth y byddai heddiw'n gyfle arall iddynt fwynhau cerdded yn hamddenol ar hyd y traeth euraidd, eistedd ar Garreg y Fuwch ym mreichiau'i gilydd, syllu ar y môr glas tawel a gwrando ar dinc y ffrwd fechan yn llifo i lawr y clogwyn cyfagos ar ei ffordd i'r môr. Pa well paradwys na hynny? Felly pam yn y byd y teimlai hi mor ddigalon?

Edrychodd draw ar ei gŵr cyn gwyro tuag ato a rhoi ei

phen i orffwys ar ei ysgwydd gan chwilio am gysur. Fel arfer byddai teimlo ei agosatrwydd yn ddigon i godi ei chalon – ond nid felly heddiw.

'Wyt ti'n iawn, cariad bach?' gofynnodd Morgan gan wyro ei ben yntau tuag ati.

'Mmmmm,' sibrydodd, gan blethu ei braich yn ei fraich yntau.

'Beth sy'n bod, 'te? Teimlo'n hynach? Rwyt ti'n ddigon tawel.'

'Na, dwi'n iawn ac yn edrych ymlaen at gyrraedd Pwll Gwyn.'

'O! Rwyt ti wedi difetha'n syrpreis fach i nawr. Shwt oeddet ti'n gwbod 'mod i'n mynd â ti i Bwll Gwyn?'

'Alun, sawl gwaith ydan ni wedi teithio ar hyd y ffordd yma yn ddiweddar?'

'Wel, a finne'n meddwl ...' a gwenodd arni.

Cododd Elisabeth ei hwyneb a tharo cusan ysgafn ar foch Alun cyn rhoi ei phen yn ôl ar ei ysgwydd. Yn y bôn roedd hi wedi disgwyl dathliad mwy na hyn. Onid dyma'r garreg filltir a oedd, chwedl y Sais, yn nodi dechrau bywyd mewn gwirionedd? Doedd Morwenna ei merch a oedd yn byw ym Manceinion ddim wedi trafferthu ei ffonio hyd yn oed, dim ond gyrru cerdyn pen-blwydd drwy'r post ganddi hi ac Anwen, yr wyres fach.

Doedd Alun fawr gwell, chwaith. Disied o de yn gwely i'w deffro a bocs o siocledi digon cyffredin gafodd hi ganddo fe. Gwerthfawrogai Elisabeth ei haelioni dros y misoedd diwethaf wrth iddo brynu llu o anrhegion iddi, a thalu pob dimau o gostau'r briodas a'r mis mêl, ond roedd hi wedi disgwyl tipyn bach mwy ar y bore arbennig hwn ...

'Dyna hen ddigon o'r hunandosturi yma!' meddai wrthi

ei hun. Eisteddodd yn syth yn ei sedd, anwesodd law ei gŵr a gorfodi ei hun i sylweddoli fod yn rhaid i fywyd fynd yn ei flaen ac y dylai hi werthfawrogi'r hyn oedd ganddi yn hytrach na llyncu mul fel hyn.

Gwraidd ei theimladau oedd y ffaith nad oedd dydd ei phen-blwydd erioed wedi bod yn un hapus iawn, hyd yn oed pan oedd hi'n ferch fach. Roedd ei rhieni yn hen ffasiwn a dim ond rhyw ddwy neu dair o'i ffrindiau oedd yn cael gwahoddiad i ddod i'r Mans gerllaw Aberteifi i gael te i ddathlu ei phen-blwydd. Er iddi erfyn arnynt am gael estyn gwahoddiad i rai o'r bechgyn hefyd a oedd yn ffrindiau iddi yn yr ysgol, yn enwedig Alun, gwrthod wnâi ei rhieni bob tro. Dim ond unwaith y daeth Alun i'r Mans – pan oedd y ddau yn eu harddegau hwyr – ac ni fyddai Elisabeth yn anghofio'r diwrnod hwnnw tra byddai byw. Ond roedd popeth yn iawn nawr a theimlai'r hunandosturi yn diflannu'n araf.

'Pam wyt ti'n gyrru mor gyflym?' gofynnodd wrth sylweddoli bod Morgan wedi sbarduno cryn dipyn erbyn hyn.

'Ar frys i gyrraedd cyn y glaw,' atebodd yn gyflym gan geisio cuddio'r wên oedd yn mynnu dod i'w wyneb.

'Glaw? Pa law?' pwniodd Elisabeth ei fraich. Roedd hi'n ddiwrnod hynod o braf o ystyried ei bod yn ganol mis Hydref – diwrnod cyntaf y gwyliau hanner tymor, neu'r 'wthnos dato' fel y'i gelwid yn lleol.

Safodd y car ar ben y rhiw a ymlusgai i lawr tuag at y pentref a'r môr. Roedd yr hafan fechan fel corlan o dai bach llonydd, dafliad carreg oddi wrth y môr anferth, bywiog. Gellid gweld siop fach y pentref, y tŷ tafarn, tua ugain o dai, ac ar frig y clogwyn ym mhen pellaf y traeth safai Awel Deg yn fawreddog unig, yn union fel pe bai'n goruchwylio'r pentref cyfan.

'O, mae o'n fendigedig, Alun,' ochneidiodd Elisabeth wrth edrych i lawr ar y traeth euraidd a'r môr glas a oedd mor dawel â llyn y diwrnod hwnnw, 'a does neb arall yma.'

'Awn ni am wâc fach 'te, a chael picnic ar Garreg y Fuwch fel yn yr hen ddyddiau?' awgrymodd ei gŵr.

'Dim ond deufis sy' ers "yr hen ddyddiau" y lembo!' meddai Elisabeth a chwarddodd y ddau.

Ar ôl digwyddiadau cyffrous y gwanwyn, nid oedd fawr wedi digwydd yn eu bywydau ers y briodas yn ystod yr haf. Yn groes i'w breuddwydion roedd Elisabeth wedi dychwelyd i ddysgu hanes yn Ysgol Ramadeg Llandysul, er nad oedd mor frwdfrydig â hynny. Gwyddai fod Alun yn aflonydd yn eu cartref bach yn Drefach Felindre hefyd ac yntau wedi arfer byw bywyd mor gyffrous yn Llundain. Er ei fod wedi derbyn swydd gan y Gwasanaethau Cudd i oruchwylio rhannau o arfordir dwyreiniol Cymru, ychydig iawn o waith yr oedd wedi'i gyflawni hyd yn hyn cyn belled ag y gwelai Elisabeth, er ei fod wedi bod yn hwyr yn cyrraedd adref ambell noson yn ddiweddar.

Sylweddolodd Elisabeth yn fuan iawn ar ôl iddynt briodi fod eu cartref, er yn ddigon mawr pan oedd hi'n byw ynddo ar ei phen ei hunan, braidd yn fach i'r ddau ohonynt ac yn bendant yn rhy fach petai Morwenna a'r fechan yn dod i aros. Ei bwriad yn ystod y gwyliau felly oedd dechrau chwilio am gartref mwy addas, heb sôn gair wrth Alun nes y byddai wedi derbyn manylion oddi wrth y gwerthwyr tai. Yn dawel bach roedd hi eisoes wedi cysylltu â sawl gwerthwr yn yr ardal gyfagos a hyd yn oed yn barod i holi mwy am ambell dŷ.

'O, na, Alun! Edrycha!' Cydiodd Elisabeth ym mraich ei gŵr yn sydyn wrth iddo yrru'n araf drwy'r pentref.

'Beth sy'n bod, bach?' Stopiodd Morgan y car yn stond a dilyn ei golygon tuag at Awel Deg, ei gartref dros-dro pan ddaeth i Bwll Gwyn saith mis yn ôl.

'Mae Awel Deg ar werth, Alun,' meddai Elisabeth mewn llais bach tawel. 'Wyddet ti hynny?'

'Gwaeth na hynny, Bwts. Edrycha, mae e wedi'i werthu,' atebodd yntau yr un mor dawel.

Gwelodd Elisabeth y llythrennau coch clir 'Gwerthwyd' wedi'u hoelio ar draws yr arwydd 'Ar Werth' a theimlodd ei hysbryd yn suddo drwy'r llawr. Roedd y tŷ moethus mor agos at ei chalon. Bron nad oedd hi wedi teimlo mai eu tŷ nhw oedd o mewn gwirionedd. Yma y rhannodd Alun a hithau y dyddiau hyfryd hynny cyn eu priodas; yma y daethant yn nes at ei gilydd unwaith eto ar ôl dros ugain mlynedd o fod ar wahân.

Bellach safai'r hen dŷ yn wag a rhyw olwg unig a thrist arno, yn union fel pe bai'n disgwyl i rywun ddod i'w garu! Unwaith bu pob twll a chornel ohono yn perthyn iddyn nhw eu dau – dros dro beth bynnag. Ystyriai Elisabeth mai hwnnw oedd ei chartref cyntaf hi ac Alun, ond nawr roedd rhywun arall yn mynd i fyw ynddo.

Pam yn y byd nad oedd hi wedi dechrau chwilio am dŷ arall ynghynt? Efallai y byddai wedi derbyn manylion Awel Deg oddi wrth y gwerthwr. Gallai ddychmygu ymateb Alun i'r newyddion pan ddywedai wrtho fod Awel Deg ar werth a gwyddai y buasent, rywsut neu'i gilydd, wedi medru hel pob dimai goch er mwyn ei brynu. Ond, dyna ni! Roedd hi'n rhy hwyr nawr; nid felly yr oedd pethau i fod.

Parciodd Morgan ei gar ar y ffordd gul y tu allan i'r tŷ cyfarwydd.

'Be wyt ti'n ei wneud?' gofynnodd Elisabeth.

'Waeth inni gael un cipolwg bach ar y lle am y tro olaf, cyn i'r perchennog newydd symud yma i fyw.' Gwyddai Elisabeth y gallai Alun wynebu a derbyn siomedigaethau yn llawer gwell na hi.

'Na, fedra i ddim, Alun,' teimlodd y dagrau'n cronni yn ei llygaid a phwysodd ei chorff yn ei erbyn unwaith yn rhagor. Roedd ei diwrnod arbennig wedi bod yn un digon diflas fel ag yr oedd, ond roedd hyn wedi ei ddifetha'n llwyr. Edrychodd ar Alun ond trodd ei wyneb oddi wrthi. Gwyddai ei fod yntau hefyd yn rhannu ei thristwch.

'Dere 'mlaen, Bwts, dim ond tŷ yw e, doedd e erioed yn gartref i ni,' awgrymodd Morgan yn dawel wrth gamu allan o'r car.

Sut y medrai e ddweud y fath beth? Ar ôl popeth a ddigwyddodd yno! Roedd y tŷ wedi bod yn sylfaen i'w dyfodol, yn ganolfan i'w teimladau, yn hafan i'w cariad.

'Be wyt ti'n ei feddwl "dim ond tŷ"?' gwaeddodd arno wrth ddod allan o'r car. Doedd Elisabeth ddim yn un i golli ei thymer yn aml; dim ond unwaith yr oedd hi wedi gweiddi arno cyn hyn, a hynny ar gam, ond y tro yma methai'n lân â'i ddeall.

'Ai dyna'r cyfan ydi Awel Deg i ti? "Dim ond tŷ"?' teimlai'r dagrau'n dechrau llifo i lawr ei gruddiau, 'Wel, mae o'n golygu llawer mwy na hynny i mi, creda di fi,' gwaeddodd drwy ei dagrau gan gerdded yn gyflym heibio i'w gŵr.

Edrychodd unwaith yn rhagor ar y tŷ – ei ddrws ffrynt cadarn, ei ffenestri mawrion fel llygaid byw yn erfyn arni …

Yn sydyn dychmygodd ei bod wedi gweld rhywun yn symud y tu ôl i lenni un o ffenestri'r llofftydd – ffenest yr ystafell wely yr oedd Alun a hithau wedi'i rhannu, yr ystafell fawr a wynebai'r môr. Oedd 'na rywun yn y tŷ? Hen ysbrydion efallai, neu'n waeth na hynny hwyrach fod y perchennog newydd yno? Gwyddai Elisabeth na allai wynebu'r sawl a fyddai'n byw yn Awel Deg o hyn allan. Arhosodd yn ei hunfan a chraffu unwaith eto ond ni welodd yr un symudiad arall. Efallai mai ei dychymyg oedd yn chwarae triciau.

Dechreuodd gerdded ar hyd y llwybr a arweiniai tuag at yr ardd. Wrth gerdded heibio i ffenest y lolfa gwelodd adlewyrchiad Alun yn glir ynddi. Gwnaeth hynny iddi deimlo'n waeth byth! Safai ei gŵr yn llonydd wrth y giât gyda rhyw wên ryfedd ar ei wyneb. Gwelodd Elisabeth ei fod yn ymestyn ei fraich tuag ati a'i fod yn gafael mewn pecyn bychan.

'Be ydi hwn?' gofynnodd drwy ei dagrau.

'Agor e i gael gweld,' atebodd Morgan yn dawel. Cerddodd yn araf tuag ati, rhoddodd y pecyn yn dyner yn ei llaw a rhoi ei fraich am ei hysgwyddau.

Edrychodd Elisabeth arno. Gwelodd ei lygaid tywyll yn disgleirio arni. Agorodd bapur y pecyn yn lletchwith. Tynnodd gaead y bocs bychan. Y tu mewn iddo, ar ddarn o felfed glas, roedd allwedd aur. Teimlodd Elisabeth fraich gref ei gŵr yn ei thynnu'n nes ato.

'Pen-blwydd hapus, Bwts!' Cusanodd ei gwallt.

'Be wyt ti'n ei feddwl?' Edrychodd ar ei gŵr ac yna ar yr allwedd. O, na! Doedd hyn ddim yn wir. Na, na, roedd hyn yn amhosib! Ni fedrai hyd yn oed Alun Morgan, er ei holl ddylanwad, gyflawni rhywbeth fel hyn. Teimlodd ei law dan ei gên yn codi ei hwyneb tuag ato. Teimlodd ei wefusau tyner yn mwytho'i gwefusai hi.

'Croeso i dy gartref newydd, Bwts fach,' sibrydodd. 'Dere i weld a ydi'r allwedd yn agor y drws. Gobeithio ei fod e achos mae Morwenna ac Anwen y tu mewn.'

Cododd Morgan ei wraig yn ei freichiau a'i chario'n ofalus at y drws ffrynt a thros y trothwy.

PENNOD 2

Y mis Chwefror canlynol

Er bod y cawodydd eira yn gwaethygu a'r carped gwyn yn drwchus iawn mewn rhai mannau ar hyd y ffordd, aeth y car mawr yn ei flaen yn ddiogel. Gofalai Elisabeth rhag mynd yn rhy gyflym, wedi'r cyfan, roedd hi'n weddol agos i'w chartref erbyn hyn ac Alun yn disgwyl amdani heb unrhyw syniad am y newyddion syfrdanol a oedd ganddi i'w rannu gydag ef. Dychmygai ei ymateb, yr olwg fach ryfedd 'na ar ei wyneb, yn gymysgedd o hapusrwydd ac anghrediniaeth. Gwenodd.

Diolchodd ei bod wedi mynd i'r cyfarfod yng nghar ei gŵr yn hytrach na'i char hi ei hunan. Roedd y car mawr du yn gadarnach o lawer yn y tywydd yma na'r un bach coch. Ac oedd, roedd y noson wedi bod yn un llwyddiannus dros ben. Er nad oedd hi wedi bod yn orawyddus i fynychu'r cyfarfod *W.I.* yn Aberteifi, roedd hi'n falch fod Siwsan, ei ffrind newydd, wedi dwyn perswâd arni i fynd. Wrth gwrs, roedd Alun wedi bod yn tynnu ei choes yn ddidrugaredd cyn iddi adael y tŷ, ond wnaeth e mo'i hatal rhag mynd chwaith. Nid oedd unrhyw beryg y byddai hynny'n digwydd; nid dyna'r math o ddyn oedd ei gŵr ac nid dyna'r math o berthynas oedd ganddynt.

Cafodd lawer mwy o hwyl nag yr oedd hi wedi'i ddisgwyl

wrth gyfarfod â'r gwragedd eraill oedd yno. Roedd hi'n adnabod sawl un gan ei bod wedi treulio ei dyddiau ysgol yn eu mysg yn Aberteifi ond nid oedd wedi eu gweld ers dros ugain mlynedd a mwy. Tybed sawl un oedd yn cofio iddi adael yr ardal yn sydyn a dirybudd? Tybed sawl un oedd yn gwybod pam y tynnodd ei rhieni hi o'r ysgol a'i chludo i'r gogledd pan oedd hi'n ddwy ar bymtheg, bron yn ddeunaw, heb adael iddi ffarwelio â neb, gan gynnwys ei chariad? Ond roedd un peth yn sicr – ni wyddai neb cymaint oedd wedi digwydd i Alun a hithau dros y blynyddoedd. Ni wyddai neb chwaith am yr wyrth a ddigwyddodd pan welsant ei gilydd ar ôl cynifer o flynyddoedd a'u cariad yn dal yn fyw, er gwaetha'r cyfnod maith ar wahân.

Bu'r wyth mis ers iddynt briodi yn nefoedd ar y ddaear i'r ddau. Gwyddai y byddai Alun yn disgwyl amdani yn eu cartref newydd, yn ei chroesawu â chusan wresog, ei freichiau cryf yn cloi amdani a'i wên siriol a'i lygaid tywyll yn disgleirio yn ôl eu harfer.

Synnodd fod sawl un o'r gwragedd wedi holi yn ei gylch yntau hefyd, nifer ohonynt yn dal i'w gofio fel disgybl yn yr ysgol uwchradd. Awgrymodd un neu ddwy y dylid ei wahodd i siarad yn un o'u cyfarfodydd, i roi crynodeb o'i waith gyda'r Flying Squad yn Llundain. Gwenodd Elisabeth wrth ddychmygu ei ymateb i'r fath wahoddiad! Er bod ei gŵr wedi cael gyrfa brysur a llwyddiannus iawn yn Sgotland Iard, Llundain, a chyrraedd y brig fel Ditectif Brif Uwcharolygydd cyn ymadael, gwyddai nad oedd yn un i berfformio o flaen cynulleidfa a chanmol ei lwyddiannau ei hun yn ei ymdrechion cyson i ymladd lluoedd yr isfyd yn enw'r gyfraith. Gwyddai hefyd mai'r peth olaf yr hoffai Alun ei wneud fyddai annerch llond ystafell o fenywod, a'r mwyafrif ohonynt – fel hithau tan yn ddiweddar – heb unrhyw syniad fod y fath fyd yn bodoli!

Gyrrodd Elisabeth yn ei blaen yn ofalus ar hyd y ffordd fawr. Roedd yr eira'n gwaethygu a hithau'n gorfod gwyro ymlaen i wneud yn siŵr ei bod yn cadw at ganol y ffordd. Cyn hir byddai'n cyrraedd at y troad i'r chwith cyn ymlwybro i lawr tuag at y môr a phentref bach Pwll Gwyn. Arferai'r ffordd fod yn dawel yr adeg yma o'r nos ond roedd y tywydd wedi sicrhau y byddai'n dawelach nag arfer hyd yn oed. Magodd Elisabeth fymryn o hyder a sbarduno'r modur yn ei flaen ychydig ynghynt. Roedd hi'n hwyr; ni ddylai fod wedi derbyn paned arall o goffi gan Siwsan cyn dechrau ar ei thaith yn ôl am adref. Gallai glywed llais ei gŵr yn ei siarsio i arafu a'i bod yn mynd yn rhy gyflym yn y fath dywydd, ond roedd y car yn ymateb yn gadarn ac yn ddiogel.

Nid oedd y troad yn bell nawr. Gallai ddychmygu dwylo cryf ei gŵr yn mwytho'i chorff ar ôl iddi gyrraedd adref, cyn ei harwain lan lofft i'r gwely, a'r ddau yn gorwedd yn wresog ym mreichiau'i gilydd drwy'r nos.

Yn sydyn clywodd glec annisgwyl, yna un arall, ac un arall.

Dechreuodd y car sgrialu ar draws y ffordd. Dechreuodd Elisabeth golli rheolaeth ar y llyw. Llithrodd y car yn nes ac yn nes tuag at y wal gerrig, yn rhy gyflym o lawer. Chwiliodd am y brêc gyda'i throed. Roedd y car yn troi'n afreolus.

Gwaeddodd am ei gŵr. Llifodd ias o ofn drwy'i chorff. Pallodd y car ymateb i unrhyw ymgais i'w gadw ar y ffordd. Cydiai Elisabeth yn dynn yn y llyw ond heb unrhyw obaith y byddai'n medru osgoi'r ddamwain erchyll a fyddai'n digwydd unrhyw eiliad.

Gwelodd y wal yn codi o'i blaen. Ceisiodd droi'r llyw un waith eto ond roedd hi'n rhy hwyr.

Teimlodd y car yn taro'r cerrig. Teimlodd ei hun yn cael ei hyrddio yn erbyn y llyw caled.

Teimlodd boen erchyll yn gwibio drwy'i chorff.

Yna – tywyllwch. Distawrwydd. Llifai'r gwaed ar hyd sedd ledr y car.

Gorweddai Elisabeth Morgan â'i phen yn erbyn y llyw, ei llygaid ar gau a'i gwallt golau yn dechrau gwlychu'n goch.

* * *

Cododd y gŵr braidd yn simsan o'r ffos yr ochr draw i'r ffordd. Roedd yr oerni a oedd wedi treiddio drwy ei ddillad trwchus wedi ei rewi i'r byw. Fodd bynnag, roedd y gwaith wedi ei gyflawni. Edrychodd draw ar y llanast a achosodd. Roedd y difrod yn llawer gwaeth nag a ddychmygodd. Gorweddai'r car ar ei ochr, y car mawr du a ddilynodd yr holl ffordd o Bwll Gwyn hyd at Aberteifi yn gynharach y noson honno. Meddyliodd ei fod yn medru gweld amlinelliad y corff yn gorwedd ar draws ffenest flaen y car ond wnaeth e ddim ffwdanu mynd i weld yn iawn. Doedd dim angen mwyach. Ac i feddwl ei fod bron â cholli ei gyfle drwy aros yn y tŷ tafarn nid nepell o ble'r oedd y car wedi ei barcio. Arhosodd hyd syrffed i'r gyrrwr ddychwelyd, cymryd dracht arall o'i beint, ond pan edrychodd drwy'r ffenest roedd y car newydd gychwyn ar ei ffordd adref. Sgrialodd allan o'r dafarn, neidio ar ei feic modur a rhuthro drwy'r dref. Gwibiodd heibio i'r car ar waelod y ffordd hir a arweiniai allan o'r dref a diolch i'r eira trwchus, llwyddodd i gyrraedd y man priodol gyda digon o amser i gyflawni'r paratoadau. Ar ôl dewis y fangre addas ddyddiau'n ôl, gyda'r wal gerrig a'r ffos dwfn, daeth yr eira'n fonws delfrydol. Ond fe gyrhaeddodd y car yn gynt na'r disgwyl.

Cododd y gwn ar ei ysgwydd. Anelodd. Saethodd dro ar ôl tro nes bod y gwn yn wag.

Gwyliodd y car yn sgrialu yn ôl ac ymlaen ar draws y ffordd cyn hyrddio yn erbyn y cerrig a throi unwaith, ddwywaith. Gwelodd y sgrin flaen yn malu'n chwilfriw a gallai ddychmygu'r gyrrwr yn cael ei daflu fel doli glwt y tu mewn i'r car, yn cael ei daflu a'i falurio. Gwenodd yn filain. Na – ni fyddai neb yn dod allan o'r sgerbwd metel du yn fyw. Er ei fod wedi gorfod rhewi'n gorn cyn cyflawni'r gwaith, bu'r disgwyl yn werth pob ceiniog.

Datgysylltodd ei wn a gosod y darnau'n ôl yn y bag pwrpasol. Neidiodd ar ei feic a gyrru'n ofalus tuag at Brynhoffnant. Dim ond ychydig o alwadau ffôn ac yna byddai'n medru cychwyn ar ei daith am adref ond byddai sawl awr i fynd cyn y gwelai ei wely. Gobeithiai mai dim ond gorllewin Cymru oedd wedi ei orchuddio gan eira mor drwchus â hwn.

* * *

Doedd Lisa Capelo ddim yn siŵr a oedd hi'n gwneud y pethau iawn i gadw enw ei gŵr Ricky yn fyw, er ei fod wedi cael ei ladd naw mis yn ôl – ond roedd hi'n rhy hwyr nawr. Eisteddai ar ei phen ei hunan bach yn ei chartref moethus, gan ddisgwyl am yr alwad ffôn a fyddai'n cadarnhau bod ei phenderfyniadau wedi dwyn ffrwyth. Roedd hi'n anodd credu bod bron i flwyddyn wedi mynd heibio ers i'w gŵr foddi oddi ar arfordir sir Aberteifi yng ngorllewin Cymru ar ôl cwympo oddi ar y creigiau – neu dyna ddywedai'r dyfarniad swyddogol beth bynnag.

Er bod Ricky yn un o arweinwyr isfyd Llundain – i'r mwyafrif fe oedd y brenin answyddogol dros yr holl gyfundrefn anghyfreithlon – ac er ei bod hi'n gwybod yn iawn am ei weithgareddau brawychus, cofiai Lisa amdano fel gŵr ffyddlon a thad annwyl i'w dau blentyn. Roedd hi a Ricky wedi caru ei gilydd hyd at y diwedd a theimlai wacter ac unigedd dwfn ar ei ôl.

Wrth gwrs, roedd hi'n hen gyfarwydd â'r isfyd hwnnw, a hithau wedi cael ei magu ymysg y dynion a gynhaliai'r farchnad ddu ar draws y wlad a'i thad yn un o'r arweinwyr ar y pryd. Cofiai galon ei mam yn torri'n deilchion pan ddaeth y newyddion am lofruddiaeth ei thad dan law un o'r arweinwyr eraill. Ni wnaeth yr heddlu fawr o ymdrech i ddod o hyd i'r llofrudd; eu hagwedd nhw oedd fod 'na 'un diawl yn llai yn y byd'. Fodd bynnag, roedd Ricky wedi llwyddo i ddarganfod y llofrudd a dial arno fel na fyddai yn cyflawni'r un orchwyl arall fyth eto – boed dda neu ddrwg. Un fel'na oedd Ricky Capelo – bob amser yn barod i amddiffyn ei deulu a'i ffrindiau.

Marwolaeth ei frawd, Alfred, oedd wedi ei hudo draw i le mor anghysbell â gorllewin Cymru ond y tro hwn roedd Ricky wedi colli'r frwydr ac wedi talu'r ddyled â'i fywyd. Crynodd Lisa wrth gofio'r olwg foddhaol ar wyneb yr heddwas a ddaeth i dorri'r newydd erchyll iddi. Cofiai rannu'r boen wrth i galonnau ei phlant dorri'n deilchion wrth iddi geisio egluro'r golled iddynt ond roedd y ddau yn rhy ifanc i sylweddoli beth yn union oedd wedi digwydd.

Cofiai Lisa y cysur a gafodd wrth i frawdoliaeth yr isfyd blethu ei breichiau amdani, bron fel cariad teulu. A heno, daeth yr amser i dalu'r ddyled yn ôl. Pe bai ei chynllun yn gweithio, ni fyddai ymdrechion a marwolaeth Ricky Capelo wedi bod yn ofer.

Canodd y ffôn oedd wrth ei hymyl. Clywodd y geiriau'n glir a chododd ei chalon. Gwyddai'n union beth oedd y cam nesaf a gwyddai y byddai'n rhaid iddi ei weithredu y bore canlynol.

* * *

Derbyniwyd galwad arall yng nghanol Llundain a gwenodd y gŵr yn faleisus wrth wrando ar y llais ar ben arall y ffôn. Ochneidiodd yn uchel cyn rhoi'r derbynnydd yn ôl yn ei grud. Tywalltodd wydraid arall iddo'i hun ac er ei bod yn hwyr aeth ati i drefnu a chynllunio'r camau nesaf. Gwyrodd yn ei flaen i wneud un alwad arall. Yfodd ddracht o'i ddiod cyn siarad yn ddistaw ond yn glir i mewn i'r derbynnydd. Byddai wedi gwneud sawl galwad ffôn arall cyn mynd i'w wely yn oriau mân y bore; dyna sut un oedd e, ond byddai'n cysgu'n drwm tan saith o'r gloch y bore wedyn.

PENNOD 3

Hyrddiodd Alun Morgan i mewn i brif dderbynfa'r ysbyty. Roedd ei lygaid yn wyllt, ei gorff yn crynu, ei feddwl yn byrlymu ac yn canolbwyntio ar un peth – ac un peth yn unig. Roedd e'n barod i wynebu unrhyw beth ac unrhyw un ond roedd y lle yn wag a'r tawelwch yn llethol.

Safodd ar ei ben ei hun yng nghyntedd yr ysbyty heb neb ar gyfyl y lle. Roedd yr ambiwlans y tu allan yn wag, ei drysau'n dal ar agor a'r gyrrwr a'r nyrsys wedi diflannu. Doedd neb wrth ddesg y dderbynfa. Popeth a phob man yn wag ac yn ddistaw – yn dawel fel y bedd. Ymestynnai pob coridor yn wag o'i flaen, pob drws ar gau. Clywai ei hunan yn anadlu'n drwm. Gwyddai fod ei wraig yn ymladd am ei bywyd, yn ymladd ar ei phen ei hunan yn y lle oer, didrugaredd yma.

'Elisabeth!' gwaeddodd a chlywed ei lais yn adleisio'n erbyn y muriau gwyn ddiddiwedd.

Roedd yntau hefyd ar ei ben ei hunan, ar goll, fel anifail yn cael ei erlid heb wybod ble i fynd, pa ffordd i droi. Gwyddai fod ar ei wraig ei angen wrth ei hymyl, i frwydro gyda hi, i ymladd drosti. Roedd e'n gryfach na hi, wedi ymladd gelynion gydol ei fywyd; roedd ymladd yn rhan o'i natur – ond nid yn erbyn y gelyn anweledig hwn.

'Elisabeth!' gwaeddodd eto, yn uwch y tro yma ond yr un oedd yr ymateb – tawelwch eithafol. 'Elisabeth,' tawelodd ei lais, 'Ble'r wyt ti? Ble'r wyt ti, Bwts fach?' sibrydodd wrtho'i hun. Plygodd ei ben a dyna pryd y cydiodd yr anobaith ynddo. Ni allai wneud un dim. Methodd ag arbed y dagrau hallt rhag llifo i lawr ei ruddiau.

'Alun,' torrodd llais y nyrs ar draws ei feddyliau a theimlodd law dyner ar ei fraich.

'Ble mae hi?' gofynnodd Alun heb edrych i'w llygaid.

'Maen nhw ar ganol llawdriniaeth, Alun,' atebodd y nyrs ar ôl oedi am rai eiliadau. 'Mae'r meddygon yn brwydro i'w hachub. Fedrwn ni wneud dim ar hyn o bryd. Dere, dere inni fynd i rywle tipyn bach mwy cyfforddus a thawel.'

Tawel?! Doedd neb arall ar gyfyl y lle! Methai Alun symud ei goesau. Yna teimlodd law gref yn cydio'n gadarn yn ei fraich arall.

'Dere 'mlaen, Alun,' llais cyfarwydd John Jones oedd hwn, 'mae Nyrs Buddug yn iawn, nid yma y dylet ti aros.' Gadawodd Morgan i'r ddau ei arwain i ystafell gyfagos.

Aeth Buddug Jones, y brif nyrs a oedd ar ddyletswydd y noson honno, i hel disied o de i Alun a'r heddwas. Daeth tawelwch llethol rhwng y ddau – y naill heb ddim byd i'w ddweud gan mai dim ond un peth oedd ar ei feddwl, a'r llall heb fod yn siŵr pa eiriau o gysur y medrai eu rhoi i'r gŵr a oedd wedi dod yn ffrind agos iddo yn ystod y misoedd diwethaf.

Roedd e wedi gwneud y peth iawn y tro hwn o leiaf, cysurodd y rhingyll ei hunan. Ar ôl derbyn yr alwad ffôn yn gynharach, gyda'r llais undonog, taer ar y pen arall yn pwysleisio difrifoldeb ei neges, trefnodd i'r ambiwlans a'r frigâd dân ei ddilyn ar wib drwy'r eira o Aberteifi. Ni wyddai beth i ddisgwyl ond yn bendant nid oedd wedi dychmygu darganfod Elisabeth Morgan bron yn gelain yn nghanol sgerbwd rhacs car ei gŵr. Diolch i'r Nef fod yr ambiwlans wrth ei gwt.

'Cymer hwn, Alun,' estynnodd Buddug ddisied o de a diferyn o wisgi yn ei lygaid iddo, cyn gadael yr ystafell a gadael y ddau ŵr ar eu pen eu hunain drachefn. Cymerodd Morgan lwnc o'r ddiod dwym a chaeodd ei lygaid i geisio arbed y dagrau a oedd yn mynnu cronni rhag llifo unwaith yn rhagor. Roedd yn rhaid iddo fod yn gryf, roedd yn rhaid iddo ddod o hyd i'r nerth i orchfygu'r arswyd hwn. Cofiodd wyneb gwelw Sarjant John Jones pan agorodd y drws ffrynt iddo yn gynharach y noson honno. Roedd Morgan wedi disgwyl gweld ei wraig yno, yn llawn ymddiheuriadau am fod yn hwyr ac am anghofio ei hallwedd. Ond yn ei lle safai John Jones yn ei iwnifform swyddogol ac yn hytrach na gweld ei gar mawr du ei hunan wrth y giât, gwelodd gar yr heddlu o flaen Awel Deg. Teimlodd unwaith eto yr oerni'n gwibio drwy'i gorff wrth glywed y geiriau hunllefus yn atseinio drwy ei feddwl: 'Alun, mae Elisabeth wedi cael damwain gas,' a rhyw gymysgedd o eiriau eraill heb yr un ohonynt yn gwneud synnwyr ar ôl y datganiad cyntaf, 'eira ... difrifol ... anafiadau ... ysbyty ... llawdriniaeth ... byw ...' a'r cyfan yn creu darluniau aneglur yng nghymylau duon ei feddwl. Yna roedd wedi gwthio'r plismon o'r neilltu, neidio i mewn i gar bach coch ei wraig a gyrru fel ffŵl i gyfeiriad ysbyty Aberteifi.

Ni welai eira, ni welodd sgerbwd ei gar yn y ffos na'r dynion a oedd yn dal i weithio ar safle'r ddamwain ac ni welodd unrhyw beth arall ar y ffordd na hidio amdanynt. Yr unig beth a welai oedd wyneb tlws ei wraig annwyl a'r boen yn ei llygaid gleision; yr unig beth a glywai oedd ei llais yn galw arno.

Er bod John Jones yntau yn yrrwr da ac yn adnabod pob modfedd o'r ffordd rhwng Pwll Gwyn ac Aberteifi, ac er bod ganddo'r golau argyfwng glas ar ben ei gar, doedd ganddo mo'r gobaith o ddilyn yn glòs wrth gwt Alun Morgan, heb sôn am gyrraedd yr ysbyty ar yr un pryd ag ef. Nid oedd wedi gweld neb yn gyrru mor wyllt ac yn diflannu mor gyflym erioed o'r blaen.

'Dyna welliant,' meddai'r rhingyll yn gloff ar ôl cymryd dracht o'i de. Edrychodd draw ar ei ffrind a rhyfeddu at ei olwg. Roedd ei wyneb yn welw a diemosiwn fel craig a'i lygaid duon yn syllu'n oeraidd arno. Yn ddiweddarach ni lwyddodd i'w ddisgrifio i'w wraig – roedd gwedd ei gyfaill fel rhywbeth o fyd arall.

'Beth ddigwyddodd, John?' Roedd ei lais yn llawn gwacter, yn undonog ac yn hollti drwy'r tawelwch fel cyllell finiog.

'Pwy a ŵyr, Alun, pwy a ŵyr? Roedd hi'n bwrw eira'n drwm a hwnnw'n dechre lluwchio. Llithro ar draws y ffordd falle? Pynjar? Colli rheolaeth ar y car? Dyn a ŵyr, Alun.'

Dychwelodd y tawelwch yn drwm dros yr ystafell.

'Ond shwt oeddet ti'n gwbod am y ddamwain?' gofynnodd Morgan gan syllu i ryw wagle o'i flaen.

Roedd John Jones wedi bod yn disgwyl y cwestiwn hwn ac fe wyddai nad oedd modd osgoi ei ateb.

'Galwad ffôn,' meddai'n dawel.

'Galwad ffôn? Mae 'na dyst felly? Oedd e'n dal yno pan gyrhaeddaist ti?'

'Nag oedd.'

'Pwy oedd e 'te? Ble mae e'n byw?'

'Dwi ddim yn gwbod, wnaeth e ddim gadael ei fanylion.'

Gwibiodd ias drwy gorff ac enaid Morgan. Teimlodd y

graith ar ei foch ac edrychodd i fyw llygaid y plismon cyn gofyn yn oeraidd, 'Beth oedd y neges, John?'

Roedd John Jones wedi bod yn ofni clywed y cwestiwn, wedi bod yn arswydo rhag gorfod ei ateb, ond gwyddai na fedrai osgoi gwneud hynny. Edrychodd i gyfeiriad Morgan yn ansicr, pesychodd yn ysgafn ond methai ag edrych i fyw llygaid ei gyfaill.

'Fe ddywedodd y sawl a ffoniodd fod damwain wedi digwydd heb fod ymhell o'r Sarnau ...' gwyddai'n dda na fyddai'r ateb hwnnw'n ddigonol.

'Beth oedd y neges, John?' meddai Morgan unwaith eto. Gorchymyn, nid ymholiad oedd y cais y tro hwn.

Ni allai'r heddwas ddianc rhag y llygaid a oedd yn hollti drwy ei enaid.

'Beth oedd y neges, John – gair am air?' Roedd llais Morgan yn dawel, yn llawn blinder.

Edrychodd John Jones i fyw y llygaid a oedd yn llawn anobaith ac ochneidiodd yn drwm. ' "Mae damwain car wedi digwydd ger y Sarnau; damwain gas ac mae rhywun wedi'i ladd." '

Ni ddywedodd Morgan air am funud, yna gofynnodd yn sydyn, 'Llais dyn?'

'Ie, dyn.'

'Cymro?'

'Cymro,' cadarnhaodd yr heddwas.

Ciliodd Morgan yn ôl i'w feddyliau heb ddweud gair ond gwyddai John Jones fod ei ben yn byrlymu.

Dychwelodd Buddug i'r ystafell, edrychodd ar John Jones a gwelodd ar unwaith ei fod ar goll. Trodd at Morgan. 'Alun,' meddai'n dawel, 'maen nhw wedi gorffen y llawdriniaeth, am nawr ta beth.'

Edrychodd Morgan arni'n ddryslyd wrth geisio gadael hunllef ei feddyliau, a'r artaith a oedd yn chwalu ei ysbryd yn amlwg ar ei wyneb.

'A …?' Roedd ei lygaid yn gwbl ddiemosiwn, fel pe bai'n disgwyl y newyddion gwaethaf.

'Mae Elisabeth ar ei ffordd 'nôl i'r ystafell yn yr adran gofal dwys ac fe fydd y doctor yn dod yma mewn munud i siarad â ti.'

Cododd Alun yn sydyn wrth i'w geiriau dorri drwy gymylau duon ei feddwl. 'Mae hi'n fyw?' holodd yn nerfus.

'Ydi, mae hi'n fyw, Alun,' gwenodd Buddug arno, ond cydymdeimlad yn hytrach nag hapusrwydd oedd yn ei gwên.

'Mae'n rhaid i mi fynd ati,' camodd Morgan at y drws.

'Na, Alun. Aros nes y byddi wedi siarad â'r meddyg.' Safodd Buddug rhwng Alun a drws yr ystafell gan ei atal rhag gadael ond wrth wneud hynny teimlodd y llygaid duon yn saethu drwyddi a'i holl nerth yn cael ei dynnu gan bresenoldeb ei gwrthwynebydd o'i blaen. Daeth John Jones i sefyll wrth ei hochr.

'Mae'n rhaid i mi gael ei gweld hi,' gwaeddodd Morgan yn daer, er y gwyddai mai'r nyrs oedd yn iawn. Ond roedd Elisabeth yn dioddef, roedd yn rhaid iddo fynd ati. Roedd yn rhaid iddo fod wrth ei hochr yn ei chynnal.

Edrychodd Buddug i fyw ei lygaid. Roedd y taerineb yn dechrau meirioli a rhyw wacter diamddiffyn yn cymryd ei le. Gwenodd y nyrs arno ond gwyddai nad oedd Alun yn ymwybodol ohoni bellach. Onid felly y bu pethau erioed rhwng y ddau, meddyliodd yn drist? Nid oedd Alun wedi bod yn ymwybodol ohoni yn yr ysgol yn Aberteifi flynyddoedd yn ôl ychwaith.

'Mister Morgan. Alun.' Cerddodd y gŵr i mewn i'r ystafell gan estyn ei law tuag at Morgan. Ysgydwodd yntau y llaw a gweld y got wen yn hytrach na wyneb y meddyg.

'Shwt mae Elisabeth?' gofynnodd yn dawel.

'Mae hi'n gyfforddus, Alun, ond yn wan iawn, iawn,' atebodd y meddyg.

'Fe fydd hi fyw?' gofynnodd yn ymbilgar, ei lais yn crynu a'i geg yn sych.

'Fe fydd hi fyw,' gwenodd y meddyg arno. 'Diolch i'r drefn ein bod ni wedi medru rhoi triniaeth iddi'n syth. Pe bydden ni heb wneud hynny ... wel, mae hi wedi bod yn lwcus iawn.'

'Diolch yn fawr i chi, Doctor ...' sylweddolodd Alun nad oedd wedi gofyn beth oedd ei enw. Gwyddai hefyd nad oedd y meddyg wedi gorffen siarad.

'Dwyt ti ddim yn fy nghofio i, nag wyt ti, Alun?' Edrychodd y meddyg arno wrth eistedd gyferbyn ag ef ond cyn i Morgan gael cyfle i ateb a hel esgusodion, cyflwynodd y meddyg ei hun. 'John Davies – ro'n i yn yr un dosbarth â ti yn yr ysgol. Fe wnaethon ni chwarae sawl gêm rygbi yn erbyn ein gilydd. Wyt ti'n dal i daclo mor galed?' gwenodd arno ond nid oedd gan Morgan unrhyw gof ohono.

'Ga' i fynd i weld Elisabeth?' gofynnodd.

'Mewn munud – ond cyn hynny mae 'na un peth sy' raid i ti ei wybod,' edrychodd y meddyg i fyw ei lygaid.

'Ond ro'n i ...'

'Eistedda, Alun,' gorchmynnodd y meddyg yn dyner ond yn awdurdodol. Ufuddhaodd Morgan fel oen bach heb sylwi fod y ddau arall wedi gadael yr ystafell.

'Mae Elisabeth yn cysgu ar hyn o bryd ac mae'n siŵr y bydd hi'n anymwybodol am ychydig bach o amser.'

Gwyrodd John Davies yn nes at Alun. 'Roedd y ddamwain yn un gas ofnadwy, Alun. Anafwyd ei chorff a'i phen yn ddrwg ac yn anffodus fe gollodd gryn dipyn o waed. Mae hi wedi gorfod cael trallwysiad gwaed felly fe fydd hi'n eithriadol o wan.' Oedodd am eiliad neu ddwy cyn ailgychwyn, 'Fyddwn ni ddim yn gwbod pa mor ddifrifol yw'r anafiadau nes y bydd hi'n deffro.' Cymerodd John Davies seibiant bach arall cyn parhau. 'Ond, yn anffodus, nid dim ond colli gwaed wnaeth hi yn y ddamwain,' tawelodd y meddyg.

'Beth wyt ti'n ei feddwl? Dwi ddim yn deall?' Roedd Morgan yn y niwl erbyn hyn; roedd y sefyllfa'n un mor ddieithr iddo a geiriau'r meddyg yn ddisynnwyr. Syllai'r ddau ar ei gilydd.

'Mae Elisabeth wedi colli'r babi. Mae'n ddrwg gen i, fe wnes i fy ngorau ond ...' Tawelodd y meddyg pan welodd wyneb Morgan yn newid. Sylweddolodd fod ei eiriau wedi llorio'r dyn yn llwyr. 'Alun, oeddet ti'n gwbod fod Elisabeth yn feichiog?' gofynnodd.

'Yn feichiog?' edrychodd Morgan ar y meddyg yn llawn anghrediniaeth. 'Elisabeth yn feichiog?'

Cododd John Davies a cherdded at Morgan. Cydiodd yn dyner yn ei fraich. 'Oedd, Alun, ers tri mis ddywedwn i.'

Ni wyddai'r meddyg beth i ddweud; roedd e wedi cymryd yn ganiataol y byddai Morgan yn gwybod bod ei wraig yn feichiog.

'Cafodd Elisabeth ei thaflu i bob cyfeiriad yn y car,' meddai'n araf, 'cyn cael ei hyrddio'n galed yn ei blaen a dyna achosodd yr erthyliad a'r colli gwaed. Hynny laddodd y babi, Alun – doedd dim modd ei achub.'

Erbyn hyn doedd Morgan ddim yn medru clywed

geiriau'r meddyg; nid oedd yn ymwybodol ei fod yn sefyll yn ei ymyl hyd yn oed. Gwyddai John Davies ei fod wedi cilio i fyd arall ac amheuai tybed a oedd ei hen ffrind ysgol wedi clywed yr hyn a ddywedodd am gyflwr difrifol ei wraig ond yn sydyn, gwelodd y dagrau'n cronni yn y llygaid tywyll. Gwyddai fod calon Morgan yn araf dorri'n dawel bach.

Tawelodd y meddyg am eiliad cyn mynd i sefyll y tu ôl i Morgan. Gosododd ei ddwylo ar yr ysgwyddau cadarn. 'Alun,' meddai'n ddifrifol, 'waeth iti gael gwbod y gwaethaf; oherwydd ei chyflwr ac oherwydd ei hoedran, does fawr o obaith y bydd Elisabeth yn medru cael babi arall.'

Gwyddai'r meddyg ei fod wedi siarad yn lletchwith ac na ddylai fod wedi datgelu hyn am gyflwr Elisabeth ar hyn o bryd; dylai fod wedi aros. Beth yn y byd oedd ar ei ben e? Unig ymateb Morgan fodd bynnag oedd y dagrau a lifai i lawr ei ruddiau. Er ei fod yn teimlo'n euog, cysurodd y meddyg ei hun ei bod yn angenrheidiol fod Morgan yn cael gwybod y gwir am gyflwr ei wraig.

'Wy'n gwbod dy fod am fynd i gadw cwmni i Elisabeth a dwi ddim yn mynd i dy atal di, ond cofia, dyw hi ddim yn gwbod dim am y golled, felly os ddaw hi ati ei hun cyn i un ohonon ni gyrraedd, fe fydde hi'n well iti beidio sôn am y peth. Fe wyddost ti cystal â neb bod ffyrdd arbennig o dorri newyddion dan amgylchiadau o'r fath ...' Arhosodd am ennyd i gael ei wynt ato cyn parhau. 'Cofia hefyd y bydd y pedair awr ar hugain nesaf yn hollbwysig ar ôl yr holl anafiadau a'r llawdriniaeth fawr y mae hi wedi'i chael.' Gwasgodd ysgwyddau ei hen gyfaill i geisio'i gysuro. 'Mae Elisabeth yn fenyw gref, Alun, mae hi'n ddigon ifanc ac mae'n rhaid i ni fod yn ffyddiog y daw hi drwy'r drin, er gwaetha popeth.'

Nid oedd meddwl Morgan yn medru dehongli geiriau'r meddyg erbyn hyn gan eu bod yn dod ato o ryw bellter tywyll, disynnwyr. Ni sylwodd ar Buddug yn dychwelyd i'r ystafell chwaith, na'r meddyg yn nodio'i ben arni.

'Wyt ti ishe mynd ati, Alun?' gofynnodd y nyrs yn dyner.

Cododd Morgan ar ei draed a dilyn Buddug drwy'r drws. Cydgerddodd y ddau ar hyd y coridor.

'Mae hi mewn ystafell breifat ar ei phen ei hunan,' meddai Buddug.

'Pam?' gofynnodd Morgan.

'Er mwyn iddi hi gael cyfle i ddod ati ei hunan yn iawn a rhag ofn y bydd angen inni roi rhagor o driniaeth iddi,' eglurodd.

'Rhagor o driniaeth? Beth y'ch chi'n ei feddwl?' arhosodd Morgan yn ei unfan a throi i edrych ar y nyrs.

'Does neb yn gwbod pa effaith fydd yr anesthetig wedi'i gael arni. Mae hi wedi cael andros o ddamwain a mwy na thebyg na fydd hi o gwmpas ei phethe pan ddihunith hi, dyna i gyd. Diolch byth fod John Davies ar ddyletswydd pan ddaethon nhw ag Elisabeth i mewn, dyna i gyd ddyweda' i.'

'Beth y'ch chi'n geisio'i ddweud?' safodd Morgan yn syn.

'Alun,' gafaelodd Buddug yn ei fraich, 'Alun, pe bydden ni wedi gorfod trosglwyddo Elisabeth i ryw ysbyty arall i gael llawdriniaeth, dwi ddim yn credu y bydde hi wedi goroesi'r daith.'

Gwyrodd Morgan ei ben wrth i'w freichiau syrthio'n llipa bob ochr i'w gorff diymadferth. Diflannodd ei holl nerth wrth iddo sylweddoli difrifoldeb y ddamwain a deall pa mor agos y bu i golli ei wraig.

Arweiniodd Buddug ef i'r ystafell.

Dychrynodd Morgan pan welodd Elisabeth yn gorwedd yn y gwely, ei hwyneb tlws mor wyn â'r galchen, ei llygaid gleision ar gau a chleisiau duon oddi tanynt. Roedd gwaed wedi ceulo ar y cudynnau gwallt a ymwthiai uwchben y rhwymyn gwyn o amgylch ei phen. Heblaw am gadarnhad y meddyg a'r nyrs, nid oedd unrhyw arwydd fod Elisabeth yn fyw. Methai Morgan â dirnad yr olygfa oedd o'i flaen. Ni allai wneud dim ond sefyll yn llonydd wrth y gwely. Roedd yn ymwybodol fod nyrs arall yn eistedd yr ochr draw a chlywodd Buddug yn siarad â hi ond methai'n lân â chanolbwyntio ar y geiriau.

Teimlodd rywun yn gwasgu ei fraich unwaith eto ac yna sylweddolodd fod y ddwy yn gadael yr ystafell. O'r diwedd, roedd e ar ei ben ei hunan gyda'i wraig. Cydiodd yn dyner yn ei llaw; teimlai'n oer a llipa. Edrychodd eto ar y wyneb marmor.

'Bwts,' sibrydodd ei henw bach cyfrinachol yn dawel, yr enw annwyl a ddefnyddiai wrth ymddiddan yn gariadus ag Elisabeth er pan oedd y ddau yn gariadon ysgol. A dyna pryd y torrodd y llifddorau; llifodd y dagrau'n ddiddiwedd. Eisteddodd yn araf ar y gadair a osododd Buddug yno ar ei gyfer, gwyrodd ei ben ar wely ei wraig ac yno y bu nes i'r dagrau sychu ar ei wyneb.

PENNOD 4

'Dere 'nôl ata i, Bwts, dere 'nôl,' sibrydodd Morgan yn dawel wrth i'r bore wawrio heb unrhyw newid yng nghyflwr Elisabeth. Nid oedd yntau chwaith wedi symud gewyn drwy'r nos, gyda'i feddwl ar ddim ond un peth – y corff a orweddai'n llonydd wrth ei ymyl. Roedd e wedi gobeithio y byddai rhyw newid erbyn y bore ond doedd 'na'r un; roedd wyneb ei annwyl wraig yn welw fel y galchen o hyd, ei llygaid yn dal ar gau a heblaw am ei hanadlu tawel, roedd Elisabeth yn gwbl ddifywyd.

Erbyn hyn fodd bynnag roedd meddwl Morgan wedi dechrau dod ato'i hun a dagrau ei rwystredigaeth wedi hen sychu ar ei ruddiau.

'Pam na fyddet ti wedi dweud rhywbeth?' meddai wrthi'n dyner. Cofiai'r direidi lond ei llygaid cyn iddi adael eu cartref i fynd i'r cyfarfod, wrth iddi addo noson gynnar i'r ddau ohonynt wedi iddi ddychwelyd yn ddiweddarach y noson honno.

'Pam ddiawl oedd raid iti fynd i'r cyfarfod 'na, 'nghariad i?' Cofiai ei brwdfrydedd wrth iddi edrych ymlaen i fynd allan.

'Pam oedd raid iti fynd yn fy nghar i yn hytrach na dy gar bach dy hunan?' Cofiodd ei fod wedi addo mynd i roi petrol yn y car bach coch – ac wedi anghofio'n llwyr. Cofiodd mai e wnaeth awgrymu ei bod yn cymryd y car mawr. Arno fe yr oedd y bai felly. Fe ddylai fod wedi sylwi ar y tywydd yn gwaethygu ac ystyried peryglon yr eira ar y ffyrdd. Fe ddylai fod wedi cynnig ei hebrwng i Aberteifi a mynd i'w nôl. Fe fyddai wedi bod yn ddigon hawdd iddo dreulio awr neu ddwy yng nghwmni John Jones wrth ddisgwyl amdani. Pe byddai wedi gwneud hynny, gwneud un ymdrech fach er ei mwyn, byddai popeth wedi bod mor wahanol. Ie, arno fe yr oedd y bai am hyn i gyd. 'Madde i mi, Bwts,' sibrydodd, 'madde i mi.' Plygodd ei ben yn ôl ar y gwely wrth ei hochr.

Tra oedd John Davies, y meddyg yn archwilio'r claf, cymerodd Morgan y cyfle i fynd i'r ystafell ymolchi. Byddai'n teimlo'n well ar ôl taflu ychydig o ddŵr ar ei wyneb a'i wegil ac ymestyn ei goesau rhyw fymryn.

Roedd Sarjant Jones yn disgwyl amdano wrth iddo gerdded yn ôl ar hyd y coridor. Ar ôl holi am gyflwr Elisabeth dywedodd fod gweddillion y car wedi eu casglu a'u bod ar hyn o bryd yn ddiogel mewn garej yn y dref.

'Mae'n amlwg mai pynjar oedd achos y ddamwain, Alun, wel – dau bynjar i fod yn fanwl gywir. Fe fydd yn rhaid iti gysylltu â'r cwmni yswiriant ...' Sylweddolai John Jones nad oedd gan ei gyfaill fawr o ddiddordeb yn y manylion dibwys hyn a chydiodd yn ei fraich yn dyner, 'Dere, fe fydd popeth yn iawn, gei di weld. Wyt ti wedi cael rhywbeth i'w fwyta? Nag wyt, mae'n siŵr. Gad inni fynd i gael disied fach o de neu rywbeth.'

Gwrthododd Morgan y cynnig; dim ond un peth oedd yn bwysig iddo ac felly fe ddychwelodd at ei wraig.

Disgwyliai John Davies amdano wrth iddo gamu'n dawel i'r ystafell. Deallodd ar unwaith nad oedd newid yng nghyflwr ei wraig, er bod rhwymyn glân o amgylch ei phen.

'Shwt mae hi erbyn hyn, John?' gofynnodd yn nerfus. Oedodd y meddyg am eiliad cyn ateb a gwyddai Morgan nad oedd ganddo newyddion da. Teimlodd ias oer yn gwibio drwy'i gorff.

'Mae hi'n dal yn gyfforddus, Alun. Fe wnes i archwilio'r anafiadau'n drwyadl ac wy'n ddigon hapus 'da'r hyn welais i ...' atebodd gan geisio cuddio blinder ei gorff a'i feddwl.

'Ond?' edrychodd Morgan arno.

'Na, na, does dim "ond",' methai John Davies ag edrych i fyw llygaid Morgan.

'John, paid â chwato pethe oddi wrtha i. Wy'n gallu gweld fod 'na rywbeth yn dy boeni,' meddai Morgan â'i lais yn oeraidd.

'Mae'n rhaid imi gyfadde 'mod i wedi disgwyl i effaith yr anesthetig fod wedi dechre cilio erbyn hyn. Ond cofia, mae hi wedi cael llawdriniaeth fawr ac mae'n rhaid inni ddibynnu ar ei nerth corfforol i'w chael hi'n ôl atom. Wy'n dechre ofni efallai ei bod hi mewn coma, Alun, ond mae'n rhy gynnar inni wybod hynny'n bendant.'

'Oes 'na rywbeth fedrwn ni ei wneud?' holodd Morgan yn daer.

'Ddim ar hyn o bryd, Alun, dim ond aros a gobeithio'r gore. Ond os bydd pethe'n gwaethygu, mae 'na un neu ddau beth arall y gallwn ni eu gwneud ond mae hi'n rhy gynnar ar hyn o bryd a dwi ddim ishe gwneud pethe'n waeth.'

Gwyddai Morgan nad oedd diben amau gair y meddyg felly fe eisteddodd wrth ymyl y gwely a gafael yn dyner yn llaw ei wraig.

'Dim ond aros a gobeithio'r gore,' atseiniai geiriau'r meddyg yn ei feddwl. Aros? Dim ond aros? Roedd aros i bethau ddigwydd yn ymddygiad cwbl ddieithr i Alun Morgan!

Cofiodd eto'r ferch ifanc a gipiodd ei galon pan oeddent yn ddisgyblion yn yr ysgol i fyny'r ffordd. Gwelai ei llygaid gleision yn disgleirio'n hardd, clywai ei chwerthiniad llon. Cofiai'r hapusrwydd a rannodd gyda hi, y cofleidio wrth iddynt ailgyfarfod ar ôl dwy flynedd ar hugain a'r teimladau dwfn tuag at ei gilydd yn dal yn fyw, er holl dreialon eu bywydau unig ar wahân.

Cofiai hi ar ddiwrnod ei phriodas a phawb wedi eu swyno gan ei phrydferthwch wrth i'r hen Gapten Williams ei harwain ar hyd y llwybr yng nghanol yr eglwys. Cofiai sut y cydiodd yn ei law a'i gwasgu gan ei bod yn gwybod o'r gorau ei fod ar goll yn yr awyrgylch ddieithr.

Cofiai ddiwrnod ei phen-blwydd ym Mhwll Gwyn, bedwar mis yn ôl, a'r braw a'r tristwch a ddaeth i'w llygaid pan sylweddolodd fod Awel Deg wedi ei werthu ac yntau'n esgus ei bod hi'n rhy hwyr iddynt wneud dim ynghylch y peth. Diwrnod ei phen-blwydd yn ddeugain oed oedd hi ac yntau wedi cynllunio'r holl beth yn y dirgel. Ond wrth edrych yn ôl gwelodd sut y trodd y chwarae'n chwerw wrth i'r newydd ddod â dagrau siom i lygaid Elisabeth. Ond ni allai gyfaddef iddi mai esgus oedd y siocledi a roddodd iddi y bore hwnnw a bod Morwenna ac Anwen yn disgwyl amdani y tu mewn i'r tŷ petai'n agor y drws ffrynt. Teimlai mor euog am ei siomi ar ddiwrnod ei phen-blwydd. Bu bron iddi wrthod agor y pecyn hollbwysig oedd ganddo'n ei law; nid oedd Morgan wedi rhagweld hynny o gwbl.

'Be ydi hwn?' Cofiai'r syndod yn ei llais pan welodd yr allwedd aur yn gorwedd yn y pecyn a'r anghrediniaeth ar ei hwyneb wrth iddi sylweddoli pwy oedd wedi prynu'r tŷ moethus.

'Pen-blwydd hapus, Bwts.' O'r diwedd, roedd e wedi medru dweud y geiriau hollbwysig.

Cofiai'r hapusrwydd yn lledu ar draws ei hwyneb a'r

bodlonrwydd llwyr wrth iddi sylweddoli mai nhw fyddai'n byw yn Awel Deg o hynny allan. Gwenodd wrth ei chofio'n ei gofleidio'n angerddol a'i gusanu'n ddiderfyn. O'r diwedd, gallent greu cartref iddyn nhw eu hunain hyd weddill eu bywydau, cartref a fyddai'n llawn hapusrwydd – hyd nawr.

Teimlai fod rhywun arall yn yr ystafell. Amharwyd ar ei atgofion a throdd ei olygon oddi wrth ei wraig. Buddug oedd yno gyda hambwrdd yn ei dwylo, yn edrych yn dawel arno. Tybed ers pryd y bu hi yno; doedd e ddim wedi'i chlywed yn dod i mewn i'r ystafell.

'Wy'n siŵr nad wyt ti wedi bwyta nac yfed dim oll ers neithiwr,' meddai wrtho'n dawel, 'ond mae'n rhaid iti gymryd rhywbeth bach.' Gosododd yr hambwrdd ar y cwpwrdd bach wrth ochr y gwely.

'Fedra i ddim ...' dechreuodd yntau.

'Mae'n rhaid i ti. Fe fydd Elisabeth angen dy nerth di pan ddaw hi'n ôl atom ni. Dere nawr – *doctor's orders!*' Safai Buddug yn agos ato, yn rhy agos, meddyliodd Morgan.

Doedd hi ddim wedi ei weld ers eu dyddiau ysgol. Roedd rhyw deimladau rhyfedd wedi cyniwair ynddi pan welsai ei lun a darllen ei hanes yn y papur newydd rai misoedd yn ôl. Roedd e wedi bod mor llwyddiannus yn ei yrfa, yn arwr i bob heddwas arall yn y wlad ac wedi dod o hyd i lofrudd y tair merch ifanc yn yr ardal hon yr haf diwethaf. Ond yn awr torrai ei dristwch ar draws ei meddyliau. Dymunai afael ynddo'n dynn a'i gysuro, dod i'w adnabod yn well, datblygu perthynas efallai? Wrth gwrs, roedd hi'n dymuno gweld Elisabeth yn gwella fel bod Alun yn hapus unwaith eto, ond ar y llaw arall ...! Cofiai Buddug yr eiddigedd a oedd yn mynnu cydio ynddi yn y gorffennol. Roedd gan Elisabeth bopeth y dymunai Buddug ei gael ers pan oedd hi'n ferch fach – gwallt golau hir, wyneb prydferth, corff tal a lluniaidd, doniau ym mhob maes, ac ar ben hyn oll roedd pob bachgen yn yr ardal yn ei ffansïo – ac roedd Alun Morgan yn ei charu.

Ddylai hi ddweud rhywbeth wrtho tybed? Hel atgofion am yr hen ddyddiau? Edrychodd ar wyneb y gŵr o'i blaen a dychrynodd wrth weld yr olwg yn ei lygaid, eu neges yn glir – 'Gad lonydd i mi; cer o 'ma.'

'Fe adawa' i lonydd i ti nawr, Alun, ond cofia geisio bwyta rhywbeth bach. Os wyt ti ishe rhywbeth arall, mae 'na gloch fan hyn.' Nesaodd Buddug ato a rhoi ei llaw ar ei ysgwydd ond nid ymatebodd Alun a cherddodd Buddug allan yn dawel gan deimlo braidd yn ffôl. Byddai'r hambwrdd a'r bwyd yn dal heb eu cyffwrdd pan ddychwelai ymhen ychydig oriau.

Daliai Morgan i syllu ar ei wraig heb sylweddoli fod Buddug wedi bod yno hyd yn oed. Gwelodd ychydig o boer yng nghornel ei gwefusu a phlygodd i'w chusanu. Roedd ei gwefusau'n oer er yn feddal. Beth fedrai e ei wneud i'w chysuro, fel yr oedd hi wedi bod yn gysur iddo fe?

A faint o gysur fuest ti dros y blynyddoedd, Alun? Atseiniai'r llais cyfarwydd drwy ei feddyliau, yn gymysgedd o hen leisiau heb fod yn perthyn i neb arbennig, heblaw am ei gydwybod ef ei hun wrth gwrs. *Faint o ymdrech wnest ti i ddod o hyd iddi ym mlynyddoedd cynnar dy fywyd, yn hytrach na boddi dy hunan yn dy waith yn Llundain? Roedd yr holl adnoddau angenrheidiol ar gyfer darganfod unigolion oedd ar goll ledled y wlad – ledled y byd hyd yn oed – o fewn dy gyrraedd, ond wnest ti fawr o ymdrech i ddod o hyd iddi. Un daith fach i fyny i'r Bala gan dy fod yn tybio mai yno'r oedd hi, ond pan sylweddolaist ti dy fod wedi gwneud camgymeriad, beth*

wnest ti? Holi ymhellach? Na, dychwelyd adre a dianc i
Lundain! Ei gadael i wynebu dicter ei thad, siom ei mam
a holl dreialon bywyd ar ei phen ei hunan bach.

Diwedd y gân fu iti orfod cael rhywun arall i ddweud
wrthot ti ble'r oedd hi. A phan wnest ti ei hailgyfarfod, a
hithau wedi bod yn driw i'th atgofion amdani, shwt wnest
ti ei thrafod? Dweud celwyddau am dy fywyd a'th yrfa;
creu atgasedd yn ei meddwl nes y bu'n rhaid iti ddweud y
gwir wrthi yn y diwedd. Wyt ti'n cofio dy galon yn torri?
Ac ar bwy oedd y bai? Wel, nid arni hi.

A'r diolch am hynny? Rhoi ei bywyd mewn perygl. Wyt
ti'n cofio'r noson ar y traeth? Wyt ti'n cofio dy elyn yn ymosod?
Wyt ti'n cofio'r camddealltwriaeth a'i dagrau'n llifo wrth
feddwl dy fod yn mynd i'w gadael unwaith yn rhagor?

Mae dy hunanoldeb di wedi torri ei chalon dro ar ôl
tro. Pwy oedd ar fai, Morgan? Pwy? Cysur?! Wyt ti'n siŵr
dy fod yn deall ystyr y gair?!

Cofiodd sut y cysurodd Elisabeth ef yn ystod yr
wythnosau diwethaf, yn dilyn ei golled. Daeth y bore
trychinebus yn ôl i'w feddwl. Bore dydd Calan oedd hi, bore
cynta'r flwyddyn newydd. Daeth yr atgof yn ôl yn glir.
Roedd y ddau wedi dathlu nos Galan yn nhafarn y Ffrwd
Wen ond wedi gadael yn fuan ar ôl hanner nos gan fod
Elisabeth wedi mynd i deimlo'n flinedig. Y bore wedyn
deffrodd yn sydyn a sylweddoli ei fod ar ei ben ei hunan yn
y gwely. Roedd Elisabeth eisoes wedi gwisgo amdani ac yn
brysur yn y gegin yn paratoi brecwast. Wrth gwrs, gwyddai
pam erbyn hyn. Nid salwch oedd wedi achosi'r blinder a'r
codi cynnar o gwbl. Gwasgodd ei llaw yn dyner.

'Blwyddyn newydd dda, cariad. Hoffet ti fymryn o
frecwast?' Gwelai hi'n gwenu arno yn y gegin fawr, braf.

'A blwyddyn newydd dda i tithau,' gafaelodd ynddi'n dyner a'i chusanu, 'a beth wyt ti am ei gael?'

'Dwi wedi bwyta'n barod. Wnes i ddim cysgu'n rhy dda.'

'Hunllef?'

'Ie, o rhyw fath.'

'Mae'r Capten allan yn gynnar.' Roedd e wedi gweld ei hen ffrind drwy ffenest yr ystafell wely. Eisteddai'r hen ddyn ar ei orsedd garegog ar Garreg y Fuwch, â'i sylw wedi ei hoelio ar y gorwel pell yn ôl ei arfer. Roedd yr hen ŵr ac yntau wedi closio'n arw at ei gilydd dros yr wyth mis diwethaf a'r ddau yn debycach i dad a mab mabwysiedig na chyfeillion.

'Ydi o'n dal ar y traeth?' safodd Elisabeth wrth ei ochr i edrych drwy'r ffenestr.

'Yn eistedd ar ei orsedd fel arfer.'

'Ond roedd o'n eistedd yn union fel yna bron i awr yn ôl,' meddai Elisabeth yn dawel a'r braw yn lledu drwy'i llais.

'Wyt ti'n siŵr?' cofiai edrych yn graff ar ei hen ffrind. Roedd y tarth o'r môr yn rhy drwchus iddo fedru ei weld yn iawn. Teimlodd yr arswyd yn gwibio drwy ei gorff a gwyddai fod rhywbeth ofnadwy wedi digwydd.

'O, damo!' sibrydodd cyn rhedeg allan o'r tŷ, dringo i lawr y creigiau a rhuthro ar draws y traeth nes iddo gyrraedd at y graig.

Cofiai weld yr hen Gapten Williams yn eistedd yn urddasol yn wynebu'r môr, ei lygaid ar agor ond gwyddai Morgan nad oeddent bellach yn gweld un dim. Cofiai sylwi ar y gwydr wedi cwmpo ar y tywod wrth ei draed a'i freichiau'n llipa a difywyd wrth ei ochr.

Cerddodd tuag ato gan edrych ar yr wyneb annwyl, cyfeillgar, cyn cau'r llygaid yn dyner am y tro olaf. Cofiai roi ei freichiau o amgylch ei hen ffrind cyn ei godi'n ysgafn oddi ar y graig. Dechreuodd gerdded yn ôl ar hyd y traeth a'r dagrau'n cronni yn ei lygaid.

Rhedodd Elisabeth tuag ato cyn sylweddoli beth oedd wedi digwydd. 'O, na, Alun,' llefodd, 'O, na,' wrth nesáu tuag ato a chydio'n dyner yn ei fraich.

Cofiai'r dagrau yn llifo i lawr ei bochau gan adlewyrchu ei deimladau yntau. Doedd dim angen geiriau. Roedd y ddau wedi colli hen ffrind a chymydog annwyl. Roedd Pwll Gwyn wedi colli darn o'i threftadaeth. Roedd yr hen Gapten wedi bod yn rhan o'r lle ers ei enedigaeth ac yn rhan o'u bywydau hwythau ers misoedd, fel petai'n aelod o'r teulu.

Clywai eto lais yr hen Gapten yn dweud wrtho fisoedd ynghynt, 'Cer ar ei hôl hi, 'machgen i; cer ar ei hôl hi, pwy bynnag yw hi.'

Ac o'r diwedd fe est ti ar ei hôl hi, Morgan, diolch i gyngor ambell un a oedd yn dy adnabod yn well na thi dy hun! Ond mae dy gyfeillion yn prysur ddiflannu, neu rwyt ti'n colli cysylltiad â nhw. Ac efallai y bydd Elisabeth hefyd yn ...

'Na!' bloeddiodd Morgan ar draws yr ystafell, 'Na, Bwts, chei di ddim marw!'

Dyna fe – roedd e wedi dweud y gair a fu'n mudlosgi yn ei feddwl ers y ddamwain. Cododd ar ei draed, gwyro dros ei wraig a'i chusanu. Cerddodd at y ffenest ac agor y llenni gan adael i'r haul gaeafol dywynnu ar ei gwely.

*   *   *

Curodd y Ditectif Uwcharolygydd Jimmy James – neu J-J fel y câi ei adnabod gan ei gydweithwyr – ar ddrws swyddfa ei feistr yn Sgotland Iard heb ddisgwyl gwahoddiad cyn cerdded i mewn. Roedd y Comander, cyn-feistr Alun Morgan, yn eistedd y tu ôl i'w ddesg fawr â'i draed i fyny ynghanol pentwr blêr o bapur.

'Beth sy'n bod, J-J?' gofynnodd, heb godi ei olygon o'r papurau a ddaliai yn ei law.

'Problem, Gyf,' atebodd J-J. 'Mae heddlu afon Tafwys newydd ddod o hyd i gorff yn y dŵr, corff dyn mewn sach blastig, yn amlwg wedi'i lofruddio. Does dim byd newydd yn hynny, ond roedd ei ddwylo wedi'u torri bant a'u clymu mewn bag bach arall gyda darn o bapur wedi'i osod yn ofalus yn y bag.'

Dim ond hanner gwrando arno a wnâi'r Comander. Nid oedd dim byd anghyffredin ynghylch yr adroddiad a phendronodd am eiliad pam y ffwdanodd J-J roi'r wybodaeth iddo. Roedd ar fin dweud hyn pan sylwodd ar yr olwg ryfedd ar wyneb ei gydweithiwr.

'Y neges ar y papur oedd, "Dyma'r dwylo sydd wedi lladd y Ditectif Uwch Brifarolygydd Alun Morgan".'

'Beth?!' gwaeddodd y Comander a bu bron iddo gwympo oddi ar ei sedd.

Ailadroddodd J-J y neges cyn edrych ar ei feistr, 'Wy' wedi gofyn am gopi caled o'r nodyn ond dyna oedd y neges yn bendant.'

Nid oedd y Comander yn un i regi yng ngŵydd ei gydweithwyr fel arfer, ond roedd hyn yn eithriad. 'Rho alwad i'r boi 'na yng ngorllewin Cymru i ofyn a ydyn nhw'n gwbod ble mae Morgan. Ond gwna fe'n dawel, J-J.' Ni ddywedodd air am funud. Yna rhoddodd y papurau'n ôl ar ei ddesg. Cododd ei ben i edrych ar ei ddirprwy newydd. 'Mae 'na gelwydd fan'na yn rhywle, J-J. Morgan yn farw? Wedi ei ladd? Go brin!'

PENNOD 5

Ni wyddai Elisabeth ble'r oedd hi ond gwyddai ei bod mewn poen dychrynllyd. Teimlai'r llafnau miniog, poeth yn rhwygo pob darn o'i chorff a hithau heb unrhyw fodd o amddiffyn ei hun yn y tywyllwch llethol o'i hamgylch. Gwyddai bod 'na gysur rhywle yr ochr draw i'r diffeithwch hwn a cheisiodd gymryd cam ymlaen drwy'r cwmwl du ond methai symud ei choesau. Ceisiodd weiddi am gymorth ond methodd agor ei cheg. Ceisiodd agor ei llygaid ond nid oedd yr un darn o'i chorff yn ymateb i'w hymdrechion i symud. Roedd y poenau'n gorchfygu pob ymgais. Gwyddai fod rhywun gerllaw yn ysu i'w chynorthwyo ond roeddent yn rhy bell iddi fedru eu cyrraedd. Ildiodd i'r düwch a theimlodd ei hunan yn suddo'n ôl i'r pydew annaearol.

* * *

O, y poenau! Dychwelodd y poenau erchyll fel pe baent wedi eu crynhoi yn un poen mawr a dreiddiai i bob rhan o'i chorff a'i hunig ddihangfa oedd y pydew du, dwfn, gwag. Teimlai ddwylo cryfion yn ei thynnu; roedd rhywun yn ei chario, yn ei chario ymaith o'r pydew. Ond roedd arni hi eisiau i'r düwch ddychwelyd er mwyn iddi gael boddi ei hun unwaith eto yn y tywyllwch – y tywyllwch a oedd yn noddfa rhag y boen, ble gallai hi orwedd mewn heddwch di-boen.

* * *

Ble'r oedd hi erbyn hyn? Oedd hi wedi cyrraedd yr hafan dawel? Teimlai ei bod yn gorwedd yng nghanol y cwmwl du heb neb na dim yno i'w dal. Oedd hi ar waelod y pydew? Na, nid ar ei waelod; doedd hi ddim yn y pydew o gwbl ond mewn rhyw fath o dwnnel. Ie, twnnel cul, hir ac er nad oedd hi ei hunan yn symud, gwyddai fod pethau'n gwibio heibio iddi, pethau aneglur ond nid y rhain oedd achos y poenau. Oedd ei llygaid yn agored? Nac oedden, ond fe allai hi weld. Roedd hi'n medru gweld y düwch yn glir.

*   *   *

Clywai Elisabeth sŵn rhyfedd yn y pellter. Beth oedd e? Beth oedd hi'n ei glywed? Rhywun yn griddfan? Rhywun yn crio? Ac oedd, roedd rhywbeth wedi newid erbyn hyn. Beth oedd e? Canolbwyntiodd. Ceisiodd feddwl. Yn sydyn daeth yr ateb iddi – roedd y poenau erchyll wedi diflannu. Ond beth oedd wedi cymryd eu lle? Dim byd; doedd dim goleuni mwyach, na dim sŵn chwaith – doedd 'na ddim byd o'i hamgylch, dim ond y tywyllwch. Teimlai'n hollol wag cyn i bob dim ddiflannu unwaith yn rhagor.

*   *   *

Gwelodd rywbeth o'i blaen. Yn sydyn ymddangosodd ffigwr yn y pellter. Ni wyddai o ble, na sut y cyrhaeddodd yno mor ddisymwth ond gallai ei weld yn glir. Roedd y ferch yn sefyll wrth ei hochr ac eto roedd hi'n rhy bell i Elisabeth fedru ei chyffwrdd. Chwythai ei gwallt golau yn y gwynt ac roedd ei hwyneb yn gyfarwydd iddi. Gwenai ar Elisabeth ond ni allai Elisabeth wenu'n ôl. Yna sylweddolodd mai hi ei hunan oedd y ferch, hi yn blentyn unwaith eto, mewn gwisg ysgol – ond nid arni hi yr oedd hi'n gwenu. Roedd 'na rywun yn sefyll y tu ôl iddi ond methai droi ei phen i weld pwy oedd yno. Cerddodd y ferch ifanc ymlaen a'r wên yn lledu ar draws ei hwyneb; roedd hi'n hapus a gwelodd Elisabeth hi'n estyn ei dwylo i gyffwrdd â rhywun arall. Cerddodd heibio ac unwaith eto ceisiodd Elisabeth droi i weld pwy oedd yn cadw cwmni iddi, ond er ei holl ymdrechion, methodd. Sylweddolodd ei bod yn gaeth yn y twnnel a bod y ferch ifanc wedi diflannu.

Yna gwelodd rywbeth arall o'i blaen ond sut yn y byd yr oedd hyn yn digwydd a hithau'n methu symud ei chorff? Teimlai fel petai'n hedfan fel aderyn ar hyd y twnnel ac eto nid oedd yn symud o'r unfan. Gwelai risiau'n ymestyn i fyny i'r tywyllwch uwchben. Roedd y grisiau'n gyfarwydd iddi; gwyddai fod 'na ffenest hanner y ffordd i fyny ond ni wyddai sut yr oedd hi'n eu cofio na ble'r oedd hi wedi gweld y grisiau o'r blaen. Ceisiodd ganolbwyntio unwaith yn rhagor. Gwelodd olau gwan yn goleuo'r grisiau. Ceisiodd chwilio am y ffenest ond doedd yr un i'w gweld. Safai dau ffigwr yng nghanol y golau ar y grisiau. Yn dawel bach, heb i'r un gair gael ei yngganu, gwyddai Elisabeth fod y ddau yn ei gwahodd i ymuno â nhw. Gwyddai mai ei mam a'i thad oedd y ddau ar y grisiau, y ddau yn sefyll o'i blaen, y ddau yn eu dillad arferol. Ei thad yn barchus iawn yn ei siwt ddu ar gyfer y Sul, gyda'r goler gron am ei wddf yn disgleirio'n wyn, a'i mam mewn ffrog flodeuog hafaidd. Gwelai fwndel bychan ym mreichiau ei mam, bwndel bychan o gadachau gwynion. Gwyddai fod y ddau yn siarad â hi ond ni chlywai'r geiriau. Synhwyrai fod popeth yn ddiogel wrth i'r ddau erfyn arni i ddringo'r grisiau tuag atynt. Gwelodd ei thad yn ymestyn ei freichiau tuag ati. Er na allai symud ei chorff sylweddolodd Elisabeth ei bod yn hedfan yn araf tuag atynt a gwelodd fod y ddau yn ymbaratoi i'w chroesawu. Ond pam nad oedden nhw'n symud? Pam nad oedden nhw'n barod i ddod i lawr y grisiau tuag ati hi? Pam mai hi oedd yn gorfod ymdrechu i ddringo'r grisiau atyn nhw a hithau mor wan? Clywodd lais yn gweiddi yn y pellter, llais dyn yn gweiddi, llais cyfarwydd, ond ar bwy yr oedd e'n gweiddi? Arni hi neu ar ei rhieni?

Edrychodd i fyny ar ei mam a'i thad. Roedd y ddau yn dal i ymbil arni i fynd atynt. Roedd hi wedi cyrraedd y ris gyntaf ac fe allai weld y bwndel ym mreichiau ei mam yn well o'r fan honno. Nid cadachau gwynion oedd yn ei breichiau ond baban bach. Edrychai'r baban yn ddigon cysurus ym mreichiau ei nain. Beth wnaeth iddi feddwl mai nain y baban bach oedd ei mam? Os mai ei nain oedd hi ... O na, na ...

Teimlodd wefusau yn ei chusanu'n dyner. Pwy tybed? Nid ei thad – roedd e'n dal ar y grisiau. Ceisiodd agor ei llygaid i weld. Roedd hi'n gusan gyfarwydd, yn dyner a chynnes – cusan a oedd yn llawn cariad. Roedd hi ar fin camu ar yr ail ris ond roedd y gusan yn ei thynnu rhag mynd gam ymhellach. Clywodd waedd arall, gwaedd dyn yn gweiddi arni, yn ymbil arni i beidio â mynd ymhellach ond roedd arni hi eisiau mynd at ei rhieni, at ei baban. Fflachiodd golau llachar ar draws y tywyllwch, nid golau gwan o'r ffenest fach uwchben y grisiau ond golau o rywle arall, golau a oedd yn gorchfygu popeth arall. Diflannodd y grisiau, diflannodd ei rhieni, diflannodd y baban. Diflannodd popeth heblaw am lais aneglur y gŵr a oedd wedi bod yn gweiddi arni. Gwyddai ei fod gerllaw ond methai, unwaith eto, â throi i'w weld. Dychwelodd y tywyllwch a suddodd Elisabeth yn ôl i'r fagddu.

* * *

Roedd rhywbeth arall wedi newid erbyn hyn. Roedd y tywyllwch wedi diflannu fel cwmwl o niwl ac yn ei le gwelai draeth euraidd, cyfarwydd. Oedd, roedd y traeth yn gyfarwydd iawn ond methai gofio pam. Gwelai'r tywod a'r môr, clywai sŵn y tonnau'n atseinio yn y cefndir ac eto, nid oedd yr un don yn torri ar y lan gerllaw. Gwelai'r hen ŵr yn cerdded tuag ati ar hyd y traeth. Roedd hi'n ei adnabod ond methai'n lân â chofio pwy ydoedd. Gwisgai wisg swyddogol, gwisg morwr; roedd y gŵr yn gapten llong. Gallai Elisabeth weld y llong allan ar y môr ond arweiniai'r morwr hi draw oddi wrth y tonnau.

Roedd yr hen gapten yn ei harwain i fyny'r traeth tuag at y creigiau, heb unrhyw eglurhad pam. Roedd y creigiau hwythau'n gyfarwydd iddi; roedd hi wedi bod yma'n ddiweddar. Clywai leisiau ond methai ddehongli'r geiriau. Clywodd ergydion – ergydion gwn. Nid y capten oedd wedi tanio gwn, doedd bosib? Edrychodd o'i hamgylch; roedd yr hen ŵr wedi diflannu erbyn hyn a'i gadael hi ar ei phen ei hun. Teimlai'n ofnus. Chwiliodd ymysg y creigiau am y grisiau, chwiliodd am ei mam a'i thad a'r baban bach. Gwyddai y byddai'n ddiogel yn eu cwmni nhw ond nid oedd golwg ohonynt. Ni welai ddim heblaw'r tywod a'r creigiau yn ymestyn o'i blaen ac roedd sŵn y saethu yn dal i atseinio drwy ei phen.

Yn y pellter gwelodd ddyn yn cerdded tuag ati. Ai hwn oedd wedi tanio'r gwn? Na, gwyddai yn ei chalon nad hwn

46

oedd yr ergydiwr – ond roedd y traeth yn wag heblaw amdano ef. Roedd y capten wedi ei gadael. Dim ond hi oedd yno – hi a'r dyn a gerddai yn araf tuag ati.

Unwaith eto dychwelodd y cwmwl du ar draws y traeth ond daliai'r dyn i gerdded drwy'r cwmwl tuag ati. Gwyddai y byddai'n ddiogel yn ei gwmni. Ond pwy oedd e?

Roedd y dyn yn dal a chyhyrog ac wrth iddo nesáu drwy'r niwl diflannai'r cwmwl du y tu ôl iddo. Teimlodd rywun yn gafael yn ei llaw. Edrychodd i lawr gan feddwl bod yr hen gapten wedi dychwelyd ond nid oedd neb yno. Teimlodd gynhesrwydd y llaw a gwyddai mai llaw y dyn yr oedd hi'n ei deimlo – ond roedd e'n rhy bell i ffwrdd i fod yn ei chyffwrdd. Clywai'r ergydion yn y pellter a dechreuodd y niwl ymledu drosti fel mantell oer, lwyd, fygythiol. Edrychodd i gyfeiriad y dyn ac er na allai ei glywed yn iawn, gwyddai ei fod yn galw arni i anwybyddu'r cwmwl. Roedd yntau'n erfyn arni i gerdded tuag ato, yn union fel ei rhieni ar y grisiau, ond y tro hwn gwyddai nad oedd unrhyw berygl yn disgwyl amdani. Gwyddai y dylai ymdrechu i gyrraedd ato. Gwyddai y byddai'n gwbl ddiogel yn ei gwmni. Byddai'n rhaid iddi ymladd yn erbyn ei gwendid. Camodd un cam bach, ansicr. Sut y byddai ei chorff yn ymateb? Camodd am yr eilwaith, a'r trydydd tro, gyda'i hyder yn cynyddu â phob cam. Roedd y dyn yn agos nawr, yn gysur iddi, yn ei chynnal rhag cwympo. Teimlai'r tynerwch yn ei lygaid, y gonestrwydd yn ei wyneb. Plethodd ei fysedd yn ei bysedd hi a dal ei wyneb yn agos i'w hwyneb hi. Gwelai Elisabeth ef yn glir; gwelai'r graith gas ar ochr ei wyneb a'r dagrau'n disgleirio yn ei lygaid tywyll. Alun oedd e! Alun oedd yn ei chyffwrdd yn dyner, Alun oedd yn disgwyl amdani ar ddiwedd y daith. Ciliodd y tywyllwch yn llwyr, teimlodd law ei gŵr, gwasgodd hi'n dyner ac yn araf bach agorodd ei llygaid.

'Alun?' sibrydodd, 'Alun? Dal fi, Alun.'

Teimlodd ei gorff yn ei herbyn, ond nid mewn breuddwyd. Teimlodd ei ddwylo ar ei gruddiau, ond nid mewn breuddwyd. Gwelodd y wên ar ei wyneb. Clywodd ei lais yn sibrwd – ond yn y byd go iawn y tro hwn.

* * *

'Beth y'ch chi'n ei feddwl "does gyda ni 'run ddogfen"?' gwaeddai'r dyn i dderbynnydd y ffôn. Beth yn y byd oedd yn bod ar y ffyliaid cefn gwlad hyn? Pam na fedren nhw ddilyn cyfarwyddiadau syml, yn enwedig gan fod ei gynllun wedi gwneud pethau'n haws iddynt. Gwrandawodd y dyn ar yr atebion gwan a'r esgusodion tila.

'Gwrandewch 'ma! Fe fydde hi'n well i chi ddod o hyd iddyn nhw – a dod o hyd iddyn nhw'n glou neu fe fydd hi ar ben ar y ddau ohonoch chi. Ydi hynny'n ddigon clir i chi?'

Taflodd y derbynnydd i'w grud a rhegi'n uchel wrth i'r anobaith fygwth ei gynlluniau manwl. Pam yn y byd y gadawodd e waith mor bwysig yn nwylo rhywun arall? Fe ddylai fod wedi cymryd y cyfrifoldeb ei hunan, waeth pa mor anghyfleus fyddai hynny.

PENNOD 6

'Mae hi'n ôl gyda ni, Alun, diolch i'r drefn, ond mae hi'n dal yn ddychrynllyd o wan,' gwenodd John Davies ar Morgan. 'Digon o gwsg yw'r feddyginiaeth orau iddi nawr. I fod yn onest, ro'n i'n dechre ofni'r gwaetha.'

'Paid byth ag anobeithio. Does neb tebyg i Elisabeth yn y byd,' gwenodd Morgan yn dyner ar ei wraig heb lefaru'r union eiriau a âi drwy ei feddwl.

'A tithe, beth amdanat ti? Cer i gael mymryn o fwyd a chawod. Fe fydde shafad yn syniad da hefyd. Rwyt ti wedi bod wrth y gwely 'ma drwy gydol yr amser ac mae'n siŵr mai yma yr hoffet ti aros – ond creda di fi, nid dyna'r wyneb fydd Elisabeth ishe'i weld pan wnaiff hi ddeffro'n iawn! Fel meddyg, wy'n dweud wrthot ti dy fod yn edrych yn uffernol!'

Chwarddodd y ddau gyda'i gilydd am y tro cyntaf ers eu dyddiau ysgol, a gadawodd Morgan i'r meddyg ei arwain i'w ystafelloedd preifat.

Unwaith eto roedd Sarjant Jones yn y dderbynfa yn disgwyl amdano pan ddychwelodd. 'Alun bach, dyma ryddhad!' gwaeddodd gan ysgwyd ei law yn ddiarbed. Doedd dim angen dweud rhagor wrtho am gyflwr Elisabeth; sylweddolai Morgan fod John Jones yn gwybod am y datblygiad diweddaraf.

'Gwranda, wy' wedi bod draw i Bwll Gwyn i nôl dillad glân i ti. Gobeithio nad oes wahaniaeth 'da ti. Wel, syniad

Siwsan y wraig oedd e a dweud y gwir ...' cyfeiriodd at y bag siopa ar y llawr. 'Mae hi wedi paratoi brechdanau i ti hefyd ac un neu ddau beth bach arall – ti'n gwbod shwt ma'r gwragedd hyn.'

'Diolch yn fawr i ti, John, fe fydd eu hangen nhw arna i dros y dyddie nesa. Dwi ddim yn mynd i adael Elisabeth nes y bydd hi wedi deffro'n iawn a'm gorfodi i i adael llonydd iddi am sbel!'

'Digon teg ... Diawl erioed, wy' wedi bod fel rhyw ysgrifenyddes bersonol i ti dros y dyddie diwetha 'ma, achan. Wy' wedi ffonio Morwenna ac mae hi ar ei ffordd yma. Mae J-J wedi galw ac mae e am iti ffonio'r Comander cyn gynted ag y medri di; mae Gwenda wedi galw hefyd yn holi am gyflwr Elisabeth; mae Teifryn Ifans, boi y garej, ishe i ti gysylltu ag e ynghylch dy gar ac mae Sal wedi bod ar y ffôn ac wedi symud i mewn i Awel Deg er mwyn edrych ar ôl y babi tra bydd ei mam lawr fan hyn.'

Babi? Pa fabi? Roedd y babi wedi cael ei ladd yn y ddamwain. Doedd 'na ddim babi mwyach. Methai Morgan yn lân â dehongli ystyr y geiriau rhyfedd hyn.

'Beth wyt ti'n ei feddwl "edrych ar ôl y babi"?'

Edrychodd y Sarjant yn syn arno, 'Wel, Anwen wrth gwrs, dy wyres fach – merch Morwenna.'

'O, ie, ie, wrth gwrs,' atebodd Morgan yn lletchwith. Oedd, roedd 'na un babi yn y teulu o hyd – ond dim ond un. Dychwelodd yn benisel at erchwyn gwely ei wraig.

* * *

Clywodd Morgan lais John Jones yn glir yn ei feddwl, er nad oedd e wedi gwrando arno'n iawn ar y pryd: 'Mae'n amlwg mai pynjar oedd achos y ddamwain, Alun, wel – dau bynjar i fod yn fanwl gywir,' ac roedd disgrifiad y rhingyll o'r alwad ffôn a dderbyniodd yn eglur yn ei feddwl hefyd, yn enwedig y geiriau Cymraeg clir. Cyffyrddodd Morgan y graith ar ochr ei wyneb – hen arferiad pan fyddai'n pendroni ynghylch rhywbeth.

'Na, go brin mai blydi pynjar gest ti, Bwts fach,' meddai'n uchel, 'ond gad i bawb feddwl hynny am nawr.' Edrychodd ar ei wraig gan ofni ei fod wedi ei deffro, ond dal i gysgu'n dawel a wnâi Elisabeth.

Gwyddai Morgan mai gorau po gyntaf y byddai'n mynd i archwilio'r car ar ei ben ei hunan. Roedd y neges ffôn wedi codi hen grachen yn ei feddwl a deffro atgofion am ei hen elyn Ricky Capelo. Ochneidiodd yn ddwfn wrth ofni nad oedd y frwydr ar ben.

Agorodd Elisabeth ei llygaid yn araf a throdd ei phen rhyw fymryn tuag ato, 'Alun,' meddai'n dawel. Estynnodd ei llaw yn araf ar draws y gwely, 'Alun,' meddai eto fel pe bai'n chwilio amdano.

Gwyddai Morgan yn iawn beth oedd Elisabeth ar fin ei ddweud. Cydiodd yn dyner yn ei llaw, 'Wy'n gwbod, Bwts fach,' atebodd â'i lais yn addfwyn a thawel.

'Ro'n i'n mynd i ddweud wrthat ti,' dechreuodd hithau wrth i'r dagrau gronni yn ei llygaid gleision, 'ond mae hi'n rhy hwyr erbyn hyn.' Llifodd y dagrau i lawr ei gruddiau. Eisteddodd Morgan ar erchwyn y gwely gan ymladd yn erbyn ei ddagrau ei hun.

'Mae o wedi mynd,' dechreuodd feichio crio, ' Alun ... mae'n babi bach ni wedi mynd,' ceisiodd glosio at ei gŵr. Cofleidiodd Morgan hi'n dynn. Ni allai ganfod yr un gair o gysur.

'Yr hyn sy'n bwysig nawr yw dy fod ti'n gwella'n iawn,' sibrydodd.

'Mi ges i freuddwyd pan oeddwn i'n ... yn ...' dechreuodd Elisabeth sôn am y gweledigaethau rhyfedd a oedd yn dal mor glir yn ei meddwl. Soniodd am ei rhieni ar y grisiau, yn erfyn arni i ymuno â nhw. Doedd Morgan ddim yn ŵr crefyddol o gwbl. Dros y blynyddoedd roedd creulondeb ac erchyllterau'r ddynoliaeth a welsai yn ei waith bob dydd wedi lladd unrhyw gred a oedd ganddo mewn duw. Ond roedd geiriau ei wraig yn dechrau ailgynnau rhyw fflam yn ei feddwl.

Arhosodd gyda hi nes ei bod yn cysgu unwaith eto.

'Alun, mae 'na ferch ifanc yn y dderbynfa sy'n mynnu ei bod yn ferch i Elisabeth.' Daeth Buddug i mewn i'r ystafell yn dawel; roedd hi'n amlwg yn amau gair y ferch ddieithr.

'Morwenna?'

'Ie, dyna'r enw roddodd hi i un o'r nyrsys ond ...'

Cododd Morgan o'r gadair gan sefyll yn dalsyth o flaen Buddug. Cododd ei aeliau gan ei hannog i orffen y cwestiwn ond tawodd y nyrs pan wawriodd arni pa mor debyg oedd y ferch ifanc a Morgan – y ddau yn dal, y ddau â gwallt tywyll trwchus, cyrliog, er bod gwallt Morgan wedi dechrau britho erbyn hyn, ac wrth gwrs, y llygaid treiddgar, disglair. Ond shwt yn y byd ...? Tua dwy ar bymtheg oedd Elisabeth pan adawodd hi ardal Aberteifi gyda'i rhieni. Roedd y ferch ifanc yn y dderbynfa yn ei hugeiniau cynnar, felly ... Yna sylweddolodd Buddug ar amrantiad beth yn union oedd wedi digwydd yr holl flynyddoedd yn ôl ac fe gynyddodd ei chenfigen tuag at Elisabeth yn gan mil gwaeth.

'Iawn, fe anfona' i hi i mewn,' meddai'n lletchwith a throi at y drws.

'Na,' edrychodd Morgan ar ei wraig, 'gad i mi gael gair bach gyda hi'n gyntaf,' a dilynodd Buddug allan o'r ystafell.

Rhedodd Morwenna tuag at ei thad pan welodd ef yn brasgamu ar hyd y coridor. 'Dad,' bloeddiodd, cyn taflu ei breichiau am ei wddf a'i gofleidio. Cerddodd Buddug i ffwrdd gyda gwên fach sinigaidd ar ei hwyneb.

Roedd Morgan mor falch o weld ei ferch fel na sylwodd ar y cleisiau ynghudd o dan y colur. Eglurodd yn gyflym beth oedd wedi digwydd i'w mam, gan bwysleisio pa mor fregus oedd ei chyflwr o hyd, ond ni soniodd am y golled erchyll.

'Ti'n gweld, Morwenna, fe fu bron inni ei cholli hi'n llwyr ...' brwydrai i geisio rheoli ei deimladau.

'O, Dad,' ebychodd Morwenna a chydio'n dynn ynddo.

*   *   *

'Mae J-J wedi darganfod pwy oedd e beth bynnag,' eglurodd y Comander ar ôl dweud hanes y corff yn afon Tafwys. Cawsai Morgan ei alw i swyddfa John Davies y meddyg i dderbyn galwad ffôn gan rywun pwysig iawn a oedd yn mynnu cael gair ag ef, yn ôl Buddug. Bu bron iddo chwerthin yn uchel pan glywodd lais ei hen feistr a'i gyfaill agos yn bloeddio'n ei glust. Ar ôl ateb cwestiynau rif y gwlith am gyflwr Elisabeth, gwrthododd gynnig hael Dorothy, gwraig y Comander, i ddod lawr o Lundain i drefnu pethau tra bo'r claf yn gwella'n iawn, er y gwyddai Morgan fod y cynnig yn dod o'r galon. Ers iddynt gyfarfod am y tro cyntaf gwta flwyddyn yn ôl, roedd Elisabeth a Dorothy wedi dod yn ffrindiau mynwesol. Er hynny, cadwodd Morgan eu colled ingol yn gyfrinach am y tro.

'Wyt ti'n cofio Sam James? Fe wnest ti ei arestio flynyddoedd yn ôl am fod ganddo ryw gysylltiad â'r isfyd. Ti roddodd lety iddo am sawl blwyddyn yng ngwahanol garchardai ei mawrhydi ledled y wlad, wyt ti'n cofio?'

Synnwyd Morgan gan y cwestiwn, ond cofiai Sam James yn iawn. Roedd y ddau wedi bod yn yr ysgol gyda'i gilydd am gyfnod. Gwyddai Morgan mai hen ddiawl brwnt yn ogystal â bwli cas oedd Sam James o'r dechrau'n deg. Cofiai shwt yr arferai boeni Elisabeth drwy'r amser, yn aflwyddiannus, nes iddo ef a dau o'i ffrindiau afael ynddi ar ôl yr ysgol un diwrnod a'i thynnu i mewn i'r llwyni. Pan gyrhaeddodd Morgan, ar ôl clywed sgrechfeydd Elisabeth, roedd Sam ar ei chefn a'r ddau arall yn dal ei breichiau'n llonydd wrth iddo geisio gwthio'i law lan ei sgert. Ond ni chafodd y cnaf gyfle i fynd gam ymhellach. Cofiodd Morgan iddo gydio yn Sam a'i fwrw'n galed yn ei stumog a thra oedd y diawl yn ymladd am ei wynt, achubodd Morgan ei gariad ac fe redodd y ddau gachgi arall i ffwrdd. Ceisiodd Sam ddial ar Morgan sawl gwaith ar ôl hynny ond yn aflwyddiannus bob tro. Yn y diwedd fe fethodd ei arholiadau a gadawodd yr ysgol, ond nid cyn iddo addo i Morgan y byddai'n dial arno rhyw ddydd. Na, doedd ryfedd fod Sam James wedi ymuno â brawdoliaeth yr isfyd, ond fe roddodd Morgan derfyn ar ei weithgareddau ciaidd yn y diwedd.

Ond a oedd hi'n bosib mai Sam James oedd wedi ceisio dial ar Morgan ar y noson honno o eira trwm ar y ffordd ger Aberteifi? Na, ni allai Morgan gredu hynny rywsut.

'Wel, wnaiff e ddim rhagor o niwed i ti, ddim yn y byd 'ma ta beth,' cysurodd y Comander. 'Mae'n debyg mai ei gorff e oedd yn yr afon – ei ddwylo e oedden nhw. Mae J-J yn ceisio canfod pwy oedd ei feistri newydd ar hyn o bryd.

Paid â phoeni, pan fydd yr wybodaeth 'da ni, ti fydd y cyntaf i glywed. Rwyt ti'n adnabod J-J yn ddigon da i wybod na fydd e'n hir yn cael y manylion.'

* * *

Pan ddychwelodd Morgan gwelodd fod cwmni Morwenna wedi gwneud byd o les i Elisabeth.

'Pam na ddest ti ag Anwen fach gyda ti i mi gael ei gweld?' Syfrdanwyd Morgan gan gwestiwn ei wraig. Oedd hi o ddifri?!

'Daw digon o gyfle i chi weld Anwen cyn bo hir, Mam. Fe fydd hi'n swnian ar ei nain yn ddiddiwedd pan ddewch chi adre,' gwenodd Morwenna. 'Ac o sôn am Anwen, fe ddylwn i fynd adre i'w rhoi hi'n ei gwely.' Cododd o'i chadair.

'Paid â phoeni, mae Sal yn siŵr o fod wrth ei bodd yn ei gwarchod,' gwenodd Morgan ar ei ferch.

Roedd Sal wedi bod fel chwaer fawr iddo dros y blynyddoedd, byth ers iddi ddod i ffarm ei rieni i weithio fel morwyn. Cafodd ei derbyn fel un o'r teulu bron pan oedd e, Morgan, yn ddim ond crwtyn bach. Nid anghofiai Morgan chwaith mai cyngor Sal ddaeth ag Elisabeth yn ôl i'w fywyd a gwyddai na fedrai byth dalu'r ddyled honno'n ôl yn llawn.

Daliai Morgan i wenu wrth i'w ferch gerdded tuag ato i roi cusan ar ei foch ond rhewodd y wên ar ei wyneb pan sylwodd ar y cleisiau o dan y colur.

Cerddodd Morwenna'n gyflym i lawr y coridor ond fe wyddai fod ei thad wedi gweld y cysgodion tywyll.

'Morwenna,' galwodd Morgan yn uchel. Trodd hithau i wynebu ei thad a cherdded yn ôl yn araf tuag ato.

'Dwi'n gwbod, Dad,' meddai cyn sefyll o'i flaen, 'ond peidiwch â dweud wrth Mam.' Sylwodd Morgan ar y gofid yn llenwi ei llygaid tywyll wrth iddo'i chofleidio'n dyner.

'Paid â phoeni, rwyt ti'n ddiogel nawr; rwyt tithe wedi dod adre hefyd.' Edrychodd ar wyneb ei ferch. Er mai dim ond ers ychydig fisoedd y daeth i'w hadnabod, roedd y ddau yn deall ei gilydd i'r dim ac agosatrwydd eithriadol rhyngddynt. Gwyddai Morgan yn iawn pwy oedd yn gyfrifol am y cleisiau; nid dyma'r tro cyntaf, er nad oedd e wedi dweud gair pan sylweddolodd fod hyn wedi digwydd o'r blaen. 'Dwyt ti ddim yn mynd yn ôl i Fanceinion. Wna' i ddim gadael i ti fynd yn ôl at y cachgi gŵr 'na sy' 'da ti.'

'Dad,' dechreuodd Morwenna feichio crio a gafaelodd yn dynn yn ei thad. Ar yr eiliad honno cerddodd Buddug heibio a chamddeall y sefyllfa'n llwyr.

'Peidiwch â becso'n ormodol, bach. Mae eich mam ar y mend nawr; mae'r gwaetha drosodd,' a gwenodd ar y ddau.

'Diolch,' sibrydodd Morwenna.

Gwenodd y ddwy ar ei gilydd, 'A phaid tithe â becso chwaith, Alun. Fe alwa i ar y ffôn os bydd 'na unrhyw newid yng nghyflwr Elisabeth.'

Cododd Morwenna ei haeliau ar gyfeillgarwch y brif nyrs a'i thad.

'Na, na, dwi'n aros; dim ond mynd i hebrwng Morwenna i'w char ydw i.'

'Mae hi'n eich ffansïo chi, Dad,' sibrydodd Morwenna wrth gerdded allan i'r maes parcio.

'Pwy?'

'Y nyrs 'na.'

'Paid â bod yn dwp,' chwarddodd ei thad.

'Credwch chi fi,' ychwanegodd Morwenna.

'Diawl, roedd Buddug yn yr ysgol yr un pryd â dy fam a finne.' Tawelodd yn sydyn. Daeth wyneb Sam James yn ôl i'w feddwl. Tybed a wyddai Buddug rywbeth o'i hanes? Cerddodd yn araf yn ôl i ystafell ei wraig.

* * *

Gwyddai Morwenna'n iawn na fyddai wedi medru cuddio'r cleisiau oddi wrth ei thad am eiliad ond o leiaf bwriadai guddio'r hanes oddi wrtho. Wrth gwrs, fe fyddai e'n gwybod yn iawn mai Paul a achosodd yr anafiadau ond pe bai'n dod i wybod pam, roedd Morwenna'n bendant y byddai ei thad yn darn ladd ei gŵr treisgar. Gyrrodd Morwenna'n ôl yn bwyllog i gyfeiriad Pwll Gwyn wrth i eiriau cysur ei thad ddod â digwyddiadau'r noson cynt yn ôl i'w meddwl.

Roedd hi wedi cwympo i gysgu ar y soffa o flaen y teledu newydd yn y lolfa ar ôl cael bàth twym yn y gobaith o fynd i'w gwely'n gynnar am unwaith. Sut y gwyddai hi y byddai Paul yn cyrraedd adref yn gynnar ac yn feddw dwll gyda rhyw ddau Arab ar ôl dathlu buddsoddiad go sylweddol y ddau ddieithryn yn ei gwmni ef a'i bartner? Oedd hi'n hurt i amau fod ei gŵr wedi ei chynnwys hithau'n rhan o'r cytundeb? Ni fyddai hynny'n syndod iddi bellach a'r ddau ohonynt wedi ymbellhau i'r fath raddau di-droi'n-ôl.

Cofiai'r olwg ryfedd ar wynebau'r ddau Arab wrth iddynt sefyll o'i blaen yn y lolfa a'r ias a ymledodd drwy'i chorff pan ddeallodd beth oedd y ddau yn ei ddisgwyl ganddi. Cofiodd gicio un o'r dynion yn ei geilliau pan gamodd tuag ati, cyn rhoi dwrn yng nghanol wyneb y llall nes bod ei drwyn yn gwaedu fel mochyn, yna rhedeg i fyny'r grisiau a chloi ei hunan yn yr ystafell wely.

Clywodd sŵn y ddau ddyn yn gadael a chlywodd lais Paul yn gweiddi arni cyn iddi gwympo'n ddiymadferth ar y gwely.

Y peth nesaf a gofiai oedd gweld Paul yn sefyll uwch ei phen. Sylwodd ei fod wedi malu'r drws er mwyn dod i mewn i'r ystafell ac yna gwelodd yr olwg dywyll ar ei wyneb. Anelodd ei ddyrnau tuag ati ond roedd effaith y ddiod yn drech na'i synhwyrau ac er i ddau neu dri dyrnod lanio ar ei hwyneb a'i breichiau, ni theimlai fawr o boen ar y pryd. Cofiai ei bod wedi cydio'n ei fraich, ei daflu i lawr y grisiau a'i wthio drwy'r drws ffrynt cyn cau hwnnw yn ei wyneb. Y bore wedyn roedd Paul wedi diflannu. Dechreuodd hithau bacio ei phethau er mwyn dianc gydag Anwen fach i Gymru ac i Awel Deg. Nid Manceinion oedd ei chartref mwyach; nid fan honno roedd hi eisiau bod. Doedd ei mam erioed wedi bod yn or-hoff o Paul ac roedd hi hyd yn oed wedi ei rhybuddio rhag ei briodi. Er na wrandawodd Morwenna arni ar y pryd, gwyddai bellach mai ei mam oedd yn iawn – fel arfer. Ac fel pe na bai'r bore hwnnw eisoes yn ddigon drwg, dyna pryd y galwodd John Jones gyda'r newyddion erchyll am y ddamwain.

'Paid â phoeni, rwyt ti'n ddiogel nawr; rwyt tithe wedi dod adre hefyd.' Roedd geiriau cysurus ei thad yn ei thwymo i'r byw. Pam na wnaeth hithau ddarganfod cymar a fyddai wedi ei charu hi, Morwenna, mor angerddol â'r cariad a rannai ei rhieni?

PENNOD 7

Gwelai Morgan yr union fan ble'r oedd y car wedi bod yn sgrialu yn ôl ac ymlaen ar draws y ffordd cyn croesi'r borfa a tharo'r wal gerrig. Dychmygai'r car mawr yn troi unwaith, ddwywaith cyn dod i orffwys yn y ffos. Caeodd ei lygaid wrth ddychmygu'r olygfa arswydus a chymerodd eiliad i ddod ato'i hun. Ceisiodd beidio â meddwl am y boen roedd Elisabeth wedi'i ddioddef na chwaith am y gwaed yn llifo, ei chorff yn cael ei ddryllio a'i bywyd yn hanner diffodd.

Rhoddai ymweliadau Morwenna â'i mam gyfle iddo ailafael yn ei fywyd drachefn a'r dasg gyntaf oedd ceisio datrys dirgelwch y ddamwain. Aeth ar ei gwrcwd i astudio'r ffordd yn fanylach a dyna pryd y gwelodd yr hyn yr oedd wedi ei amau y byddai'n ei ddarganfod. Doedd neb arall wedi sylwi ar yr olion – am nad oeddent wedi disgwyl eu gweld mwy na thebyg. Roedd Morgan wedi gweld olion cyffelyb droeon yn ystod ei yrfa hir – olion bwledi oedd wedi taro'r ffordd cyn tasgu i ffwrdd.

Edrychodd unwaith eto ar y wal gerrig. Cerddodd yn araf tuag ati. Llithrodd ei fysedd ar hyd y cerrig oer wrth geisio dyfalu ble'n union y byddai'r bwledi wedi syrthio. Archwiliodd y wal yn fanwl ac o'r diwedd, daeth ar draws dwy fwled wedi eu claddu yn y pridd rhwng y cerrig. Rhoddodd weddillion y bwledi yn ddiogel yn ei hances.

Cerddodd yn ôl yn araf ar draws y ffordd. Roedd 'na lwyni a dwy goeden fawr nid nepell o'r wal. Digonedd o le i rywun ymguddio, yn enwedig ar ôl iddi dywyllu. Fyddai neb wedi bod o amgylch y lle ac roedd hi'n bwrw eira ar y pryd hefyd. Aeth ar ei liniau unwaith eto i chwilio ynghanol y borfa a'r tyfiant o amgylch y ddwy goeden. Chwiliodd yn fanwl ac unwaith eto daeth o hyd i'r hyn y disgwyliai ei ganfod – pum casyn gwag y bwledi a daniwyd y noson honno.

'... roeddwn i'n cerdded tuag at y dyn ... a'r ergydion yn dal i dorri ar draws y distawrwydd ...' atseiniai geiriau Elisabeth yn glir drwy ei feddwl wrth iddi ddisgrifio ei hunllef iddo.

Ceisiodd Morgan roi ei hun yn esgidiau'r ymosodwr. Fe fyddai ar frys i adael y lle ar ôl gweld canlyniadau ei lafur arswydus – y ddamwain; y car yn cael ei ddryllio'n ddarnau; y gyrrwr yn cael ei ladd o flaen ei lygaid – na, doedd dim dwywaith y byddai'r llofrudd yn ysu i ddianc. Fe fyddai'n oer ac yn wlyb a thaith hir o'i flaen. Ni fyddai wedi cael amser i godi'r casys bwledi o'r eira. A phwy fyddai wedi meddwl chwilio am unrhyw beth yr ochr arall i'r ffordd beth bynnag? Neb – heblaw am Alun Morgan, ond roedd e wedi cael ei ladd yn ôl yr alwad ffôn.

Roedd 'na un darn arall o'r gwaith ymchwil ar ôl cyn i Morgan ddychwelyd i'r ysbyty ond nid oedd yn awyddus i fynd i'r afael ag e o gwbl.

Gwelodd weddillion y car yn syth wrth gerdded i mewn i'r garej. Camodd tuag atynt yn dawel bach. Rhyfedd meddwl mai car oedd hwn rai dyddiau'n ôl – ei gar ef! Gwelodd y gwaed sych ar y llawr ac ar sedd y gyrrwr a dychwelodd yr iasau oer. Oni bai ... oni bai ...

'Beth y'ch chi'n gneud yn fan'na?' meddai llais cras o'r tu cefn iddo. Cerddai dyn mewn oferôls budron tuag ato.

'Mae'n ddrwg 'da fi. Ishe gweld y car 'ma oeddwn i, dyna i gyd,' atebodd.

'A phwy fusnes yw e i chi? Byddwch yn ofalus a pheidiwch â chyffwrdd dim byd. Fe fydd bois y shiwrans ishe'i weld e yn union fel ag y mae e,' rhybuddiodd Teifryn Ifans.

Edrychodd Morgan ar wyneb cyfeillgar y dyn, 'Fi oedd ... wel, fi yw perchennog y darn sgrap yma,' eglurodd.

'Iechyd! Ife wir? Nid chi oedd yn gyrru?'

'Nage, y wraig.'

'Diawl erioed. Ydi hi ...?' tawelodd ei lais.

'Ydi, mae hi'n gwella yn yr ysbyty ar hyn o bryd.'

'Yffach, roedd hi'n lwcus i ddod mas yn ... yn ...'

'Oedd, wy'n gwbod, ond mae hi wedi cael anafiadau difrifol.' Cyflwynodd y ddau eu hunain i'w gilydd.

'Roeddech chi'n arfer bod yn blismon yn Llundain,' cadarnhaodd Ifans.

'Oeddwn, dro yn ôl,' atebodd Morgan. 'Oes modd ichi godi'r car 'ma i mi gael golwg oddi tano?'

'I beth?'

'Mae'r heddlu'n dweud mai pynjar achosodd y ddamwain.'

'Pynjar, ar f'enaid i!' ebychodd Ifans. 'Sa i wedi gweld dim byd tebyg i hyn yn fy mywyd a wy' wedi bod yn y busnes 'ma yn ddigon hir. Ond wes, wes, ma' pob croeso i chi edrych, os y'ch chi ishe. Mae e ar y ramp, felly, safwch 'nôl am eiliad ...' Gwthiodd y fraich fach felen wrth ochr y ramp a dechreuodd honno godi. Symudodd y car yn sydyn a bu bron i Morgan feddwl fod y cyfan yn mynd i gwympo i'r llawr. Siglodd y sgerbwd o'r naill ochr i'r llall yn beryglus cyn setlo'n ôl yn llonydd ar y peiriant. Wrth i'r ramp hefyd lonyddu, canodd y ffôn yn y swyddfa fach.

'Esgusodwch fi am eiliad. Blydi reps yn gweithio o gartref yn y tywydd 'ma, gewch chi weld – bywyd braf a'r rai on'd o's e? Gofalwch nad y'ch chi'n mynd o dan y ramp nes 'mod i'n dod 'nôl,' a cherddodd Teifryn draw i gyfeiriad y swyddfa.

Dyma 'nghyfle, meddyliodd Morgan cyn plygu ei ben a cherdded yn bwyllog o dan y car. Roedd cymysgedd o olew, petrol, dŵr a dyn a ŵyr pa hylifoedd eraill yn dal i ddiferu'n araf o'r bwndel metel a chymerodd ofal mawr nad oeddent yn glanio ar ei ben. Astudiodd Morgan gefn y car yn gyntaf; os mai colli rheolaeth a wnaeth Elisabeth, yn y fan honno y byddai gwraidd y drygioni. Nid oedd fawr o'r ddau deiar ôl yn weddill ac roedd y ddwy olwyn wedi eu sigo i bob siâp hefyd. Edrychodd yn fanwl ar y gweddillion ond ni allai weld dim byd amheus.

Glynai lympiau o fwd, tyweirch, baw a thywod o dan y car ac roedd hi'n gryn gamp gwahaniaethu rhwng y rhain a'r darnau metel gwreiddiol. Yng ngolau llachar lamp drydan gyfagos gwelodd Morgan yr hollt yn y mwd trwchus. Gyda'i gyllell boced crafodd ddarnau o'r baw i ffwrdd a daeth o hyd i'r hyn yr oedd wedi'i ddisgwyl – darn o fwled wedi ei ddal yn sownd yn ffrâm ôl y car. Crafodd ymhellach a daeth y darn yn rhydd yn ei law. Clywodd Morgan sŵn y tu ôl iddo a throdd yn araf. Gwelodd goesau Teifryn Ifans yn sefyll wrth y lifft.

'Ro'n i'n meddwl imi ddweud wrthych chi beidio mynd o dan fan'na,' meddai Teifryn Evans yn chwyrn.

Daeth Morgan allan a sefyll gyferbyn ag ef. Edrychodd

i fyw ei lygaid. Roedd hi'n anodd dweud a oedd hwn yn ddyn y gallai ymddiried ynddo ai peidio ond roedd hi'n werth mentro.

'Gwranda, Teifryn. Alla' i ymddiried ynot ti?' gofynnodd.

'I wneud beth?' holodd.

'I gadw dy geg ar gau. 'Sdim ots pwy fydd yn dy holi – hyd yn oed y Bod Mawr ei hunan efallai!'

Edrychodd Teifryn yn syn ar Morgan. Roedd y llygaid yn bŵl ac edrychent arno fel dau golsyn du, oer. Roedd y graith wen yn fygythiol. Gwyddai nad un i chwarae plant ag ef oedd hwn nac un i fynd yn groes iddo.

'Beth y'ch chi'n ei feddwl?' Teimlai Teifryn bresenoldeb Morgan yn pwyso'n drwm arno, er nad oedd hwnnw wedi ei fygwth o gwbl. 'Ishe twyllo bois y shiwrans y'ch chi? Yffach dân, wy' wedi cuddio digon oddi wrth y giwed 'ny ar hyd y blynyddoedd ...' Yn sydyn, cofiodd Teifryn pwy oedd y gŵr a safai o'i flaen a dechreuodd ddifaru agor ei geg.

Gwenodd Morgan ar ei anniddigrwydd, 'Fe fydd hynny'n gyfrinach fach rhwng y ddau ohonom ni 'te,' cadarnhaodd. Agorodd ei law a dangos y darn bwled iddo. Eglurodd wrtho'n union beth ydoedd.

''Na fe, 'chi'n gweld, ro'n i'n gwbod yn iawn nad blydi pynjar oedd wedi achosi hyn,' ac yna sylweddolodd Teifryn ddifrifoldeb y darganfyddiad. 'Ond diawl erioed ...' dechreuodd.

Cododd Morgan ei law i'w dawelu. 'Nawr, mae o leia un arall, os nad dwy, o dan y car 'ma'n rhywle. Wyt ti'n barod i roi tipyn o gymorth i mi? Ond cofia, dim gair wrth neb arall.'

'Dim problem, Alun. Fe af i i nôl lamp arall.'

Daethpwyd o hyd i un fwled arall ger yr olwyn dde, yn ddwfn yn ffrâm y car ond roedd y metel yn feddalach ac roedd hi'n anos ei chael yn rhydd ond pan gwympodd i law Morgan o'r diwedd, roedd mwy ohoni ar ôl na'r fwled gyntaf. Er chwilio a chwilio, nid oedd unrhyw sôn am y drydedd fwled ond gwelodd y ddau y difrod a wnaeth y bwledi i rannau eraill y car.

'Mae'n siŵr y byddi di'n chwilio am gar arall, 'te?' gwenodd Teifryn wrth i Morgan ymadael.

'Wyddost ti am un addas?' holodd Morgan gan wybod y gallai ddibynnu ar ei gyfaill newydd.

'Wy'n gwbod am yr union un! Diawch, mae e fel newydd! Dere draw ymhen rhyw ddeuddydd – fe fydd e yma iti gael cipolwg arno. Jag ail law ond ychydig iawn o ddefnydd mae e wedi ei gael ...' ac aeth Teifryn yn ei flaen i'w ddisgrifio ond roedd Morgan eisoes wedi penderfynu prynu ei fodur nesaf cyn i'w gyfaill orffen ei ganmol.

* * *

Roedd William Arfon Norman Charles wedi cael llond bol ar ddysgu ymarfer corff yn Ysgol Ramadeg Llandysul. Er ei fod yn dal i hyfforddi'r ddau dîm rygbi, hanes oedd ei brif bwnc erbyn hyn. Roedd datganiad y prifathro mewn rhyw gyfarfod athrawon wedi creu cryn argraff ar yr athro ifanc, 'Mae 'na ddyfodol mewn hanes,' ac felly, er mai ei ail bwnc dysgu oedd hanes yn wreiddiol, William Arfon a benodwyd i ofalu am yr adran honno pan ymddiswyddodd Elisabeth ar ddiwedd tymor y Nadolig. Yn rhinwedd ei swydd ac yn dilyn y newyddion syfrdanol am ddamwain Elisabeth, ef a ddewiswyd i fynd â thusw mawr o flodau a cherdyn cyfarch gan y staff draw i Awel Deg.

Fodd bynnag, nid oedd yn awyddus i alw yno o gwbl. Er iddo glosio at Elisabeth fel cyd-weithwraig yn ystod ei misoedd olaf yn yr ysgol, roedd e'n dal i deimlo cywilydd llethol am iddo geisio ennill ei serch a'i chael i'w wely yn gynharach y flwyddyn honno! Er na fu'n llwyddiannus, daliai i ofni Alun Morgan. Beth fyddai ymateb hwnnw pe bai Elisabeth yn dweud yr hanes wrtho? Ychydig a wyddai William Arfon fod y ddau wedi bod yn chwerthin am ben ei ymdrechion anobeithiol!

Wrth gerdded yn araf at ddrws ffrynt Awel Deg, cofiodd am yr holl droeon hynny pan oedd e wedi ymlwybro tuag at ddrws ffrynt cartref Elisabeth yn Drefach Felindre ond roedd heddiw'n wahanol – y tro yma fe gurodd ar y drws yn hytrach na cherdded ymaith.

Pan agorodd Morwenna'r drws, ni wyddai Arfon beth i'w ddweud. Roedd e wedi'i chyfarfod o'r blaen – ddwywaith – a chofiai gael ei wefreiddio ganddi ar y ddau achlysur.

'Arfon!' ebychodd y ferch dal, dlos. Roedd hi'n falch o'i weld – roedd hynny'n amlwg ond serch hynny ni wyddai Arfon yn iawn sut i ymateb. Nid oedd wedi disgwyl am eiliad y byddai Morwenna yno i'w groesawu. Cymerodd gam yn ôl heb unrhyw syniad beth i'w ddweud.

'D-d-dod â'r rhain wnes i ...' a gwthiodd y blodau i ddwylo Morwenna, '... i dy fam,' ategodd.

Roedd Morwenna wedi llenwi meddwl William Arfon droeon ers iddynt gyfarfod gyntaf, ac wedi hynny hefyd ar ôl iddynt dreulio oriau yng nghwmni ei gilydd ym mhriodas Alun ac Elisabeth. Er y gwyddai Arfon ei bod yn briod a bod ganddi ferch fach, roedd yn rhaid iddo gyfaddef ei fod dros ei ben a'i glustiau mewn cariad â hi! Yn y gorffennol, nid oedd y ffaith fod merch yn briod wedi bod o unrhyw rwystr iddo geisio ei denu i'w ffau. Ond roedd Morwenna'n wahanol. Antur unnos oedd arbenigedd Arfon cyn hynny, gan wybod o'r gorau mai cyd-ddigwyddiad fyddai cyfarfod ag un o'r merched byth eto. Ond nid felly gyda Morwenna. Roedd ei deimladau tuag ati hi yn hollol anrhydeddus ac wedi ei atal rhag ceisio'i swyno â'i ffug-wrhydri bachgennaidd, diolch byth! Daliai i gofio'r gusan fach a roddodd ar ei foch wrth iddo ffarwelio â hi y tro diwethaf, bron i wyth mis yn ôl. Sawl gwaith yr oedd e wedi meddwl amdani ers hynny? Sawl gwaith yr oedd e wedi ystyried ei ffonio, dim ond i gael sgwrs fach, i glywed ei llais annwyl, ei chwerthiniad swynol wrth iddi dynnu ei goes yn gyfeillgar? Wrth godi'r ffôn, byddai ei hyder yn sigo ac i lawr â'r derbynnydd bob tro. Oedd, roedd cyfarfod Morwenna wedi newid cymeriad Arfon dros nos. A dyma hi nawr, yn sefyll o'i flaen yn osgeiddig, yn gyfeillgar ac yn amlwg falch o'i weld.

'Wel, a finna'n meddwl mai i mi oedd y blodau,' chwarddodd yn ddireidus. 'Ddoi di i mewn?'

Camodd Arfon yn bwyllog dros y rhiniog.

* * *

Collodd y dyn ei amynedd yn y diwedd, 'O'r gorau, os mai felly mae hi does gyda chi ddim dewis. Bydd yn rhaid i chi ei gael e i mewn i'ch swyddfa i rannu'r newyddion gydag e. Beth arall fedrwch chi ei wneud?' gwaeddodd yn gras i lawr y ffôn.

Ni ddisgwyliodd am ateb. Rhoddodd y derbynnydd yn

ôl yn ei grud a rhegi'n uchel. Pam ddiawl wnaeth e drystio Sam James yn y lle cyntaf? Dyma'r ail waith o fewn misoedd iddo'i siomi ac roedd e'n difaru trefnu i gael gwared arno mor gyflym. Ar ôl methu fel hyn fe fyddai wedi bod yn ddigon bodlon ei weld yn dioddef artaith creulon cyn ymadael â'r fuchedd hon – ond dyna fe, roedd hi'n rhy hwyr bellach.

Felly, roedd Alun Morgan yn fyw ac yn iach ond yn waeth na hynny, nid ef oedd yn y car ond ei wraig – ac roedd hithau'n fyw hefyd! Rhoddodd ei ben yn ei ddwylo. Pam oedd yn rhaid iddo wneud popeth ei hunan? Pam? Ochneidiodd. Byddai'n rhaid cynllunio ffordd arall i gael gwared â'r hunllef a oedd yn ei rwystro ond faint o amser oedd ganddo? Faint oedd ar ôl cyn …?

PENNOD 8

Elisabeth a enillodd y frwydr yn y diwedd wrth gwrs. Dychwelodd adref i Awel Deg o leiaf wythnos yn gynt na'r disgwyl ac wythnos ynghynt nag y dymunai John Davies iddi adael yr ysbyty. Gwyddai Morgan o'r eiliad y dywedodd Elisabeth wrth y llawfeddyg ei bod eisiau mynd adref mai dyna fyddai'n digwydd. Cytunodd y doctor yn y diwedd, er yn groes i'r graen.

'Mae 'na amod neu ddau serch hynny, Alun,' eglurodd y llawfeddyg 'Wy'n gwbod fod anafiadau Elisabeth wedi gwella'n dda ac wy'n gwbod fod 'na ddigon o bobl ar gael i wneud popeth drosti unwaith y bydd hi gartre, ond mae'n rhaid i ti gofio ei bod hi'n dal yn wan iawn. Dyw hi ddim i gerdded ar y dechrau, a dyw hi'n bendant ddim i fynd i fyny ac i lawr y grisiau. Bydd yn rhaid iddi ddefnyddio cadair olwyn am rai dyddiau nes y byddaf i wedi bod acw i'w gweld a rhoi caniatâd iddi ddechre cerdded. Cofia, os bydd ei chyflwr yn dirywio, fydda i ddim yn oedi eiliad cyn dod â hi'n ôl yma am gyfnod – does dim gwahaniaeth faint fydd hi'n ei frwydro yn fy erbyn.'

'Paid â phoeni, John, fe wnawn ni'n siŵr ei bod yn bihafio ei hunan.'

'Mae 'na un peth bach arall, Alun. Fel y dywedais i, mae Elisabeth yn dal yn wan a dyw ei chorff hi ddim wedi dod ato'i hun yn iawn eto, os wyt ti'n deall beth wy'n geisio'i ddweud. Fe fydd yn rhaid i'r ddau ohonoch chi ymatal am gyfnod, mae arna i ofn, a byw fel mynach a lleian! Falle y bydde hi'n well ichi fod mewn gwelyau ar wahân am nawr; gwn na fydd hynny'n hawdd ond ...'

Bu bron i Morgan chwerthin yn ei wyneb a dweud ei fod wedi byw fel mynach, mwy neu lai, am dros ddwy flynedd ar hugain tra bu Elisabeth ac yntau ar wahân! Sylwodd yn ddigon buan fodd bynnag fod Buddug yn gwrando'n dawel ar eu sgwrs. Er ei bod hi'n nyrs, teimlai Morgan braidd yn swil wrth sgwrsio mor bersonol â hyn gyda'r llawfeddyg yn ei chlyw hi.

'Fe wyddost ti cystal â finne pa mor awyddus yw Elisabeth i ddod adre. Fe gytuna' i i unrhyw amod er ei mwyn hi,' atebodd Morgan, 'ond cofia dy fod yn gosod yr un amodau o'i blaen hithe hefyd. Bydd hynny'n eu gwneud yn swyddogol wedyn, dwyt ti ddim yn cytuno?!'

Gwenodd y ddau ar ei gilydd ac fe ddaeth Elisabeth adref.

Cariodd Morgan ei wraig yn dyner i fyny'r grisiau i'w hystafell wely. Syllodd y ddau allan drwy'r ffenest eang ar y traeth euraidd yn ymestyn o'u blaen a'r môr gwyrddlas heb don ar ei wyneb. Teimlodd Morgan Elisabeth yn closio'n dynn tuag ato.

'Dwi adre, Alun, dwi adre efo ti.'

Ni ddywedodd y ddau air. Roedd y tawelwch yn dweud y cyfan.

'Alun ...?' sibrydodd Elisabeth yn dyner yn ei glust.

Nid oedd Morgan wedi disgwyl hyn! Gwyddai'n iawn beth oedd ar feddwl ei wraig ond gwyddai hefyd pa mor ddifrifol oedd rhybudd John Davies. Gwenodd arni'n dyner. 'Bwts,' dechreuodd, 'weli di'r ffrwd 'na'n disgyn draw fan 'co?' cyfeiriai Morgan at y rhaeadr gyfarwydd a lifai i lawr y clogwyn yr ochr draw i'r traeth.

'Mmmm,' atebodd Elisabeth.

'Wel, yn ôl John Davies, pan fyddi di'n ddigon cryf i ddringo'r graig 'na, dyna pryd y gallwn ni ... ti'n gwbod!'

'O, Alun!' chwarddodd Elisabeth, 'waeth iti newid enw'r tŷ 'ma i'r "Lleiandy Teg" felly,' a phwniodd ysgwydd ei gŵr yn chwareus.

Arhosai Buddug am Morgan pan ddychwelodd i lawr y grisiau. Gafaelodd yn dyner yn ei law. 'Reit, ry'n ni'n gadael nawr 'te,' meddai, gan gyfeirio at y ddwy nyrs arall a chriw'r ambiwlans a oedd wedi cael gwledd fach gan Sal yn y gegin. 'Cofia, Alun, os bydd unrhyw beth yn digwydd, unrhyw beth mas o'i le, paid â cheisio dod â hi'n ôl i'r ysbyty dy hunan. Rho alwad ffôn i mi. Dyma fy rhif yn y gwaith a hefyd fy rhif i gartre – a'r cyfeiriad. Dim ond lan yn Brynhoffnant wy'n byw; mae'n ddigon cyfleus,' rhoddodd y darn papur yn ei law. 'Ffonia fi unrhyw bryd y byddi di ishe, unrhyw bryd y bydd angen unrhyw beth arnat ti – unrhyw beth cofia. Wedi'r cyfan, ry'n ni'n hen ffrindiau on'd y'n ni?'

Teimlai Morgan yn anghysurus wrth i Buddug glosio ato wrth led sibrwd ei chynigion amwys.

'Hen ffrindiau!' meddai'n uchel a gwenu'n garedig arni, fel pe na bai wedi deall yr un o'i hawgrymiadau. 'Gyda llaw, sôn am hen ffrindiau, wyt ti'n cofio Sam James yn yr ysgol gyda ni?' bachodd ar y cyfle i ysgafnu'r awyrgylch.

'Sam? "Sam-ble-mae-dy-fam" wyt ti'n ei feddwl? Wel, ydw'n iawn, rhyfedd i ti ofyn. Fe weles i e yn Aberteifi, o, dere weld, rhyw ddiwrnod neu ddau cyn ... wel, cyn i mi dy weld di eto. Dyna fyd bach on'd ife?'

'A beth mae e'n ei wneud nawr?' gofynnodd Morgan.

'Chredet ti ddim! Wyt ti'n ei gofio fe'n yr ysgol? Tipyn bach o fwli a wastad am wneud pethe amheus i ni'r merched. Wel, mae'n debyg ei fod e wedi ymuno â'r heddlu yn Llundain a dringo'n eitha uchel 'fyd cyn ymuno â'r gwasanaethau cudd. Fan'ny mae e nawr ond doedd e ddim am ddweud beth yn union roedd e'n ei wneud fan hyn, heblaw am alw i weld ei fam. Rhyfedd 'te?'

'Ie, rhyfedd iawn.'

Heb yn wybod iddi hi ei hunan roedd Buddug newydd ddisgrifio ei fywyd a'i yrfa e, Morgan. Galwodd gyrrwr yr ambiwlans arni cyn iddi allu parhau â'r drafodaeth.

'Gyda llaw,' galwodd dros ei hysgwydd wrth gerdded allan, 'ble wnaeth Morwenna hyfforddi i fod yn nyrs?'

Edrychodd Morgan yn syn arni. 'Manceinion,' atebodd yn ffyddiog.

'O ie, wy'n cofio nawr. Dyna ddywedodd Elisabeth hefyd,' cadarnhaodd y nyrs wrth gamu i mewn i'r ambiwlans.

Cerddodd Morgan i fyny'r grisiau yn ôl at Elisabeth gyda gwên lydan ar ei wyneb. 'Sawl celwydd arall wnest ti eu rhaffu er mwyn cael dod adre, Bwts?' gofynnodd yn dawel wrth ei gwylio'n cysgu'n fodlon yn y gwely. Gwyrodd i'w chusanu'n dyner ac wrth wneud hynny credai ei fod yn gweld arlliw gwên yn chwarae mig ar ei gwefusau melys hithau hefyd ...

Dychwelodd yn ysgafndroed i lawr y grisiau lle'r oedd Morwenna, Sal ac Anwen fach yn ei ddisgwyl. Cydiodd yn ei wyres, ei thaflu i'r awyr a'i dal wedyn yn ei freichiau cryfion. Boddodd ei hunan yn ei chwerthin a'i gwichal llon cyn sylwi ar yr olwg ofidus ar wyneb y ddwy arall.

'Beth sy'n bod?' gofynnodd.

'Mae 'na sawl galwad ffôn wedi dod gan wahanol bobol – y rhan fwya'n holi am Mam, wrth gwrs, a'r mwyafrif yn egluro pwy oedden nhw a beth oedd eu cysylltiad â chi. Rargian, Dad, mae gyda chi ffrindiau ym mhob cwr o'r wlad! Ond roedd 'na dair galwad braidd yn anghyfeillgar – rheolwr y banc yng Nghastellnewydd Emlyn oedd un, eisiau i chi ei ffonio'n ôl ac mae o wedi galw sawl gwaith ers hynny; a rhywun arall wedi galw ddwywaith ynghylch eich gwaith ond dim ond chwerthin wnaeth o pan ddywedais i wrtho fo eich bod chi wedi ymddeol ...'

Nodiodd Morgan ei ben, 'A'r llall?' gofynnodd.

Ochneidiodd Morwenna'n uchel, 'Paul – i ddweud ei fod o eisiau ysgariad ar sail creulondeb,' meddai'n dawel.

'Creulondeb?' ebychodd Morgan, 'Ar ran pwy?'

Llanwodd llygaid Morwenna â dagrau, 'Ia, wel, dyna'r pwynt. Mae o'n fy nghyhuddo i o greulondeb! Mae o'n dweud fy mod i wedi ei adael o ar ei ben ei hun, byth yn mynychu'r gwely priodasol, fy mod i wedi dwyn ei ferch fach oddi arno fo a gwneud fy ngorau i'w rwystro rhag cyflawni ei waith. Mae o'n dweud mai fi sy'n gyfrifol am wneud iddo golli amryw fuddsoddiadau pwysig ac mai o'm herwydd i mae hi'n bur debygol y bydd ei fusnes yn mynd i'r wal. O, Dad, be wna i?' Taflodd ei hunan i'w freichiau gan feichio crio.

'Y diawl diegwyddor,' cydiodd Morgan yn dynn yn ei ferch, 'Wy'n credu y dylwn i fynd lan i'w weld e. Paid ti â phoeni, fe fydd popeth yn iawn ar ôl yr ymweliad.' Cusanodd hi'n dyner ar ei phen. 'Gwranda,' aeth Morgan yn ei flaen, 'paid â siarad ag e eto – byth. Wy' ishe ei rif ffôn busnes. Wy'n adnabod cyfreithiwr da yn Llundain ac fe wnaiff e yr holl drefniadau. Ysgariad?' edrychodd arni, 'Fe gaiff e ysgariad os mai hynny mae e ishe ond nid ar ei delerau e.'

Unwaith eto, diolchodd Morwenna nad oedd hi wedi dweud yr holl hanes wrth ei thad ond gwyddai y byddai'n rhaid iddi fynd i fyny i Fanceinion ei hun rywbryd yn y dyfodol agos.

'Nawr, fe ddylwn i ateb rhai o'r galwadau 'ma, gan ddechrau gyda rheolwr y banc – er, wn i ddim beth ddiawl mae e ishe ...'

'Dad, oes gyda chi ddyled o unrhyw fath?' gofynnodd ei ferch yn ofidus.

'Dyled? Fi? Bobol bach, nag oes!' a chwarddodd yn uchel.

* * *

Teimlai Elisabeth yr awel yn oer ar ei hwyneb, y gwynt yn chwythu drwy'i gwallt, arogl hallt y môr yn ei ffroenau a sŵn y tonnau'n atseinio o'i hamgylch – roedd hi'n rhydd!

Cerddodd yn ansicr ar hyd y traeth i gyfeiriad y creigiau yr ochr draw a'i hyder yn tyfu â phob cam. Cyflymodd ei cherddediad. Gwyddai fod yn rhaid iddi gyrraedd y creigiau, cyrraedd Carreg y Fuwch, ond ni wyddai pam. Chwythai ei gwallt hir ar draws ei hwyneb. Roedd y rhwymyn o amgylch ei phen wedi mynd a'r boen yn ei choesau wedi diflannu. Edrychodd o'i hamgylch. Nid oedd neb i'w weld ar y traeth, dim ond hi ei hunan. Cerddodd i gyfeiriad y môr. Teimlai'r dŵr yn oer dros ei thraed. Roedd hi'n ymdrochi. Gwenodd a throdd i chwerthin ar Alun, ond doedd e ddim yno ac eto, fe ddylai e fod wedi bod yno'n gwmni iddi.

73

Gwelodd rywun yn eistedd ar Garreg y Fuwch â'i gefn tuag ati. Gwaeddodd arno, ond roedd ei llais yn gryg yn ei gwddf. Cyflymodd ei cherddediad eto. Roedd hi'n rhedeg tuag at y creigiau erbyn hyn ac eto, nid oedd hi'n nesáu atynt o gwbl. Teimlai'n union fel pe bai'n rhedeg ar garlam ac yn aros yn yr unfan ar yr un pryd. Doedd hyn ddim yn iawn. Tarodd ei throed yn erbyn rhywbeth. Ceisiodd wyro'i phen i weld beth oedd yno ond pallodd ei llygaid â symud oddi wrth y creigiau. Clywodd faban yn crio yn y pellter.

Roedd hi'n agos i'r creigiau erbyn hyn ond roedd y ffigwr wedi diflannu. Pwy oedd yno, tybed? Cerddodd heibio i'r creigiau ond nid oedd sôn o unrhyw un. Edrychodd i gyfeiriad y môr. Roedd cwch yn dod tuag ati, cwch modur a golau llachar ar ei flaen. Teimlai ei bod mewn perygl. Roedd y cwch yn fygythiol a pheryglon yn dod yn ei sgil ond ni wyddai pa fath o beryglon. Gwyddai fod yn rhaid iddi ddianc oddi wrtho. Rhedodd tuag at y creigiau geirwon. Dechreuodd flino a'i choesau'n gwrthod ei chario ymhellach. Clywodd y sŵn crio unwaith eto a rhywun yn gweiddi 'Mam'. Na, nid 'Mam' ond rhywbeth tebyg, rhywbeth perthnasol ac nid gweiddi chwaith, ond sibrwd. Edrychodd i fyny ar y creigiau llithrig. Roedd y ffrwd yn agos a honno'n llifo i lawr y clogwyn wrth ei hymyl. Gwelai ddau ffigwr yn sefyll ar ymyl y clogwyn. Sylweddolodd mai ei rhieni oedd yno a'i mam yn dal bwndel bach yn ei breichiau. Gwyddai fod yn rhaid iddi ddringo'r ffrwd i ddianc rhag peryglon y cwch – a hwnnw'n nesáu yn gyflym tuag ati. Chwiliodd am fannau diogel ar y clogwyn i roi ei dwylo a'i thraed ond sylweddolodd na fedrai gyrraedd. Edrychodd yn anobeithiol ar y ffrwd ond nid dŵr clir oedd yn llifo i lawr y clogwyn bellach ond gwaed coch. Clywodd y llais bychan eto yn sibrwd yn ei chlust. Teimlodd rywbeth yn rhwbio'i thrwyn. Agorodd ei llygaid yn araf.

'Nain ... Nain!' Mwythodd Anwen law ei nain yn dyner a gwenu arni, ei phen bach yn gorwedd ar y gwely wrth ei hymyl.

'Helo, cariad,' sibrydodd Elisabeth. Cydiodd yn dynn yn ei hwyres fach ond methodd atal y dagrau rhag llifo.

PENNOD 9

'A beth fedra i ei wneud i chi, 'te?' holodd Morgan. Eisteddai gyferbyn â Nigel Owen, rheolwr y banc yng Nghastellnewydd Emlyn wedi i hwnnw ddweud wrtho ar y ffôn ei bod yn angenrheidiol iddo ddod draw i'w swyddfa i gyfarfod pwysig. Fodd bynnag, dim ond rhyw fân siarad wnaeth Nigel Owen ers dod wyneb yn wyneb â Morgan. Gwyddai hwnnw o'r eiliad y gwelodd y rheolwr banc nad oedd yn hoffi'r dyn na'i hunanbwysigrwydd. Ar ôl gwrthod disied o de, daeth yr amser i fynd at graidd y cyfarfod.

'Mater bach yn ymwneud â'r diweddar Gapten Williams,' gwyrodd Owen yn ei flaen a chydio mewn ffeil oddi ar y ddesg. Synnwyd Morgan wrth glywed enw ei hen ffrind.

'Daeth Capten Williams i'r banc rai dyddiau ar ôl y Nadolig. Roedd e wedi mynnu gwneud apwyntiad i'm gweld i yn bersonol er mwyn gwneud ewyllys newydd, medde fe, ac fe alwais i ar Hubert Nicholas, y cyfreithiwr, i ddod draw ar unwaith. Ry'n ni'n chwarae golff gyda'n gilydd chi'n gweld, Alun, a wy'n ei adnabod yn dda. Ac felly y bu hi. Fe gyflawnon ni'r gwaith yn ddigon cyflym. Doedd yr ewyllys ddiwygiedig ddim yn gymhleth o gwbl ac fe adawodd y Capten yn ddigon bodlon gyda'r trefniadau newydd. Rhyngon ni'n dau, i fod yn onest, wy' ddim yn gwbod pam y daeth yr hen foi draw 'ma yr holl ffordd i ddweud yr hyn ddywedodd e yn yr ewyllys newydd – ond dyna fe, mae pob un yn wahanol. Wrth gwrs, fedra i ddim rhyddhau'r ewyllys ar hyn o bryd; rhai materion bach i'w cwblhau. Ry'ch chi'n deall y pethe hyn yn well na fi wy'n siŵr. Ond fe adawodd y Capten y llythyr hwn i chi, i'w dderbyn ar ôl iddo farw. Wy'n sylweddoli bod bron ddeufis wedi mynd heibio ers marwolaeth sydyn y brawd ond wy' wedi bod mor brysur – mae dyn fel chi yn deall y pethe 'ma – yr unig beth fedra i ei wneud yw ymddiheuro. Does gen i ddim syniad beth yw cynnwys y llythyr ond os bydd arnoch chi eisiau unrhyw gyngor am unrhyw beth, rhowch wybod i mi.'

Gafaelodd Morgan yn y llythyr a heb ddweud fawr mwy gadawodd y banc heb agor yr amlen, er ei bod yn amlwg fod Nigel Owen wedi disgwyl iddo ei hagor o'i flaen. Gyrrodd yn bwyllog yn ôl i Bwll Gwyn a'i feddwl yn llawn atgofion am yr hen ŵr. Daethai'n gyfaill mor agos iddo ef a'i wraig yn ystod yr ychydig fisoedd a gawsant yn ei gwmni.

Cofiai Morgan y tro cyntaf iddo gyfarfod ag ef, flynyddoedd yn ôl erbyn hyn, pan oedd e'n blentyn bach yn chwarae ar draeth Pwll Gwyn yng nghwmni ei dad. Yna, bron i flwyddyn yn ôl, dychwelodd Morgan ar ffo i fro ei febyd ac fe adnabu'r Capten ef yn syth. Cywilyddiai Morgan wrth gofio'i ymgais i guddio'r gwirionedd am bwy ydoedd rhag yr hen ŵr ond ni lwyddodd, diolch i'r drefn. Treuliodd y ddau oriau difyr yng nghwmni ei gilydd wedi hynny, gan dyfu'n ffrindiau mynwesol er eu bod yn perthyn i ddwy genhedlaeth wahanol. Wrth hel atgofion gallai Morgan weld wyneb siriol y Capten yn glir yn ei feddwl – y llygaid disglair, olion y bywyd caled yng nghrychau dwfn ei wedd, ac fe allai glywed ei chwerthiniad rhyfedd yn atseinio'n ei ddychymyg. Daeth ton o hiraeth dwys dros Morgan pan sylweddolodd na fyddai byth yn gweld ei gyfaill eto.

* * *

Eisteddai Elisabeth ar ei gwely, wedi hen ddeffro erbyn i Morgan gyrraedd adref. Roedd Nyrs Thomas wedi galw draw i'w gweld, i'w hymolchi ac i wneud mân bethau eraill i wneud yn siŵr ei bod yn gyfforddus. Roedd sŵn traed Morgan ar y grisiau wedi codi ei chalon ar ôl yr hunllef a oedd yn dal yn fyw yn ei meddwl.

'Be oedd y rheolwr banc eisiau, 'te?' meddai'n ddisgwylgar. Eglurodd Morgan beth oedd byrdwn y cyfarfod a thynnodd y llythyr o'i boced.

'Annwyl Alun,' dechreuodd ddarllen yn uchel. Teimlai ei fod yn berthnasol i'r ddau ohonynt, er mai dim ond ei enw ef oedd ar y llythyr, 'Mae pethau ar ben arnaf, fel yr oeddet yn ei ofni, a phan fyddi di'n darllen y nodyn bach yma fe fyddaf wedi ymadael ar y fordaith olaf, heb unrhyw obaith dychwelyd.

'Felly nodyn bach i roi diolch i ti ac i dy wraig hyfryd yw hwn, am ichi fy mabwysiadu'n aelod o'ch teulu. Bu gen i deulu fy hun unwaith, flynyddoedd yn ôl, ond fe gollais i nhw fesul un. Mae gen i fab yn rhywle ond dyn a ŵyr ble mae e erbyn hyn. Ni fu cysylltiad rhyngom ers i mi adael y môr. Roedd e wedi tyfu'n rhywun nad oeddwn yn rhy hoff ohono – ef ei hun na'i fath, os wyt ti'n fy neall. Arna' i oedd y bai; ddylwn i ddim fod wedi bod i ffwrdd o gartre shwt gymaint pan oedd y plant yn tyfu. Efallai, os y cei di'r cyfle, y medri di ddod o hyd iddo; rwyt ti'n deall sut i wneud pethe felly yn well na fi.

'Ti a'th wraig annwyl yw'r unig deulu sydd gen i ar ôl felly, ac er fy mod wedi cael mwynhad yn rhannu'r Nadolig gyda chi i gyd, cred ti fi, doedd hynny'n ddim i'w gymharu â'r fraint gefais i wrth hebrwng Elisabeth lawr yr eil ar ddydd eich priodas. Y briodferch hyfrytaf a welodd dyn erioed a hithau â'r un enw â'm merch fach i.

'Mae'r hen beswch 'ma yn mynd yn drech na mi ac yn cymryd fy holl nerth. Fydd hi ddim yn hir nawr cyn y caf ailymuno â'm criw. Maen nhw'n disgwyl amdanaf ar fwrdd y llong ac rwyf innau wedi bod yn disgwyl amdanynt bob dydd. Wy'n siŵr mai disgwyl am wynt mwy ffafriol maen nhw; yna fe ddon' nhw i'r lan i'm nôl.

'Fe fydd 'na bleser arall yn fy nisgwyl i hefyd; fe fydd fy merch fach annwyl yn yr harbwr i'm croesawu ar ddiwedd y daith. Trueni na fydde'r ddau ohonoch wedi cael y cyfle i'w hadnabod. Roedd hi'n blentyn hyfryd iawn – yr orau yn y teulu cyfan.

'Rwyt ti Alun, fel dy dad, yn ŵr bonheddig ac er dy fod wedi profi treialon yn dy fywyd caled, wy'n gwbod fod 'na dynerwch yn dy galon sydd i'w weld unwaith eto yn dy lygaid disglair. Mae Elisabeth hefyd yn adnabod ac yn gwerthfawrogi'r cariad 'na a wy'n ffyddiog y bydd y ddau ohonoch yn mwynhau cwmni eich gilydd am hir oes. Wnes i erioed weld cariad mor gryf rhwng dau yn fy mywyd.

'Fel y dywedais i, does neb i ddod ar fy ôl i a does dim angen pethau daearol arna i ar y fordaith 'ma, felly, paid â synnu pan fyddant yn darllen fy ewyllys olaf. I chi eich dau y mae fy holl eiddo i fynd. Gwnewch ag e beth a fynnoch a gobeithio y cewch fwy o bleser oddi wrtho nag a gefais i.

'Cofiwch gymryd gofal ohonoch eich hunain ac ohonoch eich gilydd,

Yr eiddoch yn gywir,
Morlais Williams (Capt. Retd).'

Edrychodd Morgan ac Elisabeth yn syn ar ei gilydd. Gwelodd Morgan y dagrau'n cronni yn llygaid Elisabeth gan adlewyrchu ei deimladau ef ei hun.

'O, Alun, pam na fydden ni wedi sylwi arno yn eistedd ar y graig y bore hwnnw?' meddai'n dawel. 'Efallai ... efallai ...'

'Na, 'nghariad i, paid â beio dy hunan. Roedd yr amser wedi dod ac roedd yn well o lawer ganddo fynd fel ag y gwnaeth e yn hytrach na gorfod treulio'i ddyddiau olaf yn y gwely mewn rhyw ysbyty neu gartref henoed – fyddai hynny ddim wedi bod yn iawn,' a rhoddodd ei fraich yn dyner o amgylch ysgwyddau Elisabeth a'i thynnu'n nes ato.

'Diolch byth dy fod wedi gofalu am yr angladd ac wedi mynnu gwasgaru ei lwch ar y môr – dyna'r hyn fyddai o wedi'i ddymuno mae'n siŵr. Oedd o wedi sôn wrthot ti am ei ddymuniadau?'

'Nag oedd,' atebodd Morgan yn dawel. Sylweddolodd Elisabeth pa mor agos fu ei gŵr at yr hen ddyn a gwyrodd yn agos ato. Arhosodd y ddau ym mreichiau ei gilydd am dipyn, gan rannu eu hatgofion tawel a'u hiraeth.

'Felly ti yw perchennog yr hen fwthyn bach nawr,' torrodd Elisabeth ar draws y tawelwch gan geisio ysgafnhau'r awyrgylch rhyw fymryn.

'Bydde fe'n gwneud lle iawn i Morwenna,' meddai Morgan gyda chwerthiniad bach.

'Byddai'n braf ei chael hi'n agos – ac Anwen hefyd. Hi ddaeth i 'neffro i y bore 'ma; methu'n lân â deall pam mae'r rhwymyn 'ma am fy mhen i o hyd! Ond beth am yr ewyllys? Gest ti olwg ar honno?'

'Na, dim ar hyn o bryd; rhywbeth i'w wneud â'r gyfraith ond does dim gwahaniaeth, mae ei chynnwys yn glir yn y llythyr.'

'Alun,' edrychodd Elisabeth ar ei gŵr a'r taerineb yn llenwi ei llygaid, 'ga i godi – plîs, plîs,' erfyniodd.

'Dim ond i'r gadair,' atebodd, 'a phaid â dechre cael unrhyw syniadau pellach,' ychwanegodd wrth weld ei hwyneb yn cyffroi.

* * *

'Ry'n ni wedi cyfarfod ac mae e wedi derbyn y llythyr,' sibrydodd Owen i'r ffôn.

'A beth am gynnwys y llythyr?' gofynnodd y llais ar yr ochr arall.

'Aeth ag e i ffwrdd heb ei agor. Chefais i ddim cyfle i'w drafod.'

Bu tawelwch am eiliad. 'Ond fe ddywedais i wrthoch chi am ei agor wythnosau'n ôl – cyn ei fod e hyd yn oed yn gwbod am fodolaeth y llythyr.'

'Do, do, wy'n gwbod ond ...' roedd Nicholas yn dechrau chwysu.

'Ie, mae 'na wastad "ond" on'd oes? Pam nad oes neb yn gwneud yr hyn wy'n ei ddweud? Nawr cofiwch, mae'n rhaid i'r ddau ohonoch chi ddatrys y broblem 'ma, a hynny'n weddol glou hefyd. Mae gen i ddigon o dystiolaeth i sicrhau na fydd yr un ohonoch chi'n gweithio byth eto, os nad y'ch chi'n ofalus!' Roedd y dicter yn amlwg yn ei lais. Rhoddodd y dyn y derbynnydd i lawr yn galed a daeth yr alwad i ben yn ddisymwth.

PENNOD 10

Roeddent bron â chyrraedd pen y daith, y daith y gwyddai Morwenna y byddai'n rhaid iddi ei gwneud, y daith i'w hen gartref ym Manceinion. Gwibiai'r atgofion fel saethau ar draws ei meddwl wrth iddi nesáu ar hyd y ffyrdd cyfarwydd a oedd fel gwythiennau llwyd, creulon.

Sut y bu hi mor ddall ar hyd y blynyddoedd? Nid yr un Paul oedd y bachgen y cwympodd hi mewn cariad ag e pan ddaeth i Fanceinion gyntaf ar ôl gorffen ei chwrs yn y brifysgol – yn groes i gyngor ei mam. Na, doedd hi ddim am fod yn athrawes. Roedd hi am ymuno â'r heddlu a byw yn Lloegr – dyna oedd ei dymuniad, er mai gradd yn y Gymraeg oedd ganddi. Oedd, roedd hi wedi cael digon o amser i ddifaru erbyn hyn.

Oedd hi, bryd hynny, wedi caru Paul o ddifri? Ni theimlai unrhyw gariad tuag ato erbyn hyn. Oedd Paul wedi ei charu hithau o gwbl? Tybed ai dim ond rhyw addurn ar ei fraich i'w arddangos i'w ffrindiau a'i gwsmeriaid fu hi o'r dechrau un? Oedd Anwen fach wedi bod yn rhan o'i gynlluniau? Go brin.

Ei mam oedd yn iawn. Roedd hi wedi deall Paul o'r dechrau ac ni lwyddodd i glosio ato o gwbl. Cofiai Morwenna'r rhybuddion – ei bod yn rhy eiddgar i briodi a'i bod yn llawer rhy ifanc i addunedu ei bywyd i rywun nad oedd neb yn ei adnabod yn iawn. Ond, wrth gwrs, hi wyddai orau. Roedd hi'n gyfarwydd â bywyd ym Manceinion ac yn gyfarwydd â'r trigolion lleol; nid pobl gul oedd y rhain, yn wahanol i bobl cefn gwlad Cymru. Roedd y rhain yn mwynhau bywyd, yn mynd allan i wledda ym mwytai moethus y ddinas, yn gwybod sut i bartïo'n iawn – ie, dyma'r bywyd; dyma sut oedd byw!

Ac roedd hithau wedi syrthio dros ei phen i'r patrwm byw hwnnw, hyd nes iddi sylweddoli ei bod yn feichiog rai misoedd yn unig ar ôl y briodas. Yn sydyn, roedd popeth yn deilchion. Daeth diwedd ar y cymdeithasu, daeth bwyta allan yn rhywbeth dieithr, daeth diwedd ar y llu gwahoddiadau i bartïon. Cafodd ei hesgymuno o'r gymdeithas a fu, cyn hynny, mor gyfeillgar a chroesawgar. Newidiodd Paul ei agwedd tuag ati hefyd. Doedd hi ddim yn addurn deniadol mwyach. Yn hytrach na hynny, rhywun a oedd yn magu pwysau beichiogrwydd oedd hi, rhywun tew nad oedd yn gweddu i'w gymdeithas dlos, arwynebol ef. Roedd Paul, wrth gwrs, yn dal i fynd allan i gyfarfod ei ffrindiau gan ei gadael hi ar ei phen ei hunan. Sylweddolodd mai twyll fu ei bywyd priodasol o'r dechrau un – ond ni fentrai ddweud gair wrth ei mam.

Gwyddai bellach wrth gwrs y byddai ei mam wedi deall; byddai ei mam wedi ei chefnogi i'r carn ac un ai wedi mynd i Fanceinion i edrych ar ei hôl neu ei chroesawu i'w chartref bach cysurus ei hunan. O leiaf roedd gan ei mam atgofion o gariad dwfn, melys – mwy nag a oedd ganddi hi. Ond ar y pryd ni wyddai Morwenna holl hanes ei mam ac Alun Morgan ac ni fentrai gyfaddef ei bod wedi gwneud camgymeriad.

Ie, twyll fu'r holl orffennol. Roedd hyd yn oed ei mam wedi ei thwyllo, gan ddweud wrthi fod ei thad wedi ei ladd yn y rhyfel yn hytrach na bod y ddau wedi colli cysylltiad â'i gilydd. Ac fe dwyllodd hithau ei mam drwy esgus byw yn gysurus braf ym Manceinion, gyda Paul yn ŵr a thad cariadus a pharchus.

A beth am y twyllo a fu dros y Nadolig pan ddaeth ei mam yno i dreulio'r ŵyl yn eu cwmni? Roedd Anwen fach bron yn flwydd oed a Paul wedi chwarae ei ran i'r dim, yn rhyfeddol. Gadawodd ei mam eu cartref gan feddwl ei bod wedi gwneud cam mawr â Paul, ond ar ôl iddi adael ni fu pall ar watwar a melltith ei gŵr.

Gwyddai Morwenna fod 'na nifer o fenywod eraill yn ei fywyd erbyn hynny ac roedd dweud celwydd yn ail natur iddo. Ond nid y celwyddau'n unig oedd yn peri'r loes – y sarhad, y meddwi, y gweiddi, y rhegfeydd, yr erfyn am faddeuant a'r addewidion gwag; roedd y cyfan mor gyfarwydd. Yna daeth y dyrnu. Diolch i'r drefn, roedd yr hyfforddiant a gafodd wrth ymuno â'r heddlu wedi ei dysgu i amddiffyn ei hun a dyna pryd y sylweddolodd pa mor wan oedd ei gŵr mewn gwirionedd.

Sylweddolodd yn sydyn fod y car wedi dod i ben ei daith. Gwelodd furiau cyfarwydd ei thŷ a gwelodd fod y giatiau led y pen ar agor. Gwyddai ei bod wedi cyrraedd ei huffern fach bersonol.

'Wyt ti'n iawn?' torrodd llais ei thad ar draws y tawelwch a throdd i'w wynebu. 'Rwyt ti wedi bod yn cysgu'n drwm. Cymer eiliad i ddod atat dy hun. Hwn yw'r tŷ iawn, on'd ife?'

'Ie, hwn ydi o,' atebodd yn dawel.

Gwyrodd ei thad tuag ati a rhoi ei fraich am ei hysgwyddau.

'Dere â'r allwedd i mi; 'sdim rhaid i ti fynd i mewn os nad wyt ti ishe.'

Edrychodd Morwenna i fyw llygaid ei thad – y llygaid a welodd unwaith yn ddim ond smotiau bach du a gwyn ar dudalen flaen papur newydd, heb wybod mai ei thad oedd e; y llygaid disglair a fu'n syllu'n ddagreuol arni rai dyddiau'n ddiweddarach pan ddaethant wyneb yn wyneb fel tad a merch am y tro cyntaf.

Anadlodd yn ddwfn. 'Ro'n i'n meddwl fy mod i am rannu'r gyrru efo chi.'

Roedd ei thad wedi mynnu dod i Fanceinion gyda hi, i fod wrth law petai chwarae'n troi'n chwerw yn ogystal ag i brofi ei gar newydd ar daith weddol hir.

'Roeddet ti'n cysgu mor dawel, doedd 'da fi ddim calon i dy ddihuno,' gwenodd arni. Oedd, roedd hi wedi cysgu gydol y daith bron, ond bu'n effro dros yr ychydig filltiroedd olaf. Y bwriad oedd cyrraedd Manceinion tua chanol dydd felly gadawsant Bwll Gwyn cyn toriad gwawr, ond nawr teimlai Morwenna fod y daith wedi gwibio heibio ac nid oedd arni awydd cymryd yr un cam i gyfeiriad y tŷ. Diolchodd nad oedd golwg o gar Paul yn unman ac roedd y tŷ yn edrych yn dawel. Er hynny, teimlai gyfog gwag yn ei stumog wrth gofio am y noson olaf a dreuliodd yno cyn ffoi.

Paratôdd ei thad i gamu allan o'r car, 'Na, Dad, mi a' i i mewn ar fy mhen fy hun,' rhoddodd ei llaw ar ei fraich, 'mae'n rhaid i mi wynebu pethe rywbryd neu'i gilydd a waeth i hynny fod rŵan.'

'Ti sy'n gwbod, ond does dim rhaid i ti, cofia. Gad i mi fynd i weld a oes rhywun i mewn gyntaf.'

'Na, Dad, fy mrwydr i yw hon.'

Gwyddai Morgan nad oedd diben dadlau. Camodd Morwenna allan o'r car. Roedd ei chymalau'n ddolurus ar ôl y daith. Edrychodd yn araf i gyfeiriad y drws ffrynt gwyn a'i nerfusrwydd fel plwm yn ei stumog. Gwyddai fod yn rhaid iddi ddod 'nôl i gasglu ei heiddo personol a phethau Anwen, os nad oedd Paul eisoes wedi eu taflu i'r bin sbwriel. Llyncodd ei phoer ond roedd ei cheg yn sych. O leiaf byddai'n medru gwneud paned o de iddi ei hunan a'i thad os oedd y tŷ'n wag. Edrychodd o'i hamgylch. Gafaelodd yn dynn yn yr allwedd a'i droi'n ofalus yn y clo. Gwthiodd y drws a chamu i mewn.

Synnodd pa mor daclus oedd y lle. Gwyddai na fu Paul erioed yn un taclus iawn. Tybed pwy oedd wedi bod yn edrych ar ôl y lle? Aeth i mewn i'r gegin helaeth; roedd popeth yn ei le yn y fan honno hefyd.

Ni chlywai Morwenna smic o sŵn drwy'r tŷ, diolch i'r drefn.

Dechreuodd ddringo i fyny'r grisiau lle'r oedd y mwyafrif o'r pethau y bwriadai eu cario gyda hi heddiw.

'Wel, wel, wel! Edrychwch pwy sy' wedi dod 'nôl!' Clywodd Morwenna lais main Paul yn dod o ben y grisiau. Rhewodd a chamu yn ei hôl i'r gwaelod. 'Rwyt ti wedi dod adre o'r diwedd. Wna' i ddim dweud fy mod wedi gweld dy eisie di chwaith; mae 'na ddigon o ferched ifanc sy'n ddigon parod i gadw cwmni i mi. Ond wy' wedi gweld eisie Anwen fach. Ble mae hi? Yn y car? Dos i'w nôl hi tra bydda i'n rhoi rhywbeth mwy addas amdanaf.'

Safai Paul yn hanner noeth uwch ei phen. Edrychai mor wan a phlaen o'i gymharu â dynion fel ei thad ac Arfon. Sut yn y byd yr oedd hi erioed wedi ffansïo rhywun fel hwn, heb sôn am ... Curai ei chalon yn drwm yn ei mynwes a chamodd yn ôl ymhellach i gyfeiriad y drws ffrynt.

'Dydi hi ddim yma efo fi, Paul. Dim ond dod i gasglu ambell i beth cyn mynd 'nôl wnes i.'

'Dim gyda ti? Mynd yn ôl?' brysiodd Paul i lawr tuag ati, 'Ond fedri di ddim mynd yn ôl! 'Dyn ni'n briod, a beth am Anwen ...?' Roedd hyder ei gyfarchiad gwreiddiol yn dechrau diflannu. Safodd Paul o flaen ei wraig a sylwodd Morwenna pa mor fyr ac eiddil oedd e mewn gwirionedd.

'O, wy'n gweld. Tynnu 'nghoes i wyt ti! Dos i'w nôl hi tra 'mod i'n rhoi'r tegell i ferwi.'

'Dwi ddim yn tynnu dy goes di, Paul,' meddai Morwenna'n daer.

Tawelodd Paul. Camodd rhwng ei wraig a'r drws ffrynt a dyna pryd y sylweddolodd Morwenna ei fod o dan ddylanwad rhyw gyffur neu ddiod.

'Ddim yn dod 'nôl? Fe gawn ni weld am hynny, y slwten fach – ti a dy hen fam!' Cododd ei lais mor sydyn nes y syfrdanwyd Morwenna. Ciliodd i gyfeiriad y gegin ond daeth Paul ar ei hôl a'i gwthio yn erbyn y wal.

'Mae'n amlwg na wnest ti ddysgu dim oddi wrth y wers olaf 'na – felly fe fydd yn rhaid imi ddysgu gwers fach arall i ti, un y byddi di'n ei deall yn iawn y tro yma.'

Gwingodd Morwenna o'i flaen, 'Paid â 'nghyffwrdd i!' gwaeddodd. Estynnodd Paul ei law a'i gosod yn dyner ar un foch cyn taro'r llall â'i ddwrn.

Teimlodd Morwenna ei holl nerth yn diflannu a chwympodd ar ei gliniau o'i flaen. Methai wneud dim i amddiffyn ei hun wrth ddisgwyl yr ergyd nesaf.

'Morwenna, paid â bod yn wirion,' tawelodd llais Paul. 'Wy' wedi bod yn hiraethu gymaint amdanot ti.' Gwelai Morwenna'r wên faleisus drwy ei dagrau, gwên a oedd yn llawn creulondeb. 'Fe wnes i geisio dy ffonio di ...' gosododd ei ddwylo ar ysgwyddau ei wraig a'i gwasgu nes ei bod yn penlinio o'i flaen. Gwyddai Morwenna'n iawn beth oedd ar feddwl ffiaidd ei gŵr. Ceisiodd ymladd yn ei erbyn ond roedd ei nerth wedi diflannu'n llwyr. Trodd ei phen oddi wrtho.

'Do, do, fe wnes i ffonio sawl gwaith, fy nghariad fach i,' gorfododd ei phen tuag ato, 'ond fel arfer doeddet ti byth yno, dim ond rhyw hen wraig – dy fam mwy na thebyg, yr hen ast iddi ...'

Ni chlywodd yr un o'r ddau y drws ffrynt yn agor, dim ond un peth oedd ar feddwl Paul nes iddo deimlo llaw gref yn cydio'n ei wegil ac yn gwthio'i ben yn erbyn y wal. Trodd Morgan ef i'w wynebu cyn ei ddyrnu â'i holl nerth yn nwfn ei stumog. Cwympodd Paul fel sachaid o dato.

'Os y byddi di byth yn sôn am fy ngwraig i eto, cofia mai Mrs Morgan yw ei henw, a dim byd arall, a phaid â chyffwrdd yn fy merch i byth eto. Wyt ti'n deall?'

Edrychodd Paul yn llawn ofn ar y dyn mawr a safai uwch ei ben. Gwelodd yr olwg fygythiol yn y llygaid tywyll; gwelodd y graith ar ei foch. Dyna pryd y sylweddolodd pwy oedd o'i flaen.

'Morwenna, os wyt ti'n teimlo'n iawn, dos i gasglu'r pethe wyt ti ishe a'u rhoi yn y car tra bydda i'n egluro i'r cachgi 'ma beth sy'n mynd i ddigwydd nesa.'

Er bod ei choesau'n teimlo'n wan, rhedodd Morwenna i fyny'r grisiau. Roedd hi'n ysu am gael gadael yr uffern hon gynted fyth ag y gallai. Cydiodd Morgan yn ei fab-yng-nghyfraith gerfydd ei wallt a'i lusgo i mewn i'r lolfa. Taflodd ef ar gadair a sefyll o'i flaen.

'Nawr 'te – Paul,' poerodd yr enw i'w wyneb gwelw, 'rwyt ti'n mynd i gytuno i roi ysgariad i Morwenna heb ddim trafferth. Wy'n deall y gyfraith cystal â ti felly paid ag esgus bod 'na anawsterau. Creulondeb?! Dwyt ti ddim yn deall ystyr y gair, boi bach. Bygwth? Dim ond un sydd wedi cael ei bygwth ac mae hi i fyny'r grisiau 'na yn casglu'i heiddo. Morwenna fydd yn cael yr hawl i fagu Anwen ac fe fyddi di'n ildio pob hawl fel tad – mewn gwirionedd, fe fyddi di'n cytuno i beidio cysylltu ag Anwen byth eto, ond fe fyddi'n fodlon talu swm helaeth bob mis i'w chynnal. Rwyt ti'n mynd i drosglwyddo hanner gwerth y tŷ 'ma i Morwenna. Os bydd angen unrhyw beth arni hi neu Anwen yn ychwanegol, byddi'n cytuno i dalu amdano, ac os bydd yn rhaid i Morwenna ddod yn ôl yma byth eto, fyddi di ddim yma ar y pryd er mwyn iddi hi gael nôl unrhyw ddodrefnyn neu eiddo y mae hi am ei gludo oddi yma. Bydd yr holl drefniadau hyn yn cael eu setlo o fewn y chwe mis nesa. Wy'n deall shwt mae'r llysoedd yn gallu llusgo eu traed, neu ...'

'N-n-neu beth?' synnodd Morgan fod Paul wedi bod mor hy â gofyn y cwestiwn. Synnodd Paul ei fod wedi medru gofyn cwestiwn mor dwp. Edrychodd eto ar yr wyneb didrugaredd o'i flaen.

'Neu fe wna' i'n siŵr na fydd unman yn y wlad 'ma lle byddi di'n medru gweithio eto. Fe fydd dy fyd yn troi ei gefn arnat ti; fe fyddi heb yr un cyfaill, heb gwsmer, heb ddime goch i dy enw. Fydd hyd yn oed dy rieni, os oes gen ti rieni, yn gwrthod dy gydnabod – a gyda llaw,' edrychodd Morgan i lawr arno, 'rwyt ti wedi piso'n dy drowser.'

Arhosodd Paul yn y lolfa heb ddweud gair tra bod Morwenna a'i thad yn llwytho'r car. Cyn hir clywodd y ddau yn gadael heb ddweud gair. Dyna pryd y cododd, rhedeg i'r toiled a chwydu nes ei fod yn wan.

* * *

Eisteddai Hubert Nicholas, y cyfreithiwr, yn gyfforddus yn swyddfa ei gyfaill mynwesol a'i bartner golff, Nigel Owen.

'Wyt ti'n meddwl y bydd popeth yn iawn o hyn ymlaen 'te, Hubert?' gofynnodd y rheolwr banc yn ofidus.

'Does ganddo ddim syniad beth sy'n digwydd. Mae gyda ni ddigonedd o amser i mi wneud y trosglwyddiadau i gyd ac mae'r papurau'n ddiogel gyda ti. Y cyfan sy'n rhaid i ni ei wneud yw sicrhau fod popeth yn cael ei gwblhau cyn i'n hen ffrind ddod i lawr yma yn yr haf. Fe wnaiff e dalu'n sylweddol am ein gwasanaeth. Wy' ddim yn gweld pam dy fod yn poeni.'

'Ie, wel, mae e braidd yn ddiamynedd ar hyn o bryd – a chofia pwy y'n ni'n geisio ei dwyllo,' atebodd Nicholas yn dawel.

'Alun Morgan? Pwy yw Alun Morgan, dwed y gwir? Falle ei fod e wedi bod yn uchel yn yr heddlu unwaith, ond beth yw e nawr? Hen heddwas sy'n byw yn dawel bach ar ei enw mewn twll o le fel Pwll Gwyn ...'

Roedd hi'n amlwg nad oedd Nicholas wedi llwyddo i dawelu pryderon ei gyfaill felly plygodd yn nes ato i geisio'i gysuro. 'Gwranda, fe wnes i'n siŵr nad oedd yr hen Gapten yn rhoi'r holl fanylion yn ei ewyllys, dwyt ti ddim yn cofio? Fe ddwedais i wrtho fe'n blaen y byddai'r diawled trethi 'na ar ei ôl ac yn cymryd rhan helaeth o'i ffortiwn. Wyt ti'n cofio 'na? Fe lyncodd y cyngor yn y fan a'r lle. Wy'n cyfadde fod Morgan wedi ein dal gyda'r llythyr 'na, ond diawl erioed, ein bai ni oedd 'ny. Buon ni'n esgeulus. Nawr, bydd yn rhaid i ni fod yn fwy gofalus o hyn ymlaen. Ond dyna i gyd sy'n rhaid i ni ei wneud – bod yn fwy gofalus. A chofia fod gan Alun Morgan hen ddigon ar ei feddwl ar hyn o bryd. Yn ôl y sôn wnaiff ei wraig e fyth wella'n iawn ar ôl y ddamwain ac mae e'n treulio pob eiliad gyda hi. Erbyn y bydd hi'n well fe fydd pob dim drosodd, gei di weld.' Cymerodd Nicholas lwnc helaeth o'r coffi a oedd wedi hen oeri ar ei ddesg. Edrychodd eto ar ei ffrind a gwelodd yr hunan foddhad yn dychwelyd yn araf i'w wyneb. 'Diawl erioed, Nigel, sawl un y'n ni wedi'i dwyllo ar hyd y blynyddoedd, dwed y gwir, ac ar ôl hwn fe fyddwn ni'n dal i'w twyllo.'

'Ti'n llygad dy le, Hubert. Fi sy'n bod yn hen ferch bryderus. Yr hen gydwybod 'ma sydd ar fai ti'n gweld!'

Chwarddodd Nicholas, 'Cydwybod? Ti?! Ers pryd mae gen ti gydwybod?'

Dechreuodd Owen wenu'n araf a chyn bo hir roedd chwerthin swnllyd y ddau hen ffrind yn atseinio drwy'r swyddfa foethus.

* * *

Gwyddai Morgan fod Morwenna yn crio'n dawel a'i hwyneb wedi ei droi oddi wrtho i guddio'r dagrau. Gwyddai mai gwell fyddai peidio ag amharu arni ar hyn o bryd. Gyrrai'n gyflym tuag at y ffin rhwng Lloegr a Chymru gan ei fod ar frys i gyrraedd adref ond gwyddai y byddai'n rhaid iddo aros am betrol cyn hir. Tan hynny penderfynodd mai 'calla dawo' oedd hi.

'Mae'n ddrwg gen i,' meddai Morwenna'n sydyn a'i llais crynedig yn torri ar draws y tawelwch.

'Am beth, bach?' gofynnodd Morgan heb edrych arni.

'Am ichi orfod gweld be oedd Paul yn geisio'i wneud,' meddai'n dawel ac yn llawn cywilydd.

'Mae 'na bobol fel'na yn y byd 'ma, yn anffodus,' ceisiodd ei chysuro.

'Diolch byth eich bod chi yno i fy achub i,' daliai i syllu drwy'r ffenest.

'Ddylen i ddim fod wedi gadael i ti fynd i mewn ar dy ben dy hunan. Dylen i fod wedi rhagweld y byddai e'n ceisio ymosod arnot ti,' meddai Morgan yn ymddiheurol. Fyddai'r hen Alun Morgan ddim wedi gwneud y fath gam gwag, meddyliodd.

'Mawredd, Dad, peidiwch â beio'ch hun!'

'Wy'n dad i ti, Morwenna; ro'n i i fod i edrych ar dy ôl,' a throdd i edrych ar ei ferch. Synhwyrodd hithau fod Morgan yn edrych arni a throdd i'w wynebu. Gwelodd Morgan y dagrau'n ffrydio i lawr ei gruddiau gwelw a'r llygaid coch, chwyddedig.

Anelodd Morgan drwyn y car at ochr y ffordd ac ar ôl diffodd yr injan tynnodd ei ferch tuag ato. Gwyrodd hithau i freichiau cysurlon ei thad. 'O, Dad,' ebychodd gan grio yn ei fynwes, heb gymryd sylw o'r cerbydau a wibiai heibio iddynt.

Cyn hir, ymsythodd Morwenna a chodi ei phen i roi cusan ar foch ei thad. 'Ches i ddim cyfle i wneud paned i ni,' gwenodd yn wan.

'Fe stopiwn ni mewn munud i gael un, 'te,' atebodd Morgan a gwenu'n ôl arni.

* * *

'Wnaethoch chi gamgymeriad erioed yn eich bywyd?' gofynnodd Morwenna yn sydyn. Roedd y ddau wedi cael pryd ysgafn a choffi mewn caffi bach yn agos i Wrecsam. Doedd Morgan erioed wedi bod yn y dref honno; synnai bod cymaint o fannau yng Nghymru mor ddieithr iddo.

Penderfynodd y byddai Elisabeth ac yntau yn teithio'r wlad unwaith y byddai hi wedi gwella. 'Camgymeriad yr ydych chi wedi'i ddifaru droeon wedyn?'

Torrodd y cwestiwn ar draws ei fyfyrdodau. Doedd dim angen iddo feddwl cyn ateb, 'Camgymeriad? Fi? O, do ac un yn arbennig. Fe wnes i redeg i ffwrdd pan oeddwn i'n ifanc, rhedeg i ffwrdd yn hytrach nag aros i wynebu pethe a chred di fi, fe ges i 'nghosbi am hynny. Fe ddylwn i fod wedi aros i amddiffyn rhywun arbennig.'

'Mam?'

'Ie, dy fam,' llanwyd ei feddwl â thristwch wrth gofio'r digwyddiadau a holltodd eu bywydau ifanc yn ddarnau.

'Be'n union ddigwyddodd?' holodd Morwenna.

'Paid â gofyn,' atebodd ei thad yn dawel, 'Mae'n codi gormod o loes a chywilydd arna i bob tro wy'n meddwl am y peth.'

Gyrrodd Morgan yn ei flaen heb yngan gair arall am y peth. Sylweddolodd Morwenna ei bod wedi agor hen glwyf.

'Fe ddes i i fyny mor bell â hyn wrth chwilio amdani,' meddai'n dawel pan welodd arwyddion am y Bala.

'Ond ddaethoch chi ddim ar ei thraws?'

'Naddo.'

'Pam?'

'Bydd yn rhaid i ti holi dy fam am 'ny,' meddai a daeth y drafodaeth i ben.

'Nid damwain gafodd Mam nage, Dad?' meddai Morwenna yn sydyn.

'Beth wyt ti'n ei feddwl?' edrychodd Morgan arni.

'Wel, dwi ddim yn meddwl mai damwain ddigwyddodd.'

'Beth 'te?' Roedd hi'n amlwg fod yr un amheuon yn

union wedi bod yn cronni ym meddyliau ei ferch hefyd.

'Gwrandewch, Dad. Dwi wedi bod heibio i'r lle yn aml ers y digwyddiad. Mae'r ffordd yn syth, yn hollol syth, ac os mai pynjar gafoddd Mam fel maen nhw'n ei awgrymu – neu hyd yn oed ddau bynjar – fyddai hi byth wedi cael y fath ddamwain. Roedd hi'n bwrw eira ac felly doedd Mam ddim yn gyrru'n gyflym – mae'n hi'n llawer rhy ofalus. Y peth gwaetha fyddai wedi digwydd fyddai iddi daro'r wal gerrig ac efallai y byddai'r car wedi troi ar ei ochr yn y ffos ond fyddai hynny erioed wedi achosi'r difrod y soniodd John Jones amdano.'

Ni ddywedodd Morgan air, er bod crynodeb ei ferch yn adlewyrchu ei amheuon yntau. Sylweddolodd Morwenna fod ei thad yn teimlo'r un fath â hi ond nid oedd yn mentro gofyn beth fyddai'r cam nesaf.

* * *

Teimlai Morgan awyrgylch wahanol yn Awel Deg a hynny cyn iddo gyrraedd y drws ffrynt hyd yn oed. Cerddodd i mewn gyda Morwenna ac roedd Morgan yn siŵr fod ei ferch yn teimlo'r un fath ag yntau. Roedd Sal a Mari Troed y Rhiw yn sefyll ar waelod y grisiau a gwên ryfedd ar eu hwynebau.

'Beth sy'n bod ... beth sy' wedi digwydd?' gofynnodd yn bryderus.

'Neis gweld bod y ddau ohonoch wedi cyrraedd adre'n ddiogel,' meddai Sal, er y gwyddai Morgan nad oedd ganddi'r un syniad pa mor bell y bu'r ddau y diwrnod hwnnw.

Rhedodd Morwenna i fyny'r grisiau i chwilio am Anwen

a throdd Sal a Mari tuag at y gegin. 'Dewch, Mari, fe fydde hi'n well i ni baratoi swper i'r ddau yma,' awgrymodd Sal a rhyw dinc yn ei llais. 'O, gyda llaw, mae rhywun yn aros amdanat ti yn y lolfa fawr – wedi bod yn dy ddisgwyl ers amser 'fyd,' ategodd cyn diflannu. Clywai Morgan y ddwy yn chwerthin wrth iddynt ddiflannu o'r golwg.

Agorodd Morgan ddrws y lolfa yn araf heb syniad pwy fyddai yno i'w gyfarch. O'i flaen, yn eistedd yn gyfforddus yn y gadair freichiau wrth y tân, yn wên o glust i glust a'i breichiau'n ymestyn tuag ato roedd Elisabeth. Elisabeth! Edrychai yn union fel ag yr oedd hi cyn y ddamwain, heb y rhwymyn gwyn o amgylch ei phen a'i gwallt yn goron aur unwaith eto o gylch ei hwyneb a'i llygaid gleision yn disgleirio'n llawen.

'Mawredd!' ebychodd Morgan, 'Beth wyt ti'n ei wneud fan hyn?'

'Tyrd yma cyn dweud gair arall.'

Cymerodd Morgan hi'n dyner yn ei freichiau a chan deimlo ei chorff yn pwyso yn ei erbyn cusanodd hi'n angerddol.

'Ro'n i'n meddwl na fyddet ti byth yn cyrraedd adre,' meddai wrth ei gusanu ar ei dalcen, ei glust, ei foch a'i drwyn – pobman y medrai ei gyrraedd a hithau'n dal ar ei heistedd.

'Ond ... ond ... shwt ...?' dechreuodd Morgan cyn iddi gusanu ei wefusau unwaith eto.

Eglurodd Elisabeth fod John Davies a Buddug wedi galw i'w gweld yn gynnar yn y bore i weld sut roedd hi'n dod yn ei blaen. Roedd y ddau wedi archwilio ei hanafiadau'n fanwl, 'Er, dwi ddim yn rhy hoff o sut mae o'n teimlo rhai mannau ... mi wyddost ti be dwi'n feddwl ...'

awgrymodd gyda'i llygaid. 'Ond dyna fo, fo ydi'r doctor ac mae'n siŵr mai dim ond un allan o gant ydw i iddo fo ...'

'Nid un allan o gant, cariad – rwyt ti'n un o fil,' gwenodd Morgan arni.

'Ac wedyn mi archwiliodd fy mhen a dweud fod hwnnw wedi gwella digon iddo allu tynnu'r hen rwymyn hyll 'na. Roedd o'n ddigon bodlon â'm cyflwr ac fe fu'n ddigon gwirion i ofyn imi a oeddwn i angen unrhyw beth ...' chwarddodd yn uchel, 'Doedd o ddim wedi disgwyl y fath restr ond mi gytunodd yn y diwedd! Gyda help Sal a Buddug cerddais yn ddiogel i'r bathrwm a chefais fàth cynnes, braf. Mi ges ganiatâd i wisgo a'r hawl i eistedd yn y gadair fawr wrth y ffenest. Wel, waeth i mi eistedd yn y lolfa, awgrymais. Roedd o'n anfodlon â hynny ond y prynhawn 'ma daeth Gwynfor a Da draw i weld sut oeddwn i ac i weld Sal wrth gwrs. Dyma fi'n llwyddo i berswadio Da i 'nghario fi i lawr y grisiau fel rhyw ddarn o borselen bregus a Sal yn ei wylio bob cam. Roedd Gwynfor yn rhy swil i gyffwrdd â mi, y truan, ond dwi'n credu ei fod o'n teimlo'n euog am adael i'w dad gario'r fath bwysau. Ac felly, dyma fi!'

Chwarddodd Morgan wrth ddychmygu'r cyfan.

'Felly, cariad bach, dwi'n gallu cerdded, er, braidd yn araf, ond mi gariodd Gwynfor y gadair olwyn i lawr yma.' Plethodd ei breichiau am wddf ei gŵr a thynnodd ei ben tuag ati i'w gusanu eto.

'Sut aeth petha ym Manceinion?' gofynnodd ar ôl seibiant.

'Iawn,' atebodd Morgan gan wenu arni, 'dim byd i boeni yn ei gylch.'

PENNOD 11

Eisteddai Morgan ar ei ben ei hunan ar Garreg y Fuwch a'i feddyliau'n hedfan yn rhydd gydag awelon y môr. Roedd ei fywyd yn dechrau dod yn ôl i drefn o'r diwedd a phopeth yn argoeli'n dda am wellhad buan i Elisabeth.

Daeth yr amser iddo droi ei feddyliau at bethau eraill. Cyffyrddodd â'r graith ar ei foch wrth bwyso a mesur ei swydd gyda'r gwasanaethau cudd. Yn ystod yr wythnosau diwethaf nid oedd wedi ymchwilio rhyw lawer i'r honiadau fod ysbïwyr yn Aberporth, heb sôn am chwilio am rai o aelodau'r IRA y tybid eu bod yn cludo arfau o Iwerddon ar hyd arfordir gorllewin Cymru. Yn bersonol, credai Morgan fod y ddau syniad yn chwerthinllyd ond dyna fe, os oedd y bobl fawr yn barod i dalu cyflog sylweddol iddo, fe ddylai wneud rhywbeth ynglŷn â'r amheuon.

'Sam, Sam-ble-mae-dy-fam?' clywodd Morgan lais Buddug yn atseinio yn ei feddwl ac yna cofiodd am hanes Sam James yn Llundain a oedd yn adlewyrchiad perffaith o'i yrfa yntau – ond pam? Roedd wedi disgwyl clywed gair gan J-J ynglŷn â gweddillion y bwledi a anfonodd ato i weld a oedd marciau bysedd arnynt, neu unrhyw farciau eraill i'w cysylltu â Sam James. Ac os mai ef, Sam James oedd yn gyfrifol am yr ymosodiad – pam? Digon gwir mai Morgan fu'n gyfrifol am ei garchariad hir ar ôl iddo gael ei ddiarddel o'i waith gyda'r heddlu, ond roedd blynyddoedd ers hynny, felly pam aros tan y noson aeafol honno rai wythnosau'n ôl erbyn hyn, a hithau'n bwrw eira'n drwm, cyn ymosod? A pham ffonio'r heddlu i adael iddynt wybod am y ddamwain? Na, doedd y digwyddiadau ddim yn gwneud unrhyw synnwyr i Morgan.

Tybed a oedd rhywun wedi cyflogi Sam James i ymosod? Byddai hynny'n gwneud mwy o synnwyr. Pe byddai rhywun wedi rhoi tâl iddo am y gwaith ac yna wedi darganfod nad oedd e wedi cyflawni'r orchwyl yn ôl y gofyn, ac felly wedi ei gosbi, byddai hynny'n egluro'r corff yn yr afon.

Cofiai Morgan y neges a oedd wedi ei chlymu i'r dwylo. Na, roedd pwy bynnag a fu'n gyfrifol am ei ladd yn credu ei fod wedi llwyddo ac wedi cael gwared arno yn hytrach na thalu cyflog iddo. Ond a wyddai ei gyflogwr ei fod wedi ffonio'r heddlu y noson honno? Oedd hynny'n rhan o'r cynllun? Digwyddiad.

Datblygai darlun clir ym meddwl Morgan. Dychmygai Sam James yn ymfalchïo yn ei weithred erchyll; gwyddai ei fod wedi llwyddo ac yn fwy na thebyg roedd wedi dweud hynny wrth ei feistr a'r heddlu cyn dychwelyd y noson honno i Lundain i dderbyn ei wobr. Fodd bynnag, nid oedd wedi disgwyl y fath wobr waedlyd. Ond pwy oedd ei feistr? Pwy oedd y tu cefn i'r holl gynllunio?

Gwyddai Morgan fod ganddo ddigon o elynion ers dyddiau ei yrfa lwyddiannus yn Llundain a'r mwyafrif ohonynt yn gweithio dan fantell yr isfyd. Byddai unrhyw un o rhain yn ddigon parod i gynllunio rhywbeth fel hyn ac yn ddigon digydwybod i weithredu'r artaith ar Sam James. Daeth wyneb Ricky Capelo i'w feddwl a chofiodd y tro olaf i'r ddau gyfarfod ar draeth Pwll Gwyn yn agos iawn i'r fan ble'r eisteddai nawr.

Ond na, nid ymosodiad fel yr un a ddigwyddodd oedd ffordd yr isfyd o ddial. Roedd marwolaeth mewn damwain car yn llawer rhy dyner ganddyn nhw a'r cyfan yn rhy gymhleth i'w drefnu. Efallai na fu'n fwriad i'r ddamwain fod mor erchyll ac mai'r syniad gwreiddiol oedd i'r car stopio'n stond er mwyn iddynt fedru herwgipio Elisabeth. Oedd, roedd hynny'n ddigon posib ond teimlai Morgan ym mêr ei esgyrn nad felly y bu hi chwaith. Byddai'r drwgweithredwyr yn fwy tebygol o dorri i mewn i'w gartref i wneud y gwaith arswydus yn y fan ar lle. Erbyn hyn, gwyddent yn iawn ble'r oedden nhw'n byw ac felly, pam rhewi allan yn yr eira? Digwyddiad, hefyd, y byddai'r rhain yn barod i gyflogi rhywun fel Sam James i wneud y gwaith yn eu lle – roedd Sam yn rhy ddiniwed o bell ffordd.

Felly pwy – a pham? Sylweddolodd Morgan nad oedd ganddo syniad o gwbl ond gwyddai nad oedd yn mynd i aros am ymosodiad arall – nid dyna'i natur. Cododd ei olygon i gyfeiriad y ffrwd unwaith eto ond nid Elisabeth a ddaeth i'w feddwl y tro hwn.

Trodd ei ben i syllu ar y môr. Gallai ddychmygu'r hen Gapten Williams yn disgwyl bob dydd am ei long. Gwelai ei hen ffrind yn eistedd wrth y bwrdd yn ei fwthyn bach i ysgrifennu'r llythyr olaf: 'fy holl eiddo' – dyna ffordd fach ryfedd o ddweud ei gynlluniau. Pam 'fy holl eiddo' yn hytrach na'r 'bwthyn a'i gynnwys' meddyliodd? Oedd 'na fwy o eiddo? Wyneb chwyslyd Nigel Owen wrth i hwnnw roi'r llythyr iddo a ddaeth i feddwl Morgan nesaf, fel pe bai'n anfodlon rhywsut – a pham nad oedd yr ewyllys yn barod i'w throsglwyddo? Dyna drefn y gyfraith, yn ôl Owen ond roedd deufis wedi mynd heibio bron ers i'r hen ddyn farw ac roedd Morgan yn siŵr nad oedd yr ewyllys mor gymhleth â hynny. Wedi'r cyfan, roedd Capten Williams wedi mynd i Gastellnewydd yn unswydd i sicrhau bod yr ewyllys yn gywir ac yn gyfreithlon. Dirgelwch arall? Ie ond o leiaf fe allai wneud rhywbeth i ddatrys hyn.

Cododd Morgan yn gyflym a brasgamu'n ôl tuag at Awel Deg.

* * *

'A phwy sy'n dymuno'i weld e?' holodd y llanc ifanc yn or-swyddogol gyda goslef hynod anghwrtais yn ei lais y tu ôl i gownter y banc.

'Morgan, Alun Morgan,' atebodd Morgan yn undonog, 'Does gen i ddim apwyntiad ond mae'n rhaid i mi gael ei weld ynghylch rhyw fater pwysig iawn.' Nid oedd Morgan wedi trefnu apwyntiad yn fwriadol. Gorau oll cyn lleied o rybudd a gâi Nigel Owen, meddyliodd.

'Arhoswch am eiliad,' a diflannodd y llanc i'r cefn. Ar ôl ychydig funudau ymddangosodd gwraig ifanc y tu ôl i'r cownter i siarad ag ef.

'Bore da, Mister Morgan. Yn anffodus dyw Mister Owen ddim yma heddiw. Hoffech chi ddychwelyd rhyw ddiwrnod arall, neu alla' i eich helpu chi? Ann Rhys yw'r enw,' ac estynnodd ei llaw tuag ato.

Dyna welliant, meddyliodd Morgan. 'Wy' ishe cadarnhau un neu ddau beth bach ynglŷn ag ewyllys ac eiddo y diweddar Gapten Williams o Bwll Gwyn,' atebodd yn gyfeillgar gan siglo llaw y ferch yn gadarn. Derbyniodd ei gwahoddiad i fynd i swyddfa'r rheolwr ac eisteddodd yn yr un gadair ag y gwnaethai pan oedd yno y tro cynt. Gwrthododd ei chynnig o ddisied o de ac eglurodd y sefyllfa iddi.

'Wy' ddim yn siŵr faint o gymorth alla' i ei roi i chi. Mister Owen sy'n delio ag ewyllysiau a materion cyffelyb fel arfer, ac wrth gwrs, y cyfreithiwr Hubert Nicholas hefyd – ei ffrind mawr,' meddai Ann Rhys wrth eistedd yng nghadair ei meistr y tu ôl i'r ddesg, gan ategu ei sylw olaf yn dawel.

Tynnodd Morgan gopi o'r llythyr gwreiddiol o'i boced a'i ddangos iddi. 'Fel y gwelwch chi, fi sy' wedi etifeddu holl eiddo yr hen Gapten. Cwrddais â Mister Owen rai dyddiau'n ôl ...'

'Do,' torrodd Ann Rhys ar ei draws, 'wy'n eich cofio chi'n dod i mewn.'

'Mae cof da gyda chi,' meddai Morgan yn siriol.

Gwenodd y ferch arno a syllu i fyw ei lygaid. 'Wel, mae popeth i'w weld yn ddigon eglur fan hyn,' meddai wrth bori drwy'r llythyr. Sylwodd Morgan fod ei hwyneb wedi dechrau gwrido.

Teimlai Ann yn chwithig yng nghwmni Morgan. Roedd hi wedi clywed llawer amdano a nawr, dyma fe – y dyn ei hun yn eistedd o'i blaen ac yn gofyn am ei chymorth hi o bawb! 'Oes 'da chi unrhyw broblem ynglŷn â'r ewyllys?' Llithrodd ei bysedd ar hyd y ddesg yn swil.

'Wel oes, a dweud y gwir. Fe awgrymodd Owen nad oedd yr ewyllys wedi cyrraedd yn ôl eto o ble bynnag ry'ch chi'n anfon ewyllysiau i'w cadarnhau ... ym ... yng ngolwg y gyfraith ...'

'Ond mae'r ewyllys yma yn barod i chi. Mae hi wedi bod yn barod ers rhai wythnosau,' edrychodd Ann yn syn. 'Ro'n i'n meddwl mai dyna pam y daethoch chi yma y dydd o'r blaen.'

'Nage,' atebodd Morgan yn amheus, 'ond efallai bod 'na

gamgymeriad wedi bod, neu efallai 'mod i wedi camddeall pethe. Wy'n weddol dwp pan mae hi'n dod i faterion cyfreithiol,' a gwenodd ar Ann yn ddireidus. Chwarddodd hithau i ddangos ei bod yn rhannu ei jôc fach breifat a goleuodd ei hwyneb. Sylwodd Morgan pa mor ddeniadol oedd y ferch; roedd hi'n ei atgoffa o rywun arall hefyd, ond methai'n lân â chofio pwy.

'Arhoswch am eiliad, fe af i i edrych am y ffeil. Y'ch chi'n siŵr nad y'ch chi ishe disied o de? Efallai y bydda i rai munudau yn chwilio amdani.'

'Wy'n berffaith siŵr. Cymerwch chi eich amser, Mrs Rhys,' a gwenodd arni.

'Miss Rhys, ond galwch fi yn Ann – 'sdim rhaid bod yn ffurfiol yn y lle 'ma. Ry'ch chi'n byw ym Mhwll Gwyn nawr on'd y'ch chi?'

'Ydw, yn Awel Deg.'

'Y tŷ mawr ar ben y clogwyn? O, wy'n gwbod amdano'n iawn. Un o Rydlewis ydw i, felly wy'n mynd i Bwll Gwyn yn aml, yn enwedig yn yr haf.'

'Paid â mynd â hyn gam ymhellach!' ceryddodd Morgan ei hun. 'Mae'n bosib y gwela' i chi yno rywbryd,' oedd ei unig ymateb ond er hynny, fe sylwodd ar ei phersawr hyfryd wrth iddi gerdded heibio iddo.

Bum munud yn ddiweddarach dychwelodd Ann Rhys gan roi blwch mawr du a ffeil frown ar y ddesg o'i blaen. Agorodd y blwch a thynnodd bentwr o ddogfennau ohono. Edrychodd arnynt a'u cymharu â rhestr o'r ffeil.

'Ydi, mae popeth yma,' meddai â'i phen i lawr, 'Dyma ddau gopi o'r ewyllys a rhai dogfennau eraill ond fe fyddai hi'n well i chi ddarllen yr ewyllys yn gyntaf cyn edrych ar y dogfennau eraill 'ma. A thra byddwch yn darllen hwnna wy'n mynd i baratoi disied o de i ni'n dau. Mae 'da fi rhyw deimlad y byddwch awydd un cyn hir.' Cerddodd heibio i Morgan eto – yn llawer nes y tro hwn.

Ailadrodd cynnwys y llythyr personol a wnâi'r ewyllys, ar ôl cadarnhau fod y Capten yn iach a'i feddwl yn gall. Serch hynny, y geiriau a ddefnyddid y tro hwn oedd '... fy eiddo, sef y bwthyn bach o'r enw Hafan Dawel a'i gynnwys yn gyfan gwbl a'm holl eiddo arall ...' Dyna'r geiriau amwys yna unwaith eto. Pa 'eiddo arall' oedd gan y Capten? Roedd Morgan yn pendroni am hyn pan ddychwelodd Ann gyda'i ddisied. Tybed a oedd hi wedi manteisio ar y cyfle i ffonio ei meistr neu'r cyfreithiwr i'w rhybuddio nhw ei fod e yno. Amheuai Morgan hyn fodd bynnag, gan gredu na fyddai Ann Rhys yn gwneud pethau felly yn y dirgel.

'Oedd gan Capten Williams arian mewn cyfrif yn y banc yma?' gofynnodd wrth gymryd llwnc o'r te. Roedd y ddisied yn gymwys at ei ddant.

'Pam y'ch chi'n gofyn?'

'Wel, mae'r hen Gapten yn cyfeirio at ei "holl eiddo" yn y llythyr ond "holl eiddo arall" yw geiriad yr ewyllys,' atebodd.

'Y'ch chi wedi meddwl mynd yn dditectif erioed?' chwarddodd y ferch wrth dynnu ei goes.

'Do, unwaith,' chwarddodd yntau. Roedd e'n hoffi Ann Rhys ac roedd hi'n gwybod llawer mwy amdano nag yr oedd wedi ei ddisgwyl. 'Gyda llaw, mae'r te 'ma yn fendigedig – yn union fel wy'n ei hoffi,' ychwanegodd.

'Wy'n gwbod,' gwenodd Ann arno. 'Chi'n gweld, wy'n gyfnither i Gwenda ac mae'r ddwy ohonom fel dwy chwaer. Wy' newydd ei ffonio hi i gael gwbod shwt y'ch chi'n hoffi eich te!'

Syfrdanwyd Morgan gan y geiriau ac am eiliad aeth ewyllys yr hen Gapten allan o'i feddwl. Gwenda, wrth gwrs! Y blismones o Aberystwyth! Ef oedd wedi cynnig dyrchafiad iddi i fynd i weithio i Lundain a hithau wedi derbyn yn frwd. Roedd Ann Rhys yr un ffunud â'i chyfnither, yr un cymeriad hawddgar, yr un olwg yn y llygaid ...

'Mawredd! Dyna fyd bach on'd ife. Gobeithio na wnaeth hi ddweud gormod wrthoch chi amdana i ...'

'Mae 'da hi feddwl mawr ohonoch chi ar ôl digwyddiadau'r haf diwetha. Chi yw ei harwr mawr ers ichi gael y swydd 'na iddi yn Llundain a'i chyflwyno i J-J. Ond peidiwch â becso – galwad fach fer wnes i nawr ac fe ddywedodd hi wrtha i'n union shwt i baratoi eich te. Mae hi'n anfon ei chofion atoch chi, gyda llaw. Un peth arall, fe siarsiodd hi fi i gofio'ch galw chi'n "gyf" ...'

Chwarddodd Morgan yn uchel wrth ddychmygu Gwenda yn rhybuddio'i chyfnither.

'Ond nawr, yn ôl at yr ewyllys,' edrychodd Ann ar gynnwys y blwch du a'i hwyneb yn llawn gwrid ar ôl lled-awgrymu i'r gŵr o'i blaen ei bod yn cael ei denu ato.

'Roedd gan y diweddar Gapten Williams un cyfrif yma, gyda phedair mil, dau gant a chwech o bunnoedd, wyth swllt a thair ceiniog ynddo. Felly, yn ôl yr ewyllys, eich eiddo chi yw'r arian nawr. Beth hoffech chi inni ei wneud â nhw ... ym, gyf?'

'Galwa fi yn Alun, os gweli'n dda; mae dyddiau'r "gyf" wedi hen orffen. Oes modd trosglwyddo'r arian i gyfrif sydd gyda fi yn y banc yn Llundain?'

'Dim problem,' atebodd Ann, gan deimlo cynnwrf rhyfedd yn gwibio drwy ei chorff wrth wrando ar y llais dwfn, cadarn. Edrychodd ar wyneb Morgan, y wên gynnes, y llygaid tywyll yn disgleirio'n ddireidus ac roedd rhywbeth hynod atyniadol am y graith ar ei foch. Yr eiliad honno, gallai Alun Morgan fod wedi gofyn iddi wneud unrhyw beth ac fe fyddai hi wedi ufuddhau iddo yn fwy na bodlon. Roedd hi'n ddigon hawdd gweld sut y swynodd Alun Morgan Gwenda, meddyliodd Ann. Pam yn y byd nad fe oedd y rheolwr banc yn hytrach na'r mochyn arall 'na gyda'i ddwylo chwyslyd a'i awgrymiadau brwnt?

'Oes 'na rywbeth o'i le?' torrodd Morgan ar draws ei meddyliau cudd.

'Na, na, dim byd o gwbwl, Alun,' atebodd yn swil, 'ond beth am y rhain?' cyfeiriodd at y dogfennau eraill yn ei llaw.

'Beth yn union y'n nhw?'

'Dogfennau yn ymwneud â pherchenogaeth Hafan Dawel a Throed y Rhiw.'

'Troed y Rhiw?' ebychodd Morgan.

Darllenodd Ann y dogfennau'n bwyllog, 'Ie, ac mae popeth i'w weld yn ei le, pob dim yn gyfreithlon hyd y gwela' i. Y Capten oedd perchennog Hafan Dawel a Throed y Rhiw, felly mae'r ddau le yn eiddo i chi nawr. Llongyfarchiadau!' a gwenodd arno.

Ni wyddai Morgan sut i ymateb i'r newyddion syfrdanol hwn. Felly, dyna ran o'r dirgelwch wedi ei ddatrys ond pam na ddywedodd Owen air wrtho am Droed y Rhiw? Torrodd Ann ar draws ei feddyliau.

'Fel arfer byddwn yn anfon dogfennau fel hyn yn syth at gyfreithiwr, felly hoffech chi i mi eu hanfon at Hubert Nicholas ar eich rhan?'

'Mawredd, na!' ebychodd Morgan heb feddwl eilwaith. 'Hynny yw, nid Hubert Nicholas yw fy nghyfreithiwr i,' edrychodd arni eto a dechreuodd chwerthin.

'Ry'ch chi'n ddoeth iawn,' ymunodd Ann Rhys yn y chwerthin a diolchodd Alun mai hi oedd ar ddyletswydd y bore hwnnw.

Cymerodd Morgan y dogfennau ar ôl llofnodi ffurflen arbennig ac awgrymodd bod Ann yn dychwelyd y blwch i'w le priodol. Yna ffarweliodd â hi gan amau bod Ann, fel Gwenda ei chyfnither, yn gwastraffu ei doniau yn y lle yma.

'Mae'n siŵr y gwelwn ni ein gilydd eto rhyw ben, hyd yn oed os mai dim ond ar y traeth ym Mhwll Gwyn y bydd hynny. Diolch yn fawr, Ann – am bopeth,' meddai wrth ffarwelio â hi.

'Croeso, bu'n bleser, Alun,' ysgydwodd Ann ei law a thybiai Morgan ei bod wedi dal ei gafael tipyn bach yn hirach na'r angen.

PENNOD 12

'Wyt ti'n meddwl 'mod i wedi colli gormod o bwysau?' edrychodd Elisabeth i fyw llygaid ei gŵr ond nid oedd hi'n disgwyl iddo ateb. 'Ie, wel, ti'n gwbod pam,' edrychodd draw am eiliad, 'ond paid â phoeni, dwi'n dechrau dod i delerau â'n colled rŵan. Fel y dywedest ti, doedd y peth ddim i fod, mae'r cyfle wedi mynd ac mae Anwen fach gyda ni o hyd.' Gwyrodd tuag at ei gŵr a rhoi cusan fach dyner ar ei wefusau. 'Soniodd John Davies wrthot ti na fedra i gael babi byth eto oherwydd y driniaeth ges i ar ôl y ddamwain?'

'Do,' atebodd ei gŵr yn dawel.

'Fydd hynny'n gwneud unrhyw wahaniaeth i dy deimladau di?' gofynnodd yn amheus.

'O! Bwts, wy'n dy garu di'n union fel o'r blaen – yn fwy os rhywbeth achos wy' wedi sylweddoli pa mor werthfawr wyt ti i mi a pha mor agos y des i at dy golli di, a dy golli yn llwyr y tro 'ma.' Cydiodd yn dynn yn ei wraig.

'Soniodd o wrthot ti y byddwn ni'n dal i fedru caru fel o'r blaen?'

'Do, Bwts.'

'Diolch am hynny 'te?!' a gwenodd ei wraig yn ddireidus arno. 'Rŵan, rho fi i lawr yma, Alun, mae arna i awydd ceisio cerdded rhyw ychydig.'

Gadawodd Morgan ei wraig i sefyll ar y tywod a

chydiodd hithau yn ei fraich wrth sylweddoli pa mor wan oedd ei choesau. 'Mi fydda i'n falch pan fydd John Davies yn rhoi'r gorau i archwilio pob twll a chornel ohona i – yn llythrennol!' chwarddodd, 'yn enwedig a'r hen Buddug 'na yn gwylio pob dim a rhyw olwg fach ryfedd ar ei hwyneb. Dim ond ti, Alun Morgan, sy' â'r hawl i roi ei ddwylo ar fy nghorff i!' Closiodd at ei gŵr. 'Wyt ti'n ei chofio hi'n dy ffansïo yn yr ysgol ers talwm?'

'Pwy, Buddug? Mawredd, nac ydw!' ebychodd. 'A dweud y gwir, dwi ddim yn ei chofio yn yr ysgol o gwbwl.'

'Un fach denau, blaen oedd hi os dwi'n cofio'n iawn, ond mae hi'n eitha deniadol erbyn hyn, dwyt ti ddim yn cytuno?'

'Dim patsh arnat ti, cariad bach,' gwenodd Morgan arni. Beth oedd wedi ysgogi Elisabeth i drafod Buddug, o bawb? meddyliodd Morgan. Oedd hi'n amau fod atyniad rhwng y ddau tybed? A'r eiliad honno, am ryw reswm anesboniadwy, fflachiodd wyneb tlws Ann Rhys o flaen ei lygaid.

'Wyt ti'n meddwl y gallwn ni gerdded cyn belled â Charreg y Fuwch?' gofynnodd Elisabeth. Synnodd Morgan pa mor bell yr oedd hi eisoes wedi cerdded.

Bu'r ymdrech yn fwy na'r disgwyl i Elisabeth gyrraedd pen pellaf y traeth; er hynny, teimlai'n fuddugoliaethus wrth eistedd ar y graig gyfarwydd.

'Hen deimlad rhyfedd ydi eistedd fa'ma gan wybod na fyddwn ni byth yn gweld y Capten yn cerdded ar draws y traeth byth eto,' pwysodd Elisabeth ei phen yn erbyn ysgwydd Morgan. 'Meddylia mai ti ydi perchennog Hafan Dawel a Throed y Rhiw – mae'r peth yn rhyfeddol. Be wyt ti'n mynd i'w wneud â'r dogfennau rŵan?' holodd.

'Fe ddylwn i fynd â nhw i Lundain a chael gair bach â'm cyfreithiwr. Falle y ffonia i e gynta i weld beth mae e'n ei awgrymu.'

'O, Alun, dwi newydd gofio rhywbeth!' cododd Elisabeth ei llaw at ei cheg. 'Mae'n wir ddrwg gen i ond mi wnes i anghofio'n llwyr – mi alwodd rhywun ar y ffôn rhyw ddwyawr yn ôl. Mi ddiflannodd y peth yn llwyr o 'nghof i pan wnest ti awgrymu ein bod yn mynd am dro ar hyd y traeth.'

'Paid â phoeni. Pwy oedd ar y ffôn?'

'Rhyw ddyn a llais rhyfedd ganddo. Sais mawr – wel, na, dwi ddim yn credu mai Sais oedd o, i fod yn onest. Ta waeth, roedd ganddo fo acen ryfedd. Gainlaw oedd ei enw, os dwi'n cofio'n iawn. Dwi wedi ysgrifennu ei enw ar bapur wrth y ffôn,' atebodd. 'Roedd o am i ti gysylltu ag o, er, roedd o'n gwrthod gadael ei rif. Mi ddywedodd dy fod ti'n gwbod sut i gysylltu ag o. Dwi'n ama' ei fod o wedi ffonio o'r blaen rhyw dro. Pwy ydi o, Alun?' edrychodd Elisabeth ar ei gŵr gan sylwi ar y newid sydyn a ddaeth i'w wyneb pan glywodd yr enw.

'Gainlaw yw'r boi sy'n gyfrifol amdana i yn Llundain, yn MI5, ond rhyfedd ei fod e wedi siarad Saesneg â thi.' Cofiodd Morgan yn sydyn nad oedd gan ei feistr lawer o ddiddordeb yn ei fywyd personol pan gyfarfu ag ef yn ystod yr haf diwethaf. 'Cymro yw e ac yn fwy na hynny mae e'n dod o Fethesda. Meddylia, falle dy fod yn ei adnabod e.' Roedd Elisabeth wedi symud i fyw i Rachub, nid nepell o Fethesda, pan oedd hi bron yn ddeunaw oed.

'Dwi ddim yn credu imi erioed glywed y fath enw â Gainlaw,' atebodd hithau.

Chwarddodd Morgan, 'Na, Gwyn Llew yw ei enw iawn

e, Gwyn Llew Tomos i fod yn fanwl gywir ond mae pawb yn ei alw'n Gainlaw mae'n debyg; ti'n gwbod shwt mae'r gwasanaeth – cudd yn ei weithredoedd a chudd ei natur,' ceisiodd gyfieithu'r dywediad Saesneg.

'Faint ydi ei oed o?'

'Yn ei chwe degau mae'n siŵr. Pam, wyt ti'n ei gofio fe?'

'Ro'n i'n adnabod un Gwyn Llew Tomos o Fethesda i ddweud y gwir. Roedd y Llew-Tomosiaid yn flaenllaw iawn yn y gymdeithas ...'

'Dyna ti, ti'n gweld. Bydd yn rhaid imi gofio dweud wrtho y tro nesa y gwela i fe,' awgrymodd Morgan gan wybod yn iawn na fyddai'n sôn gair wrtho am ei wraig mewn gwirionedd. Ond roedd Elisabeth wedi rhyddhau ei hun oddi wrtho. 'Beth sy', Bwts?' gofynnodd.

'Mae'r oedran yn gwneud synnwyr, Alun ond mae'r Gwyn Llew Tomos ro'n i'n ei adnabod wedi hen fynd. Mi gafodd o ei ladd mewn damwain gas rhyw flwyddyn ar ôl i ni symud i Rachub.'

'Wyt ti'n siŵr?'

'Yn berffaith siŵr. Ro'n i yn y cynhebrwng hyd yn oed am mai 'nhad oedd yn arwain y gwasanaeth.'

Gwyddai Morgan fod cof da gan Elisabeth a digwyddiad ei bod yn camgymryd. Gwyddai hefyd nad oedd yntau wedi gwneud camgymeriad; cofiai ei feistr yn egluro ystyr ei enw wrtho, gan ddweud pa mor falch ydoedd o gael Cymro Cymraeg arall yn y gwasanaeth.

'A pheth arall,' synhwyrodd Elisabeth, 'nid acen Bethesda nac acen y gogledd oedd gan y gŵr ar y ffôn. Roedd o'n swnio'n debycach i rywun o'r de – ti'n gwbod, rhyw acen debycach i Dylan Thomas neu Richard Burton wrth iddyn nhw geisio esgus eu bod nhw'n Saeson rhonc.'

'Yn debycach i fy acen i ti'n feddwl?'

'O, Alun,' chwarddodd Elisabeth, 'mae dy acen di yn rhywbeth gwahanol eto! Sawl un sy' wedi meddwl dy fod yn dod o Dde Affrica?'

'Mwy na thebyg mai fi wnaeth gamddeall ei eglurhad – doedd gen i ddim llawer o ddiddordeb i fod yn onest.' Hoffai Morgan chwerthiniad ei wraig ac roedd hi'n braf ei chlywed mor llawen unwaith eto. Edrychodd i gyfeiriad y môr, 'Ti'n gwbod shwt mae 'nghof i weithie,' ategodd.

Gwyddai Elisabeth yn union pa fath o gof oedd gan ei gŵr. Gallai gofio popeth, hyd yn oed y manylyn mwyaf dibwys, er mai dim ond hanner gwrando a wnâi ar brydiau.

'Galwa fo'n "cyw" y tro nesa y byddi di'n siarad Cymraeg ag o,' awgrymodd Elisabeth.

'Pam cyw?' holodd Morgan mewn penbleth.

'Mae pawb yn Bethesda a'r cylch yn gyw,' gwenodd Elisabeth, 'Felly gwna hynny i weld beth fydd ei ymateb o.'

Sylweddolodd y ddau fod yr holl siarad am Gainlaw a Llundain wedi torri ar draws eu hamser gwerthfawr yng nghwmni ei gilydd.

'Felly, mae'n rhaid inni wneud yn siŵr dy fod yn pesgi tipyn bach,' meddai Morgan yn chwareus gan geisio newid y pwnc, 'a cheisio dod â mwy o liw yn ôl i'r wyneb pert 'na.' Gwasgodd ei llaw.

'Mi wyddost ti'n well na neb sut i ddod â'r lliw 'nôl i fy wyneb i!' syllodd Elisabeth arno'n awgrymog cyn codi ei golygon tuag at y ffrwd gerllaw.

'Bwts!' ffug-geryddodd Morgan ei wraig, 'Cofia'r addewid i'r doctor.'

'Rwyt ti'n gallu bod mor ddiflas weithiau,' pwniodd Elisabeth ei fraich yn chwareus. 'Tyrd, mi fyddai hi'n well inni ei throi hi am adra.' Gwyddai mai ei gŵr oedd yn iawn, er gwaetha'r cyffro a wibiai drwy ei chorff a'i henaid.

* * *

Gwyddai Morgan fod y Capten a Mari Throed y Rhiw wedi bod yn ffrindiau da am gyfnod maith ac felly roedd hi'n bur debygol y byddai'r hen ddyn yn siŵr o fod wedi rhannu cynnwys ei ewyllys gyda hi. Os felly, gorau i gyd po gynted y galwai Morgan i'w gweld i'w chysuro ynglŷn â dyfodol ei chartref. Ond methai'n lân â dyfalu sut y daeth y tŷ yn eiddo i Capten Williams. Gobeithiai y byddai Mari yn fodlon rhoi'r ateb iddo. Cerddodd yn bwyllog i gyfeiriad y tŷ bychan am y tro cyntaf yn ei fywyd cyn curo ar y drws ffrynt cadarn.

'Pwy sy' 'na?' clywodd Mari yn gweiddi o'r tu mewn.

'Fi, Alun Morgan,' atebodd yn uchel.

'O, Mister Morgan bach, dewch rownd i ddrws y bac.'

Cerddodd Morgan ar hyd y llwybr cul wrth dalcen y tŷ gan sylwi pa mor agos at y clogwyn oedd y bwthyn bach mewn gwirionedd. Roedd yr ardd yn amlwg yn ildio'i hun i'r traeth yn awr ac yn y man.

''Sdim byd yn bod, nag oes, Mister Morgan?' holodd Mari yn ofidus.

'Na, na, dim byd o gwbwl. Ishe cael gair bach 'da chi, dyna i gyd, Mari,' atebodd.

Cafodd ei arwain i'r gegin fach lle'r oedd tân coed yn gwresogi'r tŷ i gyd. Gwrthododd ddisied o de ac eisteddodd yn y gadair fawr wrth ochr y tân. Eisteddodd Mari gyferbyn ag ef.

'Beth alla' i ei wneud i chi 'te, Mister Morgan?'

Amheuai Morgan fod Mari wedi bod yn disgwyl y cyfarfod yma. 'Mari,' dechreuodd, 'mae 'da fi rywbeth i'w ddweud wrthoch chi, rhywbeth sy'n bwysig iawn i'r ddau ohonom ni.'

'O?' gwyrodd Mari ymlaen yn ei chadair.

'Fel y'ch chi'n gwbod yn barod ...' dechreuodd eto gan fethu'n lân â phenderfynu sut i ddweud ei neges. Byddai Elisabeth wedi cael gwell hwyl na hyn, meddyliodd, ond roedd hi adref yn cysgu'n drwm ar ôl ei thaith gerdded y bore hwnnw.

'Mister Morgan bach, wy'n gwbod yn iawn beth y'ch chi'n mynd i'w ddweud,' gwenodd yr hen wraig arno, 'wy' wedi bod yn disgwyl i chi ddweud rhywbeth ers i'ch merch ddweud wrtha i eich bod wedi mynd i weld dyn y banc yng Nghastellnewydd y tro cynta 'na.'

'Felly, ry'ch chi'n gwbod fod Capten Williams wedi gadael ei holl eiddo i mi yn ei ewyllys ac mai fi sy' nawr yn berchen ar y tŷ 'ma?'

'A diolch byth am 'ny,' atebodd Mari.

'Pam y'ch chi'n dweud 'na?' syfrdanwyd Morgan gan ei hymateb.

'Roedd Morlais, neu'r Capten fel yr oeddech chi yn ei adnabod, druan, wedi dweud wrtha i yn union beth roedd e'n fwriadu ei wneud â'r lle 'ma ond ... ond ... wel, chi'n gweld, doedd dim ffydd gyda fe yn y banciwrs 'na. Roedd e ishe dweud wrthoch chi ymlaen llaw ond wy'n credu, yn y diwedd, fod ei long wedi dod i'w nôl yn gynharach na'r disgwyl. Awgrymais i ei fod e'n gadael llythyr bach i chi i gadarnhau pethe – y'ch chi wedi dod ar ei draws?'

'Wel, do,' atebodd Morgan, 'roedd y llythyr yn y banc yn disgwyl amdanaf.'

'Yn y banc?' edrychodd Mari yn syn arno, 'Dyna ryfedd. Nid fel 'na wen i wedi disgwyl iddo wneud pethe.'

Teimlai Morgan fod ymateb Mari tipyn bach yn rhyfedd. 'Roeddech chi a'r hen Gapten yn agos iawn,' edrychodd arni ond trodd Mari ei phen at y tân i geisio cuddio'r dagrau oedd yn cronni yn ei llygaid.

'Yn nes o lawer nag y mae pobol ffor' hyn yn ei sylweddoli. O, roedd e'n ymddiried ynoch chi, Mister Morgan bach; roedd e'n gwbod eich bod chi yn wahanol i'r mwyafrif ac fe wna' inne ymddiried ynoch chi yn yr un modd.' Teimlai Morgan fod 'na ddirgelwch arall ar fin cael ei ddatgelu unrhyw funud.

'Roedd Capten Williams yn sant,' dechreuodd Mari ar yr hanes, 'yn groes i weddill y teulu, yn enwedig y mab hynaf. Roedden nhw i gyd yn ei dwyllo, 'chi'n gweld – William yr hynaf a'r plant eraill, pawb heblaw am ei ferch fach falle, ond roedd ei wraig yn waeth na'r un ohonyn nhw. Roedd hi'n gwbod yn iawn beth oedd hi'n ei wneud ac yn disgwyl i William wneud yr un fath 'chi'n gweld. Roedd e'n ddigon hen i ddeall beth oedd yn mynd 'mlân wrth gwrs ond doedd dim dewis ganddo fe ond gwneud yr hyn oedd ei fam yn mynnu tra oedd y dynion eraill yn dod i'r tŷ i wneud ... i wneud ... wel, 'chi'n gwbod shwt mae gwragedd yn gallu bod pan mae eu gwŷr ymhell oddi cartre am amser hir. Oedd, oedd, roedd yn rhaid i William fod yn gyfrifol am ei frawd a'i chwaer fach a bod yn was bach i'w fam hefyd ac yntau'n ddyn ifanc.'

Ceisiai Morgan ddeall yr hyn roedd Mari yn ei ddweud wrth i ddarluniau rhyfedd iawn o deulu'r Capten ymddangos yn araf bach yn ei feddwl. Gadawodd i'r hen wraig fynd yn ei blaen heb dorri ar ei thraws.

'Ro'n inne yr un mor euog, cofiwch, yn gadael i'r pethe hyn ddigwydd heb ddweud gair wrth neb. Ond dyna fe, ro'n i bron yn ddeugain oed a heb gael cwmni dyn erioed; wedi treulio 'mywyd ifanc yn edrych ar ôl Mam a 'Nhad. Aeth e i ffwrdd i'r môr cyn dechrau'r rhyfel gan fy ngadael i i nyrsio Mam ar ei gwely angau a'i chladdu yn y diwedd. Cafodd e 'i ladd ar y môr rhywle yn yr Iwerydd ac felly ro'n i ar fy mhen fy hunan heb waith, heb gymorth, dim ond y cartref bach yma. Roedd William yn ifancach na fi a heblaw am ambell i was ffarm fe oedd yr unig fachan di-briod yn y pentre – a finne'n hen ferch. Cytunais i edrych ar ôl y plant ambell i noson a pharatoi pryd o fwyd iddyn nhw pan oedd ei fam yn ... yn ... 'chi'n gwbod. Ymhen byr o dro daeth y ddau ohonom yn ffrindiau, roedd e'n talu'n dda imi warchod y plant, tra oedd e'n mynd ar ei hynt fan hyn a fan draw, a wastad yn dod ag anrhegion bach i mi o ble bynnag roedd e wedi bod. Yn y diwedd daethom yn gariadon, neu dyna oeddwn i'n ei feddwl ar y pryd.'

Oedodd Mari am ysbaid gan syllu'n bell i'r tân. Gwelodd Morgan y dagrau'n llifo i lawr ei gruddiau ond roedd ei llais yn dal yn gadarn. Edrychodd arno, 'Ffolineb menyw ddibriod, unig, Mister Morgan; rhoi fy hunan i'r cythrel dro ar ôl tro, dweud celwydd i'w amddiffyn rhag yr heddlu hyd yn oed, ac fe adawodd e fi heb air o ffarwel nac unrhyw addewid i ddod 'nôl. Ond yn waeth na hynny, ro'n i'n feichiog, heb neb yn gefn i mi.' Torrodd ei llais wrth i'r atgofion ddod yn fyw, wrth i'r naill gyfrinach ar ôl y llall gael eu hatgyfodi ar ôl ugain mlynedd a mwy.

Teimlai Morgan yn euog, nid yn unig am ei fod wedi amharu ar gyfrinachau'r hen wraig ond am fod ganddo yntau gyfrinach debyg yn ei orffennol yntau. Diolchodd yn dawel bach fod Elisabeth, o leiaf, wedi cael cymorth ei rhieni. 'Does dim angen i chi barhau, Mari,' cydiodd yn dyner yn ei llaw.

'Na, na, waeth i chi gael gwbod y cyfan nawr. Daeth Capten Williams yma y bore ar ôl i William fynd. Eglurodd wrtha i ei fod wedi erlid ei fab o'i gartref ac o'r pentref ac roedd y ddau ohonom yn gwbod yn iawn ein bod wedi cael ein bradychu ac na fydde William byth yn dod 'nôl. Cynigiodd ei dad bob cymorth i mi gan fy mod i'n feichiog, hyd yn oed cynnig i mi fynd i fyw yn ei gartref ef, ond gwyddwn yn iawn sut un oedd ei wraig ac na fedrwn i byth fyw dan yr un to â hi nac egluro iddo beth oedd yn digwydd yno. Rywsut neu'i gilydd wy'n teimlo ei fod e wedi deall y sefyllfa i'r dim ac fe wnaeth yn siŵr nad oeddwn i byth yn brin o arian. Cynigiodd brynu'r hen dŷ 'ma gan addo y byddai'n gyfrinach rhwng y ddau ohonom ac y byddai hawl 'da fi i fyw 'ma gydol fy oes ac oes fy mhlentyn yn ddi-dâl. Cytunais â'i gynnig, gan y byddwn yn sicr o do uwch fy mhen o leiaf.' Arhosodd Mari am ysbaid a gwenu'n drist ar Morgan, 'Collais y babi cyn iddo gael ei eni ar ôl llithro ar y creigiau ger Carreg y Fuwch, a fan hyn wy' wedi byw ers 'ny, unwaith eto ar fy mhen fy hunan.

'Ar ôl i Morlais ddychwelyd adre o'r môr am y tro olaf – roedd e wedi colli'r teulu i gyd erbyn hyn, wrth gwrs, a bach iawn o gwmni oedd ganddo yn y pentref – byddai'n arfer galw i'm gweld bob cyfle a gâi a gofynnodd unwaith eto imi fynd i fyw yn ei gartref fel howsciper iddo. Ond roedden ni'n dau yn rhy hen i newid ac wedi dod i arfer â'n cwmni ein hunain a neb arall.'

Ni wyddai Morgan beth i'w ddweud pan oedodd Mari am ennyd.

'Felly, chi yw perchennog newydd Troed y Rhiw nawr. Peidiwch â phoeni, fe fydda i mas o'ch ffordd chi cyn bo hir,' trodd Mari ei sylw unwaith eto tua'r tân fel petai'n gweld yr hen wynebau cyfarwydd yn ymddangos yn y fflamau.

Trawyd Morgan yn fud gan ei geiriau olaf a chamddeallodd eu hystyr yn llwyr. Edrychodd ar yr hen wraig fach a eisteddai gyferbyn ag ef gan fethu â dirnad sut y gallai unrhyw un fod mor llawen wedi'r fath orffennol creulon a'r bywyd unig a gafodd.

'Peidiwch â phoeni, Mari, fe gewch chi fyw yma cyhyd ag y byddwch chi'n ei ddymuno, fel ag yr addawodd yr hen Gapten. Bydd y gyfrinach yn parhau rhwng y ddau ohonom ni.'

Nid ei chartref oedd yr unig beth a fu'n poeni Mari'n ddiweddar serch hynny. Gwyddai fod 'na rywbeth arall yn tynnu ei holl nerth oddi wrthi. Doedd dim rhaid iddi fynd i weld y meddyg gan y gwyddai ei bod yn dioddef o'r un afiechyd creulon â'i mam gynt, ac fe fyddai hwnnw'n dwyn ei bywyd hithau hefyd cyn bo hir. Ond ei chyfrinach hi a neb arall oedd hynny.

'Diolch yn fawr i chi, syr, ond mae 'na un peth bach arall. Wnewch chi egluro'r cyfan i'ch gwraig a gofyn am ei maddeuant,' meddai'r hen wraig yn dawel.

'Maddeuant? Pam yn y byd y'ch chi'n gofyn maddeuant?'

'Mae'r ddau ohonoch chi yn bobol fonheddig ...'

'Mari,' torrodd Morgan ar ei thraws a chydio yn ei llaw, 'Mari, dy'ch chi ddim wedi gwneud na dweud dim i deimlo'n euog yn ei gylch. Chi sy' wedi dioddef fwyaf a wy'n falch eich bod yn fy ystyried i ac Elisabeth yn gyfeillion a wy'n gwbod bod Elisabeth yn teimlo'r un fath.' Gwenodd Morgan arni a dechreuodd Mari wylo'n dawel.

Rhoddodd Morgan ei fraich yn dyner am ei hysgwyddau i'w chysuro. 'A dweud y gwir, Mari, er fy mod yn ddiolchgar iawn i'r Capten am adael y tŷ i mi, rwyf am ei roi yn ôl i chi i wneud fel ag y mynnoch ag e.'

Gwylltiodd yr hen wraig, 'O na, na, fe fydde'n rhaid imi fynd i weld y twrneiod 'na wedyn a gwneud ewyllys a hyn a'r llall – a beth wn i am bethe fel'na. O, na, Mister Morgan, peidiwch â meddwl gwneud y fath beth. Os y caf i fyw yma fel o'r blaen, fe fydda' i'n ddigon bodlon. Mae pawb yn gwbod lle'r ydw i, pawb yn gwbod lle i ddod o hyd i mi ...'

Synnwyd Morgan gan ei geiriau ac oedodd am eiliad cyn gofyn, 'Ydi William yn dal i alw i'ch gweld, Mari?'

'Dyw e ddim wedi bod ers amser nawr,' atebodd, 'ond oedd, roedd e'n galw'n gyson ar un adeg, er na wyddai'r Capten hynny cofiwch. Roedd y peth yn gwneud i mi deimlo'n euog iawn – cadw'r wybodaeth oddi wrth ei dad fel'na.'

'Shwt un oedd e, 'te, Mari?'

'William?' gwenodd Mari yn sydyn a gwelodd Morgan fflach o ddisgleirdeb ieuenctid yn dod i'w hwyneb crychlyd, 'Roedd e'n debyg iawn i'w dad mewn sawl peth. Roedd e wastad yn edrych ar ôl y plant eraill cyn i'r ferch fach gael ei boddi ac yn aml byddai'n sefyll fan hyn a gwneud i ni chwerthin gyda'i ddifyrrwch. Roedd e'n actor da, chi'n gweld – ar un eiliad medrai daro arno ei fod yn ffermwr cefn gwlad gan siarad yn union fel un o'r ffermwyr lleol a'r funud nesaf byddai'n swnio'n union fel un o'r bobol fawr 'na o Loegr – ond y peth gorau oll oedd ei glywed yn canu ac yn dawnsio, yn gywir fel Charlie Chaplin â'i ffon fach yn chwyrlïo o amgylch y lle.' Diflannodd y wên o'i hwyneb, 'Ond roedd gwaed ei fam ynddo hefyd ac oedd, roedd 'na ochr gas yn cuddio y tu mewn iddo. Roedd e'n cymysgu 'da'r bobol anghywir 'chi'n gweld ac yn gadael iddyn nhw ddylanwadu arno a'i arwain i dorri'r gyfraith yn ystod y rhyfel – pethe fel'na.'

'Ond mae e'n dal yn fyw?' gofynnodd Morgan.

'Am wn i, er wy' ddim wedi'i weld e ers sawl blwyddyn erbyn hyn. Welodd ei dad erioed mohono fe ar ôl iddo'i erlid o'r pentref, na chlywed unrhyw sôn amdano. Y peth diwetha wy'n cofio'r Capten yn ei ddweud amdano oedd: "Synnwn i damaid nad yw e wedi newid ei enw a'i fod e'n rheolwr banc yn rhywle!".'

Trodd Mari yn sydyn i wynebu Morgan. 'Y'ch chi'n siŵr fod y Capten wedi gadael llythyr i chi yn y banc?' gofynnodd yr un cwestiwn iddo eto. 'Rhyfedd 'te. Doedd Morlais ddim yn gallu dioddef banciwrs,' ategodd cyn i Morgan gael cyfle i ddweud dim.

PENNOD 13

'Teimlai Morgan iasau rhyfedd yn cydio ynddo wrth iddo gerdded heibio Hafan Dawel, cartref y diweddar Gapten Williams annwyl. Roedd e'n dal i hiraethu am ei hen gyfaill a disgwyliai glywed y llais cyfarwydd yn ei wahodd i gael 'gwydraid bach cyn nos'. Felly, er ei bod hi'n nosi'n gyflym ac Elisabeth yn ei ddisgwyl gartref a'i geiriau'n atseinio'n uchel yn ei ben, trodd Morgan a cherdded ar hyd y llwybr a arweiniai tuag at y bwthyn.

Oedodd am eiliad ar drothwy'r drws cefn. Cofiai'r hen Gapten yn dweud wrtho unwaith, 'rhyngom ni'n dau, dyw'r drws cefn ddim yn cloi'n iawn'. Addunedodd Morgan iddo'i hun y byddai'n rhoi clo newydd ar y drws gynted ag y gallai. Gosododd ei law yn bwyllog ar glicied y drws. Pa mor aml oedd e wedi gwneud hyn yn y gorffennol, gyda photel wisgi dan ei gesail, gan wybod yn iawn fod ei hen gyfaill yn ei ddisgwyl y tu mewn. Fe'i llethwyd gan dristwch; roedd y ddau wedi dod yn gyfeillion mynwesol mewn llai na blwyddyn. Hwn oedd y tad y dymunasai ei gael ar ôl iddo golli ei rieni flynyddoedd yn ôl. Roedd y ddau wedi rhannu cyfrinachau na wyddai neb arall amdanynt, ond er iddo ddweud wrth Morgan am ei deulu – am farwolaeth ei ferch fach a'i chorff yn cael ei ddarganfod wedi boddi yn agos i Bwll Gwyn; y mab a laddwyd yn yr Ail Ryfel Byd; marwolaeth ei wraig tra oedd ef i ffwrdd ar ei fordaith bell olaf; ac, wrth gwrs, am William, er mai ychydig a soniodd am hwnnw – er iddo ddweud y cyfan wrth Morgan, ni ddywedodd air am y gyfrinach rhyngddo ef a Mari. Cynyddodd parch Morgan tuag at ei ddiweddar gyfaill ffyddlon, ond methai dderbyn ei fod wedi marw mor sydyn.

Cerddodd yn bwyllog i mewn i'r lolfa fach gan gynnau'r golau trydan ac edrych o'i amgylch. Er bod Mari yn amlwg wedi bod yno'n tacluso'r lle, roedd presenoldeb y Capten yn amlwg ym mhobman – y llestri ar y bwrdd bach, y botel wisgi ... Tybed a oedd yr hen ŵr wedi disgwyl ymweliad ganddo yn ystod ei oriau olaf? Beiai Morgan ei hunan am beidio â sylwi'n fanylach ar ei gyflwr yn dirywio, na sylwi sut y gwaethygodd ei beswch yn ddiweddar gan ei orchfygu'n lân ar brydiau.

Oedd, roedd yr awyrgylch gyfeillgar yn dal yno; y teimladau bodlon a gâi wrth i'r ddau sgwrsio'n ddifyr a rhoi'r byd yn ei le. Dychmygai weld y Capten yn eistedd o flaen tanllwyth o dân, gan ddisgwyl yn eiddgar am ei ymweliad. Byddai'n troi tuag ato a'i wên gyfarwydd a'i lygaid gleision yn disgleirio. Gallai ei glywed yn datgan, 'Mae'r botel a'r gwydrau ar y bwrdd fan'na. Arllwys bobo fesur inni a dere i eistedd fan hyn am dipyn.'

Edrychodd Morgan ar y bwrdd ac yno yr oedd y botel yn ei lle arferol, ond dim ond un gwydryn oedd wrth ei hochr. Teimlai bresenoldeb y Capten yn drwm erbyn hyn. Gallai glywed ei chwerthiniad rhyfedd, rhyw wichian yn ei frest a godai'n uwch ac yn uwch gan wneud i'w gorff ysgrytian o'i ysgwyddau hyd at ei wasg.

'Cofia am dy deulu bob amser. Paid byth â'u gadael ar eu pen eu hunain fel ag y gwnes i. Paid ag anghofio dy gynefin chwaith. Ac mae gen ti wraig hyfryd sy'n dy garu a thithau'n ei charu hi. Cymer ofal ohoni cofia, a bydd yn ddiolchgar am bob eiliad gyda'ch gilydd.' Atseiniai geiriau'r noson olaf a dreuliodd y ddau yng nghwmni ei gilydd fel tonnau ar draws meddwl Morgan. Cofiodd sut y cododd y Capten ei wydryn cyn llyncu'r diferyn olaf.

'Capten Williams,' torrodd Morgan ar draws y tawelwch, 'Pam oedd yn rhaid i chi fynd pan aethoch chi?'

Yn union fel pe bai'r hen Gapten wedi ei glywed ac er mwyn ateb ei gwestiwn, cofiodd Morgan yn sydyn iddo ddweud wrtho unwaith wrth iddynt eistedd ar Garreg y Fuwch, 'Weli di'r tonnau 'ma i gyd, Alun? Mae gan bob un ohonom ni don arbennig, mas fan'na yn rhywle; dy don di, ton dy wraig, ton i bob un sy'n byw ar y ddaear. Bob dydd mae'r don yn cynyddu gan ddod yn nes ac nes i'r lan, nes yn y diwedd bydd hi'n torri ar y traeth. A dyna hi wedi mynd; bydd popeth wedi mynd a dim ond yr atsain fydd ar ôl. Wnaiff y don 'na byth ddychwelyd, ti'n gweld. Dim ond unwaith mae'r don yna'n torri, cofia.'

Edrychodd Morgan unwaith eto ar y botel a'r gwydryn a sylwodd fod 'na ddarn o bapur o dan y botel.

'Os wyt ti'n darllen hwn, rwyf wedi ymuno â'm criw o'r diwedd. Mae 'na ddigon ar ôl yn y botel i ni'n dau gael un llymaid bach arall gyda'n gilydd. Cer i'r cwpwrdd i nôl fy ngwydryn arbennig, fe wyddost ti'n iawn pa un wy'n ei feddwl.'

Oedd, roedd Morgan yn gwybod yn iawn pa wydryn y cyfeiriai'r Capten ato. Aeth i'r gegin fach, agorodd y cwpwrdd uwchben y ffwrn ac estyn ei law i afael yn dynn yn y gwydryn cyn ei dynnu i lawr. Methai weld yn iawn yn nhywyllwch y gegin ond gwyddai fod 'na rywbeth ynddo.

Aeth yn ei ôl i'r lolfa a gwelodd allwedd fach yn gorwedd ar waelod y gwydryn.

Teimlai bresenoldeb y Capten yn ei ymyl wrth iddo afael yn yr allwedd. Cododd ei ben ond roedd pobman yn wag a dim ond y dodrefn, y llyfrau a hen greiriau'r Capten yn gwmni iddo. Synnodd Morgan wrth weld y Beibl mawr ar y bwrdd. Gwyddai nad oedd yr hen foi yn grefyddol iawn, neu o leiaf dyna a awgrymodd sawl tro '... ac eto, mae 'na Rywun neu Rywbeth yn meistroli'r pethau sy' oruwch ein deall ni – beth bynnag mae'r pregethwrs 'ma'n ei ddweud ...'

Agorodd Morgan y Beibl yn ofalus. Y tu mewn i'r clawr blaen roedd achau'r teulu. Mam a thad Capten Williams oedd perchenogion gwreiddiol y Beibl felly, tybiodd Morgan. Islaw roedd enw eu hunig fab, Morlais Caradog (ar ôl ei dad) Williams ac ar ei ôl ef enw ei wraig, Myfi, a'u tri phlentyn – William, Rhodri a'u merch Elisabeth Williams. Synnodd Morgan wrth sylweddoli nad oedd y Capten erioed wedi dweud gair am y cyd-ddigwyddiad hwn – roedd enw ei ferch yr un fath ag enw morwynol Elisabeth. Tybed beth oedd wedi mynd drwy feddwl ei hen ffrind wrth iddo arwain Elisabeth drwy'r eglwys orlawn ar ddydd eu priodas. Oedd e wedi teimlo mai arwain ei ferch ei hunan ydoedd?

Sylweddolai Morgan fod 'na shwt gymaint nad oedd e'n ei wybod am y gŵr hynod hwn ond bellach roedd hi'n rhy hwyr.

Wrth ochr y Beibl roedd llyfr mawr arall. Ar y clawr lledr gwelai olion llythrennau a argraffwyd yn wreiddiol mewn aur ond a oedd bellach wedi colli eu lliw. Serch hynny, gallai Morgan weld y geiriau 'CAPTAIN WILLIAMS' yn glir. Roedd hwn hefyd yn hen lyfr ac roedd wedi ei gloi. Rhoddodd Morgan yr allwedd fach yn y clo, ei throi ac fe agorodd heb unrhyw drafferth. Agorodd y llyfr yn ofalus a dechrau darllen ei gynnwys. Yr un llawysgrifen oedd ar bob tudalen o'r dechrau un ond wrth nesáu at y diwedd sylwodd Morgan fod y tudalennau olaf, yn un clwstwr, wedi eu gludo at ei gilydd. Aeth i eistedd gyda'r llyfr wrth y lle tân gwag a dechrau darllen y cofnodion a ysgrifennwyd mor ofalus. Hanes mordeithiau'r Capten oedd ar y tudalennau, pob taith wedi ei chofnodi'n ddyddiol, ddeddfol. Roedd rhai o'r tudalennau wedi eu rhwygo a'r ysgrifen yn anodd i'w darllen; dychmygai Morgan y stormydd a daflodd y llong yn ddidrugaredd ar y tonnau geirwon wrth i'r Capten ysgrifennu ei gofnod am y dydd. Symudodd Morgan ei goes a bu bron iddo golli gafael ar y llyfr. Cwympodd nifer o ddalennau papur ohono, yn ogystal â darn o'r llyfr, a dyna pryd y sylwodd Morgan fod twll arbennig wedi cael ei dorri o ganol y tudalennau yn nghefn y llyfr – y tudalennau a oedd wedi cael eu gludo yn ei gilydd i wneud cuddfan ddiogel. Caeodd y llyfr yn ofalus a'i roi yn ôl ar y bwrdd cyn plygu i edrych ar y dalennau rhydd.

Aeth yn ôl at y bwrdd i roi'r darnau'n ôl yn eu cuddfan ond deuai rhyw hen deimlad cyfarwydd drosto a fynnai iddo astudio'r papurau yn fanylach. Agorodd y ddalen gyntaf ac fe welodd mai cytundeb rhwng Mari Ifans, Troed y Rhiw a'r Capten M. C. Williams oedd hi, yn rhoi caniatâd i Mari Ifans fyw yn Nhroed y Rhiw yn ddi-dâl am weddill ei hoes. Agorodd Morgan y nesaf – dogfen a ddangosai fod Troed y Rhiw wedi ei drosglwyddo o fod yn eiddo i Mari Ifans i fod yn eiddo i'r Capten M. C. Williams. Aeth Morgan yn ei flaen i agor y lleill cyn eistedd wrth y bwrdd mewn syndod. Roedd dogfennau'n dangos fod y Capten yn berchennog ar siop fach y pentref yn ogystal â rhyw dŷ o'r enw Cnwc y Dyffryn a thŷ tafarn y Ffrwd hefyd. Methai Morgan â chredu ei lygaid.

Agorodd y ddalen olaf a dyna pryd y teimlodd Morgan ias oer hyd asgwrn ei gefn. Llythyr oedd hwn, wedi ei ysgrifennu yn yr un llawysgrifen â'r cofnodion. Dechreuodd ddarllen: 'Annwyl Alun Morgan. Roeddwn i'n gwbod y byddai gen ti fwy o ddiddordeb yn y LOG nag yn y Beibl Mawr. Rwy'n dy gofio di'n gofyn i mi unwaith, pan oeddet ti'n grwt bach yng nghwmni dy dad, a oeddwn i wedi bod i ben draw'r byd. Bachgen bach oeddet ti ar y pryd a minnau'n hen ddyn yn barod. Wel, 'y machgen i, rwyt ti'n haeddu clywed yr ateb bellach. Felly dyma i ti grynodeb o'm holl fordeithiau – a do, fel y gweli di, wy' wedi bod i ben draw'r byd sawl gwaith. Gobeithio y cei di fwynhad o ddarllen yr hanes ond, cred di fi, chei di ddim hanner y pleser a ges i ar yr anturiaethau. Efallai y daw hanes fy mywyd yn gliriach i ti wedi darllen y llyfr; a dweud y gwir, wy' wedi hen anghofio beth sy' ynddyn nhw fy hunan!

'Digwyddiad dy fod wedi cael fy llythyr gwreiddiol ac efallai bod y ddau ddiawl 'na yng Nghastellnewydd Emlyn wedi cuddio fy ewyllys oddi wrthot ti hefyd. Paid ag ymddiried yn y diawled. Alun, wy'n gadael fy holl eiddo i ti a phaid â gadael i neb amharu ar hyn. Paid gofyn pam. Roeddwn i'n ffrind mawr i dy dad ond doedd e ddim yn rhannu ein hoffter ni o'r wisgi! Cofia, wy'n berffaith sobor yn ysgrifennu hwn er, mae'n siŵr y bydd sawl un yn meddwl 'mod i'n hanner call neu rywbeth tebyg. Amgaeaf ddogfennau perchenogaeth gwreiddiol y gwahanol leoedd sy'n fy meddiant i ym Mhwll Gwyn. Fe brynais i nhw fesul un am amrywiol resymau dros y blynyddoedd, dim ond i helpu gwahanol bobl. Mae'r rhain i gyd i gael eu trosglwyddo i dy enw di nawr, achos erbyn y byddi di'n darllen hwn fe fydda i wedi mynd ar fy mordaith olaf. Fe fydd y don wedi torri ar y traeth – wyt ti'n cofio ein sgwrs? Dy ddewis di fydd beth i'w wneud â nhw ond wy'n gwbod y gwnei di'r peth iawn; un fel'na wyt ti.

'Diolch yn fawr i ti, 'machgen i, am dy gwmni dros y misoedd diwethaf. Roeddet ti fel y mab na chefais i erioed ei gwmni, er imi fod yn dad i ddau. A dyna ryfedd dy fod wedi priodi merch o'r un enw â'm merch i fy hunan. Mae'r cof am dy Elisabeth di ar ddydd ei phriodas yn drysor na allaf ei ddisgrifio na'i anghofio byth. Chredet ti ddim sut oeddwn i'n teimlo pan ofynnaist ti i mi gymryd lle ei thad ar y diwrnod arbennig 'na. A chredet ti byth pa mor falch oeddwn i o fod â chysylltiad â'r ddau ohonoch. Cymer ofal ohoni, Alun, mae hi'n fwy o drysor nag wyt ti'n ei sylweddoli.

'Cymer ofal ohonot ti dy hunan yn y dyfodol hefyd. Wy'n gwbod dy fod wedi cael gorffennol digon cythryblus ac mae'n siŵr y cei ambell ddiwrnod du yn y dyfodol hefyd ond wy'n ffyddiog fod gen ti'r nerth, y ddawn a'r cymeriad i'w gorchfygu. Paid bod ag ofn gofyn am gyngor a chymorth yn awr ac yn y man. Roeddwn i'n cael cryn dipyn o ysbrydoliaeth o'r môr; wy'n siŵr y byddi dithau hefyd. Gwranda ar y geiriau sydd i'w clywed yn atsain y tonnau.

'Cymer ofal o Mari. Wy'n ame fod 'na rywbeth yn bod arni, rhyw afiechyd neu'i gilydd. Os bydd angen, defnyddia'r arian sydd gennyf yn y banc er ei mwyn hi. Wy'n gwbod y bydd hi'n gwrthwynebu gwario ceiniog, ond gwna dy orau i wneud yn siŵr ei bod yn gyfforddus.

'Dim ond un peth bach arall cyn cloi. Cyffes fach ar fy rhan i. Fe adnabyddais i ti y tro cynta y gwelais i ti; wnaeth yr acen Saesneg 'na mo 'nhwyllo i o gwbwl!

'Pob hwyl a phob dymuniad da i ti ac Elisabeth.

Cofion,

Morlais Williams (Capt retd).'

Crynodd Morgan wrth ddarllen y nodyn a theimlai'r dagrau yn llenwi'n ei lygaid. Darllenodd y llythyr ddwywaith neu deirgwaith eto. Methai dynnu ei lygaid oddi ar y papur. Methai godi ar ei draed. Roedd ei holl nerth wedi diflannu o'i gorff. Cymerodd sawl munud i ddod ato'i hun cyn codi yn araf bach.

Cydiodd yn y ddau lyfr yn dyner a cherdded yn ofalus o'r lolfa a thrwy'r gegin at ddrws y cefn. Edrychodd yn ei ôl cyn gadael ac yn y tywyllwch gwelodd eto y botel ar ddau wydryn ar y bwrdd. Aeth yn ei ôl a rhannodd y wisgi rhwng y ddau wydryn gan wagio'r botel olaf.

Cododd un gwydryn i'r gwagle o'i flaen. Roedd am geisio dweud rhyw ychydig eiriau addas ond methodd. Llyncodd y wisgi ar ei dalcen yn ôl eu harfer ar rai adegau a gadawodd y gwydryn arall ar y bwrdd. Aeth allan gan gau'r drws ar ei ôl cyn cerdded gyda'r llyfrau dan ei gesail yn ôl i Awel Deg. Ni allai beidio â meddwl am dwyll Hubert Owen a Nigel Owen a gwyddai y byddai'n rhaid iddo wneud rhywbeth ynghylch eu drygioni.

Roedd pawb yn eu gwelyau pan gyrhaeddodd adref a dyna pryd y sylweddolodd Morgan ei bod yn oriau mân y bore. Aeth â'r llyfrau i'w cuddio mewn cwpwrdd arbennig yn y lolfa fawr cyn dringo'n ddistaw bach i fyny i'r llofft.

Cymerodd gipolwg ar Elisabeth. Roedd hithau'n cysgu'n dawel a golau'r lleuad lawn yn disgleirio ar ei hwyneb. Amheuai Morgan ei fod yn gweld arlliw gwên fach ar ei gwefusau meddal ac am eiliad tybiodd ei bod ar ddihun. Cerddodd tuag at y gwely, dadwisgo'n ofalus rhag ei deffro ac yn araf bach dringodd i mewn i'r gwely a gorwedd yn ddistaw wrth ei hymyl. Roedd arno angen cwmni heno.

PENNOD 14

Hyd yn oed cyn iddi ddeffro'n llwyr, gwyddai Elisabeth nad ydoedd ar ei phen ei hunan yn y gwely. Agorodd ei llygaid yn araf a gweld ei gŵr yn gorwedd wrth ei hymyl â gwên lydan ar ei wyneb.

'Alun,' sibrydodd gan ymestyn ei llaw i'w gyffwrdd. Cydiodd Morgan yn dyner yn ei bysedd a'i gwasgu at ei wefusau i'w chusanu.

'Ro'n i'n ofni y byddai'n rhaid i mi dy ddeffro,' gwenodd arni.

Closiodd Elisabeth ato, y cwsg wedi diflannu'n llwyr o'i chorff erbyn hyn. Cododd Morgan a phwyso ar un benelin cyn plygu i lawr i'w chusanu ar ei gwefusau meddal.

'O, Alun, wyt ti wedi bod yma drwy'r nos?' sylweddolodd pa mor dwp y swniai ei chwestiwn gan fod ei gŵr yn hollol noeth yn y gwely gyda hi.

'Beth wyt ti'n ei feddwl? Wrth gwrs 'mod i wedi bod yma drwy'r nos,' atebodd.

Pwniodd Elisabeth ei fraich yn dyner, 'Chlywes i mohonot ti'n dod i'r gwely,' edrychodd i fyw ei lygaid tywyll.

'Rwyt ti'n dechrau colli'r awydd am fy nghwmni'n barod 'te!' a gwenodd arni'n gellweirus.

Mwythodd Elisabeth ei wallt a'i wyneb cyn tynnu ei ben tuag ati a'i gusanu unwaith eto, ond yn fwy angerddol y tro hwn. Daeth Morgan yn nes ati a gadael iddi fwytho ei gefn hefyd. Yna llaciodd Elisabeth ei gafael yn sydyn a chodi ar ei heistedd cyn tynnu ei gwisg nos dros ei phen a gorwedd yn ei hôl drachefn.

'Tyrd yma, Alun, dwi eisiau teimlo dy gorff noeth yn f'erbyn i unwaith eto.'

'Bwts,' pwyllodd Morgan.

'Dwi'n gwbod na chawn ni fynd yr holl ffordd ond mi alli di esgus mai John Davies wyt ti a mwytho'r darnau bach 'ma sy'n hiraethu gymaint amdanat ti!' a gwenodd yn llawn direidi ar ei gŵr. 'Mi fydd o'n hwb imi ddringo'r ffrwd!' ychwanegodd.

Tynnodd Morgan hi'n dyner tuag ato gan fwytho ei bronnau meddal. Cyrhaeddodd ei fysedd at y rhwymyn ar waelod ei chorff a chofiodd ei addewid i John Davies. Cusanodd ei wraig yn dyner ac edrych i fyw ei llygaid.

'Mae 'na rywbeth bach yn dweud wrtha i dy fod titha wedi gweld eisiau hyn hefyd,' sibrydodd Elisabeth wrth deimlo'i gorff cynhyrfus yn ei herbyn.

'Rhywbeth bach?!' gwenodd Morgan a chwarddodd y ddau ym mreichiau ei gilydd.

'Bwts, mae 'da fi rywbeth pwysig i'w ddweud wrthot ti, rhywbeth cyfrinachol.' Medrai Morgan newid y pwnc nawr fod yr awyrgylch rhwng y ddau wedi ysgafnhau. Dechreuodd ddweud hanes y noson cynt wrthi, yr hyn roedd Mari wedi ei ddweud wrtho yn ogystal â disgrifio ei ddarganfyddiad ym mwthyn bach y Capten. Syfrdanwyd Elisabeth gan yr holl newyddion.

'Ond Alun, mae'r peth yn anhygoel, be wyt ti'n mynd i'w wneud?' gofynnodd ar ôl iddo orffen.

'Dwi ddim yn siŵr eto,' atebodd yn dawel, 'ond os wyt ti'n fodlon, y peth cynta ddylwn i ei wneud yw mynd â'r dogfennau a'r papurau eraill at y cyfreithiwr yn Llundain i wneud yn siŵr fod popeth yn gyfreithlon.'

Gwyddai Elisabeth fod ei awgrym yn un synhwyrol ac fe wyddai hefyd y byddai Morwenna yno i edrych ar ei hôl gan fod Sal wedi dychwelyd i'w chartref at ei theulu. Er hynny nid oedd yn awyddus i fod heb ei gŵr. 'Trueni na alla' i ddod efo ti. Mi fuaswn i wedi mwynhau gweld Dorothy a'r Comander unwaith eto, ond dwi ddim yn credu y byddai John Davies na Buddug yn rhy hapus petawn i'n teithio mor bell. Ac mi gei di weld, pan ddychweli di mi fydda i ar ben y ffrwd 'na â mreichiau led y pen ar agor!' Chwarddodd y ddau wrth gofleidio'n dynn.

* * *

'Ond shwt yn y byd wnes ti adael i hyn ddigwydd?' gofynnodd Hubert Nicholas yn syn ar ôl i Nigel Owen ddweud wrtho fod y dogfennau wedi diflannu o'r blwch du.

'Mae'n debyg bod Alun Morgan wedi dod i'r banc heb apwyntiad y diwrnod roedden ni'n dau yn chwarae golff, ac fe ofynnodd e i Ann Rhys am gael eu gweld nhw ...'

'Ac fe adawodd y dwpsen fach iddo eu cymryd?' methai Nicholas â chredu'r hyn a glywai.

'Wel, do. Yn ei thyb hi roedd ganddo berffaith hawl i fynd â nhw – ac roedd hi'n iawn, mewn gwirionedd ...' Teimlai Owen ei wyneb yn gwrido. Ei fai e oedd hyn i gyd, fe wyddai hynny'n iawn. Dylai fod wedi rhagweld y byddai hyn yn digwydd a gwneud yn siŵr na fedrai neb agor y blwch du heb ei ganiatâd ef ond ni feddyliodd y byddai Alun Morgan wedi dychwelyd mor fuan.

'Wel, nawr ry'n ni mewn cawlach go iawn. Shwt ddiawl

y'n ni'n mynd i ddweud wrtho fe fod popeth yn nwylo rhywun arall?' crynai llais Nicholas yn ei rwystredigaeth. 'Alli di ddychmygu ei ymateb e?'

'Fe fydd yn rhaid i ni ei ffonio i ddweud y newyddion,' atebodd ei gyfaill yn dawel.

'*Ni* yn ei ffonio?' gwaeddodd Nicholas â'i lygaid yn wyllt, '*Ni*? Ti wyt ti'n ei feddwl! Dy fai *di* yw hyn i gyd.'

'Mae'n debyg bod Ann wedi gofyn i Morgan a oedd e ishe inni anfon y dogfennau atat ti i'w cyfreithloni,' roedd Owen yn chwilio am bob esgus i amddiffyn ei hun.

'Ac fe wrthododd?' ciledrychodd Nicholas arno.

'Do.' Wrth i lais y cyfreithiwr godi'n uwch, roedd llais y rheolwr banc wedi tawelu nes ei fod bron yn sibrwd erbyn hyn.

'Mae'r Alun Morgan 'ma'n foi peryglus, wy'n dweud wrtho ti. Fe ddywedes i ddigon shwt fachan oedd e a dy rybuddio di dro ar ôl tro i fod yn wyliadwrus. Ystyria ei gefndir e, ei yrfa yn Llundain; mae hwn ar ben ei ddigon yn dala pobol gerfydd eu ...'

'Fe fydde hi'n well imi wneud yr alwad ffôn 'na, 'te,' gwyddai Owen na fedrai osgoi hyn a gorau po gyntaf y byddai'n trosglwyddo'r newyddion drwg, er gwaetha'r canlyniadau. Gwyrodd yn nes at ei ddesg a chodi'r ffôn.

* * *

Cerddai Morgan ar hyd y traeth gyda'i wyres fach yn eistedd ar ei ysgwyddau yn cydio'n dynn yn ei wallt. Siaradai'n dawel gyda hi, heb ddisgwyl unrhyw ateb heblaw am ei chwerthin a'i gwichal wrth iddo siglo'i gorff yn chwareus o'r naill ochr i'r llall. Roedd cwmni Anwen fach yn gwneud iddo anghofio'i bryderon am ddamwain Elisabeth – am ysbaid neu ddwy o leiaf. Tynnodd ei wyres oddi ar ei ysgwyddau a'i rhoi i chwarae ar y tywod wrth droed Carreg y Fuwch. Eisteddodd yntau ar y graig uwch ei phen, yn ddigon agos i wneud yn siŵr ei bod yn gwbl ddiogel. Roedd y ferch fach wrth ei bodd yn chwarae gyda'r cregyn a'r tywod meddal. Chwarddodd Morgan yn dawel wrth ei gwylio a chododd hithau ei phen i edrych ar ei thad-cu; gwên lydan ar ei hwyneb ac un llygad ar gau oherwydd yr haul gwanwynol a oedd yn gwneud ei orau glas i ymwthio drwy'r cymylau.

Oedd, roedd hon yr un ffunud â'i mam, tybiodd Morgan wrth ddychmygu sut un oedd Morwenna pan oedd hithau'n ferch fach. Ni allai wybod i sicrwydd, wrth gwrs, gan fod Morwenna'n ddwy ar hugain pan wnaethant gyfarfod â'i gilydd am y tro cyntaf.

Edrychodd unwaith eto ar y ffrwd yn llifo i lawr y clogwyn. Cofiodd sut yr oedd wedi ysu am Elisabeth shwt gymaint y bore hwnnw, am gael ei gwasgu'n dynn yn ei freichiau, ei theimlo'n plygu tuag ato, yn rhoi ei hun iddo wrth iddynt uno'n angerddol ... ond na, roedd hi'n rhy gynnar, yn rhy gynnar o lawer.

Unwaith eto daeth y ddamwain yn ôl i'w feddwl. Edrychodd ar y ffrwd â'i dŵr clir a'r creigiau'n disgleirio'n llaith o'i hamgylch. Gwelodd wyneb Ricky Capelo yn gwenu'n greulon arno gan ddod â'r hen atgofion yn ôl. Tybed a oedd 'na gysylltiad rhwng ...? Ar ôl yr holl fisoedd ers i'r ddau fod yn ymladd am eu bywydau ar yr union greigiau hyn, oedd hi'n bosib fod ...? Po fwyaf y meddyliai am y peth, mwyaf credadwy oedd ei ddamcaniaethau am achos y ddamwain. Oedd, roedd hi'n gwbl bosib fod Sam

James wedi ymuno â'r isfyd yn Llundain; oedd, roedd hi'n bosib fod rhywun wedi mynnu dial: ac oedd, roedd hi'n bosib fod James wedi cael ei gyflogi i wneud y gwaith oherwydd gorffennol y ddau. Gallai Morgan ddychmygu fod Sam James wedi croesawu'r cyfle yn eiddgar i dalu'r pwyth yn ôl ar ôl yr holl flynyddoedd ond pam dewis noson mor arw a pham ymosod ar Elisabeth yn hytrach nag e, Morgan? Twpdra Sam James oedd i gyfrif am hynny, siŵr o fod. Ond efallai nad camgymeriad oedd ymosod ar Elisabeth? Po fwyaf y meddyliai Morgan am y digwyddiad a'r rhesymau dros y fath ymosodiad creulon, mwyaf cryno a syml oedd ei ddadansoddiad. Gallai deimlo crafangau miniog Capelo yn ymestyn o'r ochr draw i'r bedd gan gydio unwaith eto yn ei fywyd.

O'r diwedd, penderfynodd beth fyddai'n rhaid iddo'i wneud a gwyddai'n union ble i fynd i ddod â'r cyfan i ben, unwaith ac am byth.

Torrodd cri Anwen ar draws ei feddyliau. Eisteddai ei wyres fach ar y tywod gyda'i choesau'n ymestyn o'i blaen. Roedd hi newydd ddarganfod fod rhwbio ei llygaid â dwylo tywodlyd yn beth poenus dros ben! Neidiodd Morgan ati a'i chofleidi'n dynn cyn sychu'r tywod o'i llygaid. 'Wyt wir,' meddai Morgan yn dyner, 'rwyt ti'n union fel dy fam.'

* * *

'Felly, Miss Rhys, dyma'r rhybudd olaf ar lafar. Os bydd unrhyw beth tebyg yn digwydd eto, fe fyddwch yn derbyn rhybudd ar ddu a gwyn – a hwnnw'n un terfynol. Wy'n siŵr eich bod yn deall ystyr hynny.' Roedd hyder Owen wedi cynyddu ers iddo wneud yr alwad ffôn y bore hwnnw, gan nad oedd neb wedi ateb ar y pen arall.

'Ond beth yn union wnes i o'i le?' gwingai Ann Rhys yn y gadair gan wybod fod ei meistr yn mwynhau'r sefyllfa.

'Fel y dywedes i, Miss Rhys, fe wnaethoch chi drosglwyddo dogfennau pwysig iawn i ddwylo cwsmer dieithr a ddaeth yma heb apwyntiad. Mae hynny'n gwbwl groes i drefn a rheolau'r banc,' llifai'r ateb ceryddgar oddi ar ei wefusau cras a'r mwynhad yn amlwg ar ei wyneb.

'Ond nid dieithryn yw Alun Morgan,' plediodd y ferch a'i llais yn llawn anghrediniaeth.

'Ofynnoch chi iddo am dystiolaeth i brofi pwy oedd e? Ofynnoch chi am gael gweld ei basbort, neu drwydded yrru, neu unrhyw ddogfen gyffelyb?'

'Wel, naddo wrth gwrs.' Oedd ei meistr yn gall yn gofyn y fath gwestiwn?

'Naddo,' ochneidiodd Owen yn uchel. Gallai Ann wynto'r arogl drwg wrth iddo anadlu'n drwm dros y ddesg.

'Ond mae pawb yn adnabod Alun Morgan, wel, hynny yw, wy'n ei adnabod. Mawredd dad, roedd ei lun e ar dudalennau blaen y papurau newydd ychydig fisoedd yn ôl ac nid craith ffug yw'r un sydd ganddo ar ei wyneb.' Roedd Ann yn barod i amddiffyn ei hun, er y gwyddai pa mor fregus oedd pethau.

'Does dim angen bod yn bersonol, Miss Rhys. Ni all Mister Morgan osgoi canlyniadau erchyll ei yrfa ...'

'Nid hynny oeddwn i'n ei feddwl o gwbwl,' gwyddai na allai gael y gorau ar gyhuddiadau Nigel Owen, ond roedd hi'n benderfynol o beidio ag ymddiheuro.

'Wy'n credu 'mod i am dynnu rhai cyfrifoldebau gwaith oddi arnoch chi am gyfnod a'u trosglwyddo i ddwylo Elfan Pugh,' daeth gwên sarhaus i wyneb y rheolwr. Roedd wedi chwilio am esgus i danseilio awdurdod Ann Rhys cyn hyn, ar ôl iddi wrthod ei gynigion dro ar ôl tro. 'Mae e'n ŵr ifanc hyderus a chydwybodol, bob amser yn barod ei gymwynas ac mae ganddo ddyfodol disglair iawn o'i flaen yn y banc yma.'

Roedd hi'n amlwg fod y drafodaeth wedi dod i ben a hithau wedi colli'r frwydr. Nigel Owen oedd y rheolwr wedi'r cyfan a'i air ef oedd y ddeddf yn y lle.

'Fel y mynnoch, Mister Owen. Gadewch i mi wybod beth fydd fy nghyfrifoldebau newydd a beth fydd Elfan yn ei wneud. Gyda llaw, mae gen i bythefnos o wyliau yn ddyledus; waeth imi eu cymryd o fory ymlaen.' Gallai Ann deimlo'r dagrau yn cronni yn ei llygaid ond roedd hi'n benderfynol o beidio dangos gwendid o flaen Owen. Byddai hynny'n fêl ar ei fysedd bach brwnt.

'Efallai y byddai hynny'n syniad da, a phan ddychwelch chi, byddwch yn teimlo'n well ac yn fwy parod i sylweddoli pa mor beryglus fu eich ymateb y bore 'ma a pha mor lwcus y'ch chi mai fi yw eich bòs. Wy'n siŵr na fyddai rheolwyr eraill wedi bod mor amyneddgar a charedig ...'

Cododd Ann Rhys yn dawel a cherdded allan o'r swyddfa. Gallai deimlo llygaid Owen Nicholas yn syllu ar bob cam hyd nes iddi gyrraedd at y drws. Gwenodd yn nawddoglyd arni wrth iddi agor y drws i adael ac fe wyddai Ann fod ei feddwl brwnt yn gwibio fel trên wrth ei gwylio'n mynd.

Cyn hir, meddyliodd y rheolwr banc, fe fydd hon yn erfyn am gael cadw ei swydd ac yn barod i wneud unrhyw beth i 'mhlesio – yn enwedig gan ei bod hi a'i mam yn dibynnu ar ei chyflog o'r banc i'w cynnal. Bryd hynny, fe ddangosa' i iddi pwy yw'r bòs yn y lle 'ma.

PENNOD 15

'Oes raid iti fynd bore fory, 'te?' gofynnodd Elisabeth yn dawel. Gorweddai'r ddau ym mreichiau ei gilydd o flaen y tân yn lolfa helaeth Awel Deg. Roedd Morgan newydd ddweud wrthi ei fod wedi derbyn galwad ffôn oddi wrth Gainlaw yn gynharach yn gofyn iddo fynd i Lundain i'w weld ynghylch rhyw fater pwysig.

'Dyw e ddim eisiau 'ngweld i tan drennydd a dweud y gwir ond does na'r un trên yn cyrraedd yn ddigon cynnar y bore hwnnw.'

'Be wnei di'n ar ben dy hunan bach am ddiwrnod cyfan yn y ddinas fawr?' Pryderai Elisabeth nad oedd ei gŵr yn dweud y gwir i gyd wrthi am ei fwriadau yn Llundain. Oedd, roedd Gainlaw wedi ei ffonio, gwyddai hynny gan mai Morwenna a atebodd y ffôn; gwyddai hefyd fod Morgan am weld ei gyfreithiwr wrth gwrs ond tybed a oedd ganddo rywbeth arall ar y gweill?

Ni wyddai Elisabeth fod Morgan yn amau mai yn Llundain yr oedd yr atebion i ddirgelion y ddamwain a'i fod wedi penderfynu wynebu'r bygythiad i'w fywyd e neu, yn bwysicach, i fywyd ei wraig.

'O, fe fydda i'n ddigon prysur gei di weld,' dechreuodd ateb. 'Wy'n mynd i alw'n Sgotland Iard i weld y Comander a'r hen gyfeillion – J-J a Gwenda a'r lleill – ac yna mae'n siŵr y bydd yn rhaid i mi fynd i weld Dorothy gyda'r newyddion diweddaraf am dy gyflwr di neu wnaiff hi fyth fadde imi ...'

'Ond dwi wedi siarad efo Dorothy ar y ffôn,' plediodd Elisabeth.

'Bwts, rwyt ti'n adnabod Dorothy cystal â finne; fe becha' i'n anfaddeuol os nad af i i'w gweld hi ac wrth gwrs, mae apwyntiad gyda fi i weld fy nghyfreithiwr hefyd. Weddill yr amser fe fydda i gyda Gainlaw neu un o'i gydweithwyr ...'

'Be ddywedodd o'n union?' Wrth i Morgan egluro'i fwriadau, mwyaf pendant oedd Elisabeth fod 'na dwyll yn ei lais ond methai'n lân â rhoi ei bys ar y celwydd. Swniai popeth mor rhesymol.

'Dweud ei fod e ishe cyfarfod ynglŷn â'r dyfodol a'i fod e am i mi dreulio rhai dyddiau yn y pencadlys i gael rhyw hyfforddiant pellach.'

'Hyfforddiant pellach?! Druan o bwy bynnag fydd yn gorfod dy hyfforddi di!' gwasgodd ei phen yn dynnach i'w fynwes.

'Hei, 'sdim ishe bod fel'na,' chwarddodd ei gŵr.

Cododd Elisabeth ei hwyneb tuag at ei gŵr i'w gusanu. 'Wnes ti ei alw fo'n "cyw" fel y dywedais i?' gofynnodd.

'Na, nid dros y ffôn ond fe fydda i'n rhoi'r prawf arno pan fyddwn ni wyneb yn wyneb â'n gilydd,' a gwyrodd ymlaen i'w chusanu.

'Mi fydd arna i hiraeth mawr cofia,' cyfaddefodd Elisabeth.

'Fe fydd Morwenna ac Anwen gyda ti'n gwmni ... ond os wyt ti ishe fe alla i ffonio Gainlaw i ddweud wrtho dy fod di wedi gwaethygu a bod yn rhaid i mi aros gartre,' awgrymodd Morgan.

Oedodd Elisabeth am eiliad cyn ateb, 'Na, na, mae'n

bwysig dy fod di'n mynd, yn enwedig gan dy fod yn gorfod gweld y cyfreithiwr.'

'A sôn am Morwenna, ble mae hi nawr?' gofynnodd Morgan wrth gofio bod ei ferch wedi mynd allan a gadael Anwen yng ngofal ei thaid a'i nain.

'Dyfala; wedi mynd i weld "ffrind",' atebodd Elisabeth ei hawgrym ei hun yn sarrug.

'Ond dyw hi ddim yn adnabod neb yn y cyffiniau hyn,' meddyliodd Morgan am eiliad, 'heblaw am ...'

'Yn union, heblaw am bwy?' gofynnodd Elisabeth.

'Arfon?' cwestiwn i ateb cwestiwn a nodiodd Elisabeth ei phen.

'Ydyn nhw'n ...?'

'Ffrindiau, Alun, mae'r ddau wedi dod yn "ffrindiau mawr" – dyna'r cyfan ddywedodd hi wrtha i cyn mynd. O, ia, ac fe all hi wneud yn siŵr fod popeth yn iawn yn y tŷ yn Drefach Felindre hefyd,' gwenodd ei wraig arno.

'Wel, mae hi yn ferch fawr,' awgrymodd Morgan yn ddigalon.

'Ac yn unig, fel ei mam mewn diwrnod neu ddau,' atebodd Elisabeth, yr un mor ddigalon.

'Bydd yn rhaid inni wneud iawn am hynny nawr, 'te,' cymerodd hi yn ei freichiau a'i chusanu'n gariadus. Dychwelodd hunan hyder Elisabeth yn gyflym; byddai'n rhaid iddi gryfhau cyn i'w gŵr ddychwelyd o Lundain, meddyliodd.

'Trueni am Mari Troed y Rhiw hefyd,' meddai Morgan.

'Mae hithau wedi colli cwmni cyfaill agos hefyd, y greadures.'

'Ydi, ond nid hynny'n unig,' cytunodd Morgan a chofio'r sgwrs a gawsant ill dau, 'ond wy'n siŵr nad yw hi'n gwbwl holliach ...'

'Diawch, rwyt ti'n feddyg hefyd rŵan, yn ogystal â phob dim arall,' gwenodd ei wraig yn ddireidus.

Edrychodd Morgan i lygaid y tân gan anwybyddu'r coegni, 'Na, y pethe bach roedd hi'n eu dweud a'r ffordd roedd hi'n eu dweud nhw wnaeth imi feddwl ... falle ...'

'Mi a' i i'w gweld hi fory ar ôl i ti fynd, a gofyn iddi ddod yn ôl i edrych ar ôl y tŷ'ma nes 'mod i'n gwella'n iawn. Wyt ti'n meddwl y byddai hynny'n iawn?'

'Cariad bach, wy'n siŵr y byddai hi wrth ei bodd. Fe fyddai hi'n teimlo ei bod hi'n perthyn yma unwaith eto, achos gyda Sal a Morwenna 'ma wy'n siŵr ei bod hi wedi teimlo fel petai'n cael ei hala mas.'

Clymodd Elisabeth ei breichiau'n dynn am ei gŵr. 'Wyddost ti be?' gofynnodd, 'Mae dy galon di yn gallu bod yn feddal iawn ar brydiau. A gyda llaw, dwi'n eich caru chi, Alun Morgan.'

Gwyrodd Morgan ei ben tuag ati, 'A wy' inne'n eich caru chithe, Elisabeth Morgan.'

* * *

Roedd Arfon yn ddeniadol – yn llawer mwy deniadol na Paul – ond yn ogystal â hynny roedd e hefyd yn annwyl ac yn gwrtais ac roedd Morwenna yn mwynhau bod yn ei gwmni. Roedd Anwen, Arfon a hithau wedi treulio llawer iawn o amser gyda'i gilydd yn ddiweddar, heb yn wybod i'w mam a'i thad, ond heno, dim ond y ddau ohonyn nhw oedd yn eistedd ar lawr y lolfa fach yn hen dŷ Elisabeth yn Drefach. Gan fod Morwenna wedi astudio hanes fel ail bwnc yn y brifysgol, medrai fod o gryn gymorth i Arfon wrth iddo gynllunio gwersi, neu o leiaf dyna'r esgus a ddefnyddiai'r ddau er mwyn cael bod gyda'i gilydd.

Edrychodd Morwenna arno. Roedd y cyfarfod erchyll diwethaf rhyngddi hi a Paul yn dal yn fyw yn ei meddwl. Er hynny, roedd hi'n siomedig nad oedd Arfon wedi gwneud unrhyw ymdrech i fod yn ddim mwy na chyfaill da iddi ond teimlai'n siŵr ei fod yntau'n dymuno bod yn fwy na hynny hefyd. Felly pam nad oedd e wedi gwneud unrhyw ymdrech i'w chusanu hyd yn oed? Byddai gafael yn ei llaw yn well na dim! Oedd e'n swil? Roedd e'n arfer bod yn dipyn o dderyn yn ôl ei mam. Oedd e'n betrusgar am ei bod hi'n wraig briod ac yn fam? Unwaith eto, yn ôl ei mam, roedd 'unrhyw beth mewn sgert' yn mynd â'i fryd, boed honno'n briod neu beidio! Gallai Morwenna ei ddychmygu'n taflu ei hunan at ei mam cyn iddo sylweddoli mai Alun oedd yr unig ddyn yn ei bywyd hi. Gwenodd wrth feddwl am y peth, cyn i'r wên droi'n chwerthiniad tawel ac yna'n chwerthin swnllyd.

Edrychodd Arfon arni'n syn. 'Beth sy'n bod?' gwenodd arni.

'Dim byd, teimlo'n hapus ydw i, dyna i gyd.' Sut yn y byd mawr y medrai hi ddweud wrtho beth oedd yn mynd drwy ei meddwl?

'A beth sy'n dy wneud di'n hapus, 'te?' gofynnodd yntau wrth ddechrau chwerthin ond heb wybod yn iawn pam.

'Bod yma,' dechreuodd Morwenna, 'a dy weld di'n gweithio mor ddiwyd.' Waeth i mi gymryd y cam cyntaf, 'te, meddyliodd. Felly nawr amdani, 'Bod yma efo chdi,' edrychodd i fyw ei lygaid, 'bod yma ar fy mhen fy hun efo chdi, Arfon.' A dyna pryd y gwelodd y bachgen bach diniwed yn ei wyneb, yn hytrach na'r carwr rhonc, chwedl ei mam. Na, hi oedd wedi camgymryd – doedd e ddim yn ei ffansïo wedi'r cyfan. Cododd Morwenna ar ei thraed, 'Mae'n rhaid i mi fynd, Arfon, neu mi fydd Mam a Dad yn poeni amdana i.'

Cododd y ddau ar yr un pryd a'u coesau wedi cyffio ar ôl eistedd ar y llawr cyhyd a dyna pryd y gafaelodd y naill ym mraich y llall i arbed eu hunain rhag cwympo. O fewn amrantiad roeddent ym mreichiau ei gilydd, yn cusanu'n angerddol.

'Arfon,' sibrydodd Morwenna gan ddechrau cyffroi yn ei freichiau.

'Sori, Morwenna,' ymddiheurodd Arfon, 'mae'n ddrwg gen i,' a llaciodd ei afael ynddi.

'Na, paid â mynd!'

Sylwodd Arfon ar y cynnwrf yn ei llygaid; synhwyrodd hithau'r awydd yn ei gorff yntau ac yn araf, gorweddodd y ddau ar y llawr gan ysu i'r teimladau angerddol barhau am byth.

PENNOD 16

Edrychodd Morgan o amgylch y dderbynfa gyfarwydd. Roedd y muriau gwyn plaen wedi melynu dros y blynyddoedd, yn frith o hen luniau a hysbysebion – rhai yn gofyn am fwy o wybodaeth am fechgyn a merched coll, eraill yn holi am dystion i ddrwgweithredoedd a throseddau – a'r cyfan yn cael ei anwybyddu gan bawb a ddeuai yno.

Sylwodd fod y ferch a eisteddai y tu ôl i'r ddesg yn gwenu'n swil arno. Gwyddai ei bod hi wedi teimlo'n annifyr wrth ofyn iddo lofnodi'r llyfr ar gyfer yr ymwelwyr dieithr nad oedd yn rhan o weithlu Sgotland Iard. Roedd hi wedi bod yn fwy anghyfforddus byth wrth ofyn iddo aros nes y byddai rhywun yn dod yno i'w hebrwng i'r llawr uchaf lle'r oedd prif swyddfa'r Flying Squad. Adnabu'r ferch ef ar unwaith, yr eiliad y cerddodd i mewn; adnabu'r cerddediad hyderus, yr wyneb golygus, a'r graith wrth gwrs. Fe oedd y 'Gyf' unwaith, ond nid mwyach. Yma'r oedd ei swyddfa. Yma'r oedd ei gydweithwyr. Yma'r oedd ei fywyd – ers talwm. Rhyfedd meddwl mai dim ond blwyddyn aeth heibio ers iddo adael y lle, a llai na hynny hyd yn oed ers iddo ddychwelyd er mwyn ymddiswyddo a gadael am y tro olaf.

'Gyf!' clywodd y llais cyfarwydd yn galw arno a throdd i weld Gwenda yn dod i lawr y grisiau â gwên lydan ar ei hwyneb prydferth. Diolch byth, roedd 'na ambell beth yr un fath o hyd, meddyliodd Morgan. Rhedodd Gwenda tuag ato cyn ei gofleidio'n dynn a tharo cusan annwyl ar ei foch, ac fel arfer, ni fu taw ar ei mân-siarad yr holl ffordd i'r swyddfa: Sut oedd Elisabeth erbyn hyn? Bu pawb yno yn gofidio amdani ar ôl clywed am y ddamwain. Oedd, roedd hi wrth ei bodd yn gweithio yn Llundain ac mor ddiolchgar iddo am y cyfle i adael Aberystwyth i ddatblygu ei gyrfa. Oedd, roedd hi a J-J yn dal gyda'i gilydd ac yn cyd-fyw mewn fflat heb fod ymhell o Battersea ac wedi dyweddïo, gan fwriadu priodi cyn bo hir. Gwyddai ei fod wedi cyfarfod â'i chyfnither ... Prin y cafodd Morgan y cyfle i ddweud gair cyn iddynt gyrraedd swyddfa'r Comander.

Cododd hwnnw ar ei draed i gyfarch ei hen ffrind, 'Diawch, mae'n dda dy weld di unwaith eto.' Sylwodd Morgan fod ei hen fòs wedi heneiddio cryn dipyn ers iddo'i weld ddiwethaf, mwy o grychau ar ei wyneb a'i fymryn gwallt wedi britho.

'Rwyt ti'n edrych yn dda. Roeddet ti fel hen ddyn pan anfonais i ti oddi yma, pryd oedd hi dywed, tua blwyddyn yn ôl? Mae'n amlwg dy fod yn cael lle da gan Elisabeth. Fe ffoniodd Dorothy hi y bore 'ma i weld shwt oedd hi – hen ddamwain gas, Morgan, os mai damwain oedd hi ...'

Eisteddodd Morgan gyferbyn ag ef gan ddiolch am y ddisied o de cryf a baratowyd ar ei gyfer. Cododd Morgan eto wrth i J-J gerdded i mewn. Gwyddai ei fod yng nghwmni dau ffrind ffyddlon ac er bod misoedd wedi mynd heibio ers iddynt weld ei gilydd, roedd hwn yn gyfeillgarwch a fyddai'n para am byth.

'Rho eiliad fach i ni, J-J,' gorchmynnodd y Comander, 'Wy' ishe gair bach â Morgan cyn dy fod ti'n dechrau.'

'Wrth gwrs, ond peidiwch â bod yn rhy hir, mae gen i

ffeil drom ar fy nesg a fydd o ddiddordeb i ti ... ym, Gyf.'
Teimlai J-J'n chwithig wrth adael yr ystafell a'r cyfarchiad
cyfarwydd yn dal i atseinio'n ei ben. Na, wnâi rhai pethau
fyth newid, meddyliodd.

'Nawr 'te, Morgan, wy'n gwbod dy fod ti'n dal i weithio
i MI5,' taniodd y Comander sigarét er bod Morgan wedi
gwrthod un, 'ond oes 'na unrhyw obaith yn y byd y byddet
ti'n barod i ddod yn ôl i weithio yma?'

Synnwyd Morgan gan y cwestiwn. Beth oedd ar feddwl
ei hen gyfaill, tybed?

'Nag oes, dim gobaith o gwbwl, ond pam y'ch chi'n gofyn?'

'Dyw pethe ddim yn dda, Morgan. Paid â dweud wrth
neb ond wy' newydd gael archwiliad meddygol ac mae'r
blynyddoedd yn dechrau dweud arna i. Wy'n heneiddio ti'n
gweld ac mae'r hen gorff 'ma'n dechrau cwyno.'
Brawychwyd Morgan gan ei eglurhad. 'O, paid â phoeni,
dwi ddim yn mynd i farw na dim byd fel'na, ond fe fydd yn
rhaid i mi ymddeol yn gynt hir.'

Ni wyddai Morgan sut i ymateb. Aeth y Comander yn ei
flaen, 'Diawch, Morgan, ti oedd i fod i gymryd fy lle i! Fel'na
ro'n i wedi cynllunio pethe ond, wrth gwrs, doeddet ti ddim
wedi sôn am Elisabeth.' Arhosodd am ysbaid i lenwi ei
ysgyfaint â mwg. 'Dwi ddim yn dy feio o gwbwl, cofia; mae
Elisabeth yn dalp o aur – ac nid i ti yn unig. Mae eich
perthynas chi'ch dau yn f'atgoffa i o'm perthynas i a
Dorothy a dweud y gwir, er nad ydw i'n dangos hynny'n
ddigon aml, efallai.'

Edrychodd Morgan yn syn ar y Comander. Doedd e
erioed wedi dychmygu fod gronyn o ramant yn perthyn i'r
hen foi ond roedd hi'n amlwg fod pethau'n wahanol erbyn
hyn ac yntau'n amau fod diwedd ei yrfa ar y gorwel.

'Ond mae J-J yma i gymryd eich lle chi pan ddaw'r amser i ymddeol,' cynigiodd Morgan.

'J-J?' gofynnodd y Comander cyn oedi am ennyd, 'Ydi, wrth gwrs ond dyw e ddim hanner y dyn wyt ti. Diawch, Morgan, mae gen ti fwy o allu yn dy fys bach nag sydd gan J-J yn ei gorff cyfan – er bod digon o allu gydag e, cofia,' ychwanegodd. Gwenodd y ddau ar ei gilydd gan gofio'r amseroedd da a gawsant dros y blynyddoedd – dros ddau ddegawd o gyfeillgarwch.

'Ond dyna fe, roedd yn rhaid i mi gael gofyn, er, ro'n i wedi rhagweld beth fyddai dy ymateb. Wnest ti erioed guddio'r gwir.' Roedd y sigarét wedi hen losgi a gwyrodd y Comander i'w diffodd yn y blwch llwch gorlawn ar ei ddesg. 'Diawch, fe gawson ni hwyl, dwyt ti ddim yn meddwl? Y blynyddoedd cynnar 'na, yr antur yn ystod y rhyfel, y ddau ohonom yn aeddfedu gyda'n gilydd, roedden ni'n debycach i ddau frawd na chydweithwyr. Hoffwn i gael y rheiny'n ôl eto, er, dwi ddim yn meddwl y byddwn i'n newid dim. Beth amdanat ti?'

Cofiodd Morgan y blynyddoedd coll, y blynyddoedd pan gaeodd Elisabeth o'i feddwl yn llwyr, y blynyddoedd unig heb ei chwmni hi pan na wnaeth unrhyw ymdrech i ddod o hyd iddi. 'Dwi ddim yn siŵr am hynny,' atebodd yn dawel.

Deallodd y Comander beth oedd yn mynd drwy feddwl Morgan. 'Reit, cer allan i weld J-J ond cofia alw 'nôl i 'ngweld i cyn gadael. Cofia, fe fydd yn rhaid i ti ddod draw i weld Dorothy cyn dy fod yn dychwelyd i Gymru bell.'

Cododd Morgan a cherdded yn bwyllog i gyfeiriad swyddfa J-J.

'Gyf, fe wnest ti gymryd dy amser,' cyfarchodd J-J

146

Morgan wrth iddo gyrraedd at ei ddesg, 'Beth oedd gan yr hen foi i'w ddweud?'

'Ti'n gwbod, hyn a'r llall, sôn am yr hen ddyddiau,' atebodd.

'Dyw e ddim hanner da, wyddost ti, ddim yn dda o gwbwl. Mae e'n dal i fyw yn yr hen ddyddiau ac yn anffodus mae pethe'n datblygu'n rhy gyflym iddo fe.'

Roedd geiriau proffwydol y gŵr ifanc yn ei acen gocni gyfarwydd yn nes at y gwir nag y gwyddai, meddyliodd Morgan. Faint oedd oed J-J tybed? Ychydig dros ei ddeg ar hugain efallai? Braidd yn ifanc i fod yn Gomander ar y Flying Squad ond dyna fe, y to ifanc oedd yn symud pethau y dyddiau hyn.

Estynnodd J-J y ffeil drom a oedd ar y ddesg a'i hagor. 'Reit 'te, Gyf,' dechreuodd, 'ry'n ni wedi dod o hyd i olion bysedd Sam James ar rai darnau o'r bwledi wnest ti eu hanfon atom ni. Does dim amheuaeth ei fod e, ar ryw adeg, wedi cyffwrdd ynddyn nhw ond wrth gwrs, dyw hynny ddim yn profi mai fe daniodd y gwn.'

'Na'i fod e y tu ôl i'r ymosodiad,' awgrymodd Morgan.

'Ym ... nac ydi,' ciledrychodd J-J ar ei gyn-feistr gan geisio darllen ei feddwl, 'serch bod 'na rhyw gysylltiad rhyngddo ef a'r bwledi 'na. Nawr 'te, does dim amheuaeth mai'r brawd Sam James oedd y corff yn afon Tafwys. Os wyt ti ishe'i weld e, mae e'n dal yn y marwdy. Mae'r llawfeddyg wedi gwnïo'i ddwylo yn ôl i'w gorff ...'

'Gwnïo ei ddwylo? O, fe wela i. Doeddwn i ddim wedi deall eu bod nhw wedi cael eu torri i ffwrdd,' synnodd Morgan.

'Do, do, roedd y ddwy law mewn cwdyn bach ar wahân i'r corff. Paid â gofyn pam – rhyw fath o artaith cyn ei ladd e dybiwn i. Roedd e'n bendant yn dal yn fyw pan gawson nhw eu torri i ffwrdd, yn ôl y meddygon fforensig.'

'Pwy wyt ti'n feddwl fyddai'n gwneud y fath beth, J-J?'

'Pwy a ŵyr, Gyf, pwy a ŵyr ond gwaethygu mae'r hen le 'ma ers i ti adael; cyffuriau, arteithio, treisio, herwgipio, mae'r cyfan ar gynnydd,' siglodd J-J ei ben yn anobeithiol.

'Mae'r hen le 'ma yn gweld fy ngholli i, 'te?' gwenodd Morgan.

'Fe wnest ti beth doeth yn gadael pan wnest ti,' dychwelodd J-J y wên, 'Mae'n llawer gwell arnat ti y dyddiau hyn, wy'n siŵr.'

'Dwi ddim mor siŵr am hynny,' meddai Morgan cyn prysuro i droi'r stori. 'A beth yw hanes yr isfyd y dyddiau 'ma, ar ôl i Capelo fynd?'

'Fel y dywedais i, cyffuriau, arteithio, treisio, herwgipio ...' chwarddodd J-J, 'yr un fath ag arfer. Mae gweithgareddau'r isfyd yn gwaethygu hefyd. Nid bois Capelo yw'r rhai gwaetha erbyn hyn. Mae 'na lawer mwy o ganghennau eraill wedi tyfu. Wyt ti wedi clywed am y Krays?'

'Pwy, Reggie a'i frawd? Ro'n nhw o amgylch y lle pan o'n i 'ma ond rhai digon tawel oedden nhw bryd hynny,' atebodd Morgan.

'Wel, maen nhw'n waeth na neb y dyddie hyn, y tu cefn i bob drygioni. Ond mae bechgyn Capelo yn dal yma hefyd, cofia di, ond mae'r teulu wedi colli ei ddylanwad ers i Ricky fynd.'

'Gwranda, J-J,' penderfynodd Morgan sôn am ei amheuon wrth ei gyfaill, 'Ro'n i'n adnabod Sam James ers talwm. Roedd y ddau ohonom ni yn yr ysgol 'da'n gilydd ac ar ôl hynny daethom ar draws ein gilydd yn yr heddlu, er nad oedd y ddau ohonom yn gweithio yn yr un adran.'

Gwelodd yr olwg syn ar wyneb J-J. 'Na, doedden ni erioed yn ffrindiau. Wy' bron yn siŵr mai fe saethodd y bwledi a achosodd ddamwain Elisabeth, ond p'un ai meddwl mai fi oedd yn gyrru'r car y noson hynny neu ymosod yn bwrpasol ar Elisabeth wnaeth e – dwi ddim yn gwbod. Yn ogystal â hynny, dwi ddim yn deall pam ei fod e wedi dewis y noson honno i ddial; roedd hi mor oer ac yn bwrw eira'n drwm. Dwi ddim yn gweld shwt y dychwelodd e i Lundain mor gyflym chwaith.'

'Roedd ganddo fe feic modur. Daethon ni ar draws hwnnw wedi cael ei adael ym maes parcio rhyw westy crand yng nghanol y ddinas,' astudiodd J-J y nodiadau yn y ffeil.

Byddai, fe fyddai wedi bod yn ddigon hawdd i James guddio ei feic y noson honno. Roedd 'na lwyni ger y wal gerrig, cofiodd Morgan, heb glywed J-J yn rhoi enw'r gwesty iddo.

'Ond ti'n gweld, J-J, o'r hyn wy'n ei gofio amdano, doedd Sam James ddim yn ddigon call na chyfrwys i gynllunio rhywbeth fel hyn i gyd ei hunan; roedd e mor dwp â stên yn yr ysgol. Na, mae rhywun arall y tu cefn i hyn oll – ond pwy, J-J, pwy?'

'Cwestiwn da, Gyf. Wyt ti'n meddwl ei fod e wedi cael ei ladd am ei fod e wedi methu dy ladd di?'

'Mae hynny wedi mynd drwy fy meddwl i sawl gwaith hefyd ond dyw hynny ond yn cadarnhau bod rhywun arall y tu ôl i'r holl beth. Cael ei ladd am dorri cytundeb am mai dim ond un cyfle oedd gydag e? Digon posib, ond nid dyna mae'r nodyn yn awgrymu. Nawr, os mai dim ond Sam gynlluniodd y ddamwain a'i fod wedi methu, yna fe fyddai wedi gwneud ail ymgais i fy lladd i, gan fynd ymlaen ac ymlaen nes llwyddo. A chofia – roedd y nodyn yn dweud mai dyna'r dwylo oedd wedi fy lladd i. Felly, ar y pryd, roedd pwy bynnag a laddodd Sam James yn meddwl ei fod e wedi llwyddo i'm lladd inne. Oes gen ti gopi o'r nodyn, gyda llaw?'

Estynnodd J-J ddarn o bapur ar draws y ddesg ac er i Morgan ei astudio'n fanwl, doedd y geiriau na'r llawysgrifen yn golygu dim iddo.

'Wyt ti'n meddwl mai rhywun o'r isfyd sydd y tu cefn i hyn i gyd?' edrychodd i fyw llygaid J-J.

'Y Capelo's wyt ti'n ei feddwl? Efallai, ond dwi ddim yn credu hynny rywfodd. 'Sdim syniad 'da fi sut y gallwn ni ddatrys hyn chwaith.'

'Mae 'da fi un neu ddau syniad bach yr hoffwn i eu datblygu cyn dychwelyd i Bwll Gwyn,' meddai Morgan yn dawel.

'Dere nawr, Gyf, dwyt ti ddim yn mynd i wneud dim byd twp, wyt ti? Mae'r cymwysterau a'r cysylltiadau 'da ni yn fan hyn. Gad i mi ymchwilio i'r peth yn dy le di,' cynigiodd J-J.

'Na, mae 'da ti ddigon o waith ar dy blât fel mae hi, yn enwedig â'r hen foi fel ag y mae e. Na, na, fe wna i ychydig o waith ymchwil – wedi'r cyfan, wy'n dal yn aelod o'r gwasanaethau cudd, cofia,' chwarddodd Morgan.

'O, ie, wrth gwrs – a shwt mae'r gwaith yn mynd?' holodd J-J.

'Da i ddim, os wyt ti ishe gwbod y gwir,' safodd Morgan er mwyn gadael.

'Dylet ti ddod yn ôl i weithio 'ma, Gyf,' meddai J-J wrth godi i'w hebrwng allan, 'mae d'angen di arnom ni, creda di fi.'

'Gy-y-y-f,' torrodd Gwenda ar eu traws, 'Gyf, ry'ch chi mewn trwbwl,' meddai â hanner gwên ar ei hwyneb.

'Pam? Beth sy' wedi digwydd?' gofynnodd yn syn. Gan fod y ddau yn siarad Cymraeg â'i gilydd, esgusododd J-J ei hun a dychwelyd i'w swyddfa.

'Wy' newydd fod ar y ffôn gydag Ann Rhys, dim ond i ddweud eich bod chi 'ma ac i gael sgwrs fach â hi. Wyddoch chi ei bod hi bron â cholli ei swydd yn y banc?'

'Mawredd bach, pam?' gofynnodd Morgan yn syn.

Eglurodd Gwenda iddo beth oedd wedi digwydd ar ôl i'r rheolwr ddarganfod fod y dogfennau wedi diflannu.

'Ond dim ond gwneud yr hyn y dylai e, y rheolwr, fod wedi'i wneud oedd hi – a'i wneud e'n llawer mwy effeithiol a chwrtais hefyd,' cymeradwyodd Morgan.

'O, hen fochyn yw e, Gyf. Mae e wedi trio cael ei ddwylo arni ers iddi ddechrau gweithio yn y lle 'na ac mae e wedi difetha bob cyfle mae hi wedi ei gael i symud i gangen arall.'

'Dwed ti wrth Ann i beidio â becso. Fe gefnoga' i hi i'r carn os bydd 'na unrhyw anghydfod yn y dyfodol.'

'Peidiwch â phoeni, Gyf, wy' eisoes wedi dweud 'ny wrthi.'

Lledodd gwên ar draws wyneb Morgan a dechreuodd y ddau chwerthin. Nid oedd arno fawr o awydd gadael yr hen le, na gadael cwmni siriol Gwenda chwaith, ond gwyddai fod ganddo waith arall i'w wneud.

* * *

'Ond mae o wedi newid, Mam; nid yr Arfon ydach chi'n ei gofio ydi o mwyach!' Roedd Morwenna newydd grybwyll ei chynlluniau hi ac Arfon i gyd-fyw yn y tŷ yn Drefach Felindre. 'Anodd tynnu cast o hen geffyl,' meddai Elisabeth wrthi hi ei hun ond yn waeth na hynny, doedd hi ddim

151

eisiau colli cwmni ei merch na cholli cwmni Anwen fach.

'Pam na wnewch chi ystyried symud i hen fwthyn y Capten i lawr y ffordd, gan mai dy dad sy' pia'r lle erbyn hyn?' awgrymodd.

'Tipyn bach yn fach ydi hwnnw, Mam.'

'Mae dy dad yn sôn am ei foderneiddio'n llwyr ac mae o'n hen ddigon mawr, y gegin yn braf, lolfa fawr, bathrwm a dwy ystafell wely,' eglurodd ei mam.

'Un ystafell i Anwen fach ac un i mi ac Arfon,' gwelodd yr olwg ar wyneb ei mam, 'O, peidiwch â phoeni, Mam, fuaswn i ddim yn gwneud dim i ddrysu'r ysgariad. Fyddwn ni ddim yn symud tan y byddwch chi'n holliach chwaith.'

Ond nid hynny oedd yn poeni Elisabeth.

* * *

'Cyffesu; newid personoliaeth yn gyfan gwbwl; colli'r cof yn llwyr; bod yn anymwybodol; bod yn barod i ladd – y cyfan tra bydd e'n dioddef poenau mor arswydus nes y bydd e'n barod i wneud beth bynnag y'ch chi'n dymuno'i wneud – dyna'r effaith a ddaw o gynnwys y poteli bach 'ma.'

Syllai'r gŵr ar y ddau Rwsiad a eisteddai gyferbyn ag ef. Syllodd ar wyneb gwelw'r siaradwr a oedd newydd egluro pa effeithiau a geid o chwistrellu'r amryw gyffuriau a edrychai mor ddiniwed yn y casyn mawr du ar y bwrdd o'i flaen.

'Mae'n dibynnu'n union beth y'ch chi eisiau i'r gŵr ei wneud – neu'r wraig, wrth gwrs,' gwenodd y cawr yn faleisus.

'Faint o amser gymer hi tan y bydd e'n ildio?' gofynnodd y gŵr.

'Dyna un broblem,' cyfaddefodd y Rwsiad, 'Mae'n rhaid

i chi fod yn ofalus faint y'ch chi'n ei chwistrellu i'r corff; os na rowch chi ddigon fydd 'na fawr o effaith ac fe gymer wythnosau; os rowch chi ormod fe fydd yn cael ei ladd yn y fan a'r lle ac wedyn does dim gobaith cael cyffes; mae'r cyfan yn dibynnu ar gyfansoddiad y sawl sy'n cael y cyffur hefyd ...'

'Mae'n swnio braidd yn gymhleth,' awgrymodd y dyn.

'Mae'n rhaid i chi gofio ein bod ni'n defnyddio'r rhain ar garcharorion ac mae gennym ni feddygon i'n helpu bob tro. Fydd gyda chi gymorth meddygol?' gwyddai'r Rwsiad beth fyddai'r ateb cyn gofyn y cwestiwn hyd yn oed.

'Na, na, dim ond fi fydd yn bresennol ac mae'n rhaid i mi gael yr wybodaeth. Wy'n ddigon parod i'w weld yn dioddef ac yn colli'i gof, a hyd yn oed yn marw os oes raid, ond yn gyntaf mae'n rhaid i mi gael yr atebion i'm cwestiynau.' Tawelodd y gŵr am ennyd gan syllu unwaith eto ar y poteli bychain o'i flaen. Dyma'i arf, meddyliodd, ond tybed a oedd ganddo'r gallu a'r hyder i'w ddefnyddio.

Eisteddodd y tri yn dawel. Llyncodd y ddau Rwsiad fesur arall o'r fodca arbennig a gawsant gan eu gwestai, er iddo wrthod ail-lenwi ei wydryn ei hunan.

'Wrth gwrs, efallai y byddai'n well gennych chi drio rhywbeth arall?' awgrymodd y cawr. Edrychodd y gŵr arno yn llawn gobaith. 'Beth am inni gymysgu rhai o'r cyffuriau hyn gyda'i gilydd a gwneud hylif arbennig i chi.'

'Fedrwch chi wneud hynny? Fyddai'r cyffur yr un mor effeithiol?' gofynnodd.

'Wn i ddim pam lai? Beth amdani, Pieter?' edrychodd y cawr ar ei gyfaill a oedd wedi bod fel mudan ers dechrau'r cyfarfod. Edrychodd hwnnw'n fanwl ar y gwahanol gyffuriau.

'Fe allen ni gymysgu hwnna gyda hwnna a hwnna,'

pwyntiodd at dair potel wahanol, 'ac efallai hwnna. Fe fydd yn arbrawf diddorol. Oes amser 'da ni i arbrofi?' edrychodd ar y gŵr o'i flaen.

Synnodd hwnnw at ba mor fenywaidd y swniai llais Pieter. A'i dyn oedd hwn?! 'Nac oes,' atebodd.

'O'r gorau, 'te,' pendronodd Pieter ymhellach. Tynnodd y pedair potel o'r bag, 'Fe fydd yn rhaid i chi fod yn ffyddiog,' a daliodd lygad y gŵr.

'Y'ch chi'n fodlon mentro?' gofynnodd y cawr. 'Y'ch chi ishe i ni gymysgu'r pedwar?'

Ni wyddai neb am y cyffuriau arbennig hyn, y cyffuriau a oedd mor gyfarwydd i'r KGB yn Rwsia. Ni wyddai neb am gysylltiad y gŵr â'r ddau Rwsiad chwaith, nac am y cyfarfod cudd rhwng y tri. Ond gwyddai'r gŵr y byddai'n cael atebion i'w gwestiynau a hynny'n fuan iawn.

'Ydw,' atebodd yn bendant, 'cymysgwch nhw.'

PENNOD 17

Cafodd Morgan groeso tywysogaidd gan Ifor Roberts pan gyrhaeddodd westy yr *Emlyn Hotel*. Crogai baner y Ddraig Goch yn y cyntedd a deuai sŵn caneuon Cymraeg o'r bar. Oedd, roedd Ifor Roberts yn Gymro i'r carn. Syniad Elisabeth oedd iddo aros yn y gwesty hwn gan ei bod wedi cyfarfod cyfnither y perchennog yn y *W.I.* ac wedi mynnu gwneud y trefniadau ar ei ran.

'Chi sy'n dod o Bwll Gwyn?' gofynnodd y ferch ifanc a weithiai y tu ôl i'r bar, ar ôl iddo gael y cyfle i gymryd y llwnc cyntaf o'i beint.

'Ie,' gwenodd arni.

'O, Bwll Gwyn wy'n dod hefyd, o ffarm Tŷ Newydd.'

Diolchodd Morgan fod Elisabeth wedi ei atgoffa o'r hanes, 'Y'ch chi wedi difaru rhedeg i ffwrdd, 'te?' gwenodd yn gyfeillgar.

'Shwt oeddech chi'n gwbod?' gofynnodd Rhian yn syn, 'O, Wncwl Ifor ddwedodd wrthoch chi, ife?'

'Rhywbeth fel 'na,' cymerodd lwnc arall o'r cwrw. Doedd e ddim am ddweud wrthi mai fe oedd wedi arwain yr ymchwiliad i'r llofruddiaethau a'r digwyddiadau eraill yng ngorllewin Cymru y llynedd. Roedd y cyfan yn y gorffennol, yn perthyn i oes arall. 'Oes hiraeth gyda chi am yr hen le?' gofynnodd.

'Oes a'r brydiau, yn enwedig pan wy'n gorfod gwisgo fel

hyn.' Sylwodd Morgan ar y flowsen wen denau a'r sgert fach gwta. 'Diolch byth nad yw'r boi arall 'na o gwmpas,' ategodd yn dawel.

'Pwy, Duw-Duw?' Y bachgen ifanc hwnnw fu'n gyfrifol am ymadawiad Rhian o'i chartref yn y lle cyntaf.

'Shwt yn y byd y'ch chi wedi clywed am Duw-Duw?' agorodd ei llygaid yn syn cyn sylwi ar y graith wen ar ochr ei foch. Cofiai ei mam yn sôn am rhyw heddwas pwysig â chraith ar ei wyneb ond ni allai gofio'r holl fanylion chwaith. 'Nage, nid fe. Mae 'na hen fochyn o Aberteifi yn dod i aros yma o bryd i'w gilydd ac mae e'n gwneud ei orau bob tro i 'nghael i – wel, chi'n gwbod.' Ni wyddai pam roedd hi'n dweud y pethau hyn wrth y gŵr yma ond roedd 'na rywbeth caredig, cartrefol yn ei gylch; rhywbeth ynghylch ei wên siriol a'r cyfeillgarwch yn ei lygaid – ni wyddai pam ond roedd hi'n teimlo y gallai ymddiried ynddo.

'Sam James?' gofynnodd Morgan.

'Ie, yr hen fochyn,' sylweddolodd Rhian yn sydyn beth oedd hi wedi'i ddweud, 'O, mae'n ddrwg gen i! Y'ch chi'n ei adnabod e?'

Chwarddodd Morgan pan welodd ei hwyneb tlws yn gwrido, 'Peidiwch â becso,' chwarddodd, 'ydw, wy'n ei adnabod e a wy'n gwbod yn iawn beth y'ch chi'n ei feddwl.'

'Diolch byth,' ac ymunodd Rhian yn y chwerthin. Ond roedd sôn am Sam James wedi atgoffa Morgan o'i gynlluniau am y noson. Gorffennodd ei beint, ymddiheurodd am nad oedd yn bwriadu bwyta yn y gwesty y noson honno ac aeth allan.

* * *

'Pwy yn y byd sy' 'na nawr?' meddai Mari'n dawel wrthi ei hun pan glywodd sŵn curo ysgafn ar y drws ffrynt. 'Dewch rownd i'r cefn!' bloeddiodd gan fynd i agor y drws yn barod i groesawu'r ymwelydd. Synnodd pan welodd pwy oedd yno – nid oedd wedi disgwyl y byddai Elisabeth Morgan yn galw i'w gweld. `

'Misis Morgan fach, beth yn y byd y'ch chi'n ei wneud mas fel hyn a hithau'n nosi? Dewch i mewn; dewch i eistedd wrth y tân.'

Roedd Elisabeth yn falch o gael eistedd; roedd y rhiw i fyny i gartref Mari yn fwy serth nag yr oedd wedi ei ddisgwyl. Gallai ymarfer cerdded ar hyd y traeth gwastad yn ddi-fai ond peth arall oedd cerdded i fyny'r rhiw. Cymerodd seibiant i gael ei gwynt ati.

'Does dim byd yn bod, oes e?' gofynnodd Mari'n ofnus.

'Na, na, Mari, dwi'n cerdded i gael tipyn o ymarfer corff ac i geisio cryfhau'r hen goesau 'ma,' a gwenodd Elisabeth.

'Gymerwch chi ddisied fach o de, Misis Morgan? Fydda i ddim chwip yn gwneud un nawr,' cynigiodd yr hen wraig.

Gwyddai Elisabeth y byddai'n anghwrtais gwrthod, er nad oedd arni fawr o awydd disied. 'Diolch yn fawr, Mari, mi fyddai paned yn fendigedig.'

Edrychodd o amgylch y lolfa fach dlawd wrth i Mari baratoi'r te yn y gegin gefn. Roedd hwn yn dŷ llawer mwy o faint na bwthyn bach Capten Williams, neu felly y cofiai hi fwthyn y Capten. Dychmygodd sgwrs Mari a Morgan y noson gynt, hanes plant y Capten yn dod yno i gael eu gwarchod a'r mab yn eu diddanu. Methai Elisabeth beidio â dychmygu Mari a William yn cofleidio'n gariadus a theimlodd yn euog. Tybed ai yno ar y llawr o flaen y tân y buont yn caru neu a oedd Mari wedi ei gymryd i'w gwely?

'Dyma ni, gawn ni'n dwy ddisied neis a chlonc fach gyda'n gilydd,' meddai Mari wrth osod y cyfan ar y bwrdd bach ac arllwys y te i'r cwpanau blodeuog.

'Dim siwgr i mi, diolch, Mari; mae'n rhaid i mi wylio 'mhwysau,' meddai Elisabeth wrth estyn am yr offrwm.

'Twt, nonsens llwyr! Croten fach y'ch chi,' awgrymodd Mari, 'ond 'na fe, chi sy'n gwbod. Rhywbeth bach i'w fwyta 'te – bisged neu ddarn o deisen?'

'Na, diolch yn fawr, bydd paned fach yn fy llaw yn hen ddigon neu fydda i ddim yn medru cysgu heno,' a gwenodd Elisabeth arni'n siriol.

'Fe adawodd Mister Morgan yn fore iawn y bore 'ma yn ei gar newydd posh,' sylwodd Mari.

'Gorfod dal y trên i Lundain,' cymerodd Elisabeth lwnc o'i the gan glywed llais Alun yn ei cheryddu am adael i unrhyw un wybod i ble'r oedd wedi mynd. Fodd bynnag, anwybyddodd Mari yr ateb. Doedd Llundain yn golygu dim iddi hi; waeth iddo fod wedi teithio i ben draw'r byd ddim.

'Weles i chithe'n gyrru eto hefyd, pan oeddech chi'n gadael gyda Sal. Dyna fenyw ffein y'ch chi.' Rargian, meddyliodd Elisabeth, oedd 'na unrhyw beth yn digwydd yn y lle 'ma heb i'r hen wraig sylwi arno.

'A sut ydych chi'n teimlo y dyddiau yma, Mari?'

'Wel, "henaint, ni ddaw ei hunan" fel maen nhw'n ei ddwedud on'd ife, ond trwy ras Duw wy'n dal i fedru gwneud fy rhan.' Yna trodd Mari'r stori yn sydyn. 'Felly, mae pawb wedi mynd a'ch gadael chi ar eich pen eich hunan fach?'

'Na, ddim yn union. Mae Morwenna yn dal acw efo fi – ac Anwen fach, wrth gwrs.'

'A dyna ichi ferch fach dlos ...' Ni wyddai Elisabeth ai

cyfeirio at Anwen neu Morwenna wnâi Mari ond penderfynodd beidio â gofyn.

'Roedd Alun a finna'n meddwl, gan fy mod i fel ag yr ydw i, a Morwenna'n brysur efo Anwen, wel, mae gen i gywilydd gofyn a bod yn onest ond ... tybed a fyddech chi'n barod i ddod draw i Awel Deg i gadw'r lle yn daclus fel ag yr oeddech chi ...?'

Ni chafodd Elisabeth gyfle i orffen y cwestiwn cyn i Mari dorri ar ei thraws, 'O, Misis Morgan fach,' gwenodd, 'fe fyddwn i wrth fy modd. Fe ddechreua i fory, ben bore, a peidiwch chi â phoeni am ddim byd,' atebodd mor gyflym nes bu bron i Elisabeth dagu ar ei the.

Gadawodd Elisabeth yn fuan ar ôl hynny gyda'r llawenydd yn llais Mari wrth dderbyn y cynnig yn dal i atseinio'n ei meddwl. O'r diwedd, roedd hi wedi llwyddo i gael yr hen wraig i'w galw'n Elisabeth yn hytrach na Misis Morgan. 'Dioddef o rhyw afiechyd? Yn isel ei hysbryd?' chwarddodd yn uchel, 'Alun bach, rwyt ti'n dechrau colli dy ddawn,' meddai, er nad oedd neb gerllaw i'w chlywed.

* * *

Roedd prysurdeb Llundain yn llethu Morgan. Methai'n lân â deall sut yn y byd yr oedd e wedi medru ymdopi â'r lle pan oedd e'n byw ac yn gweithio yno. Roedd y traffig yn annioddefol a diolchodd iddo'i hun ei fod wedi gwrthod cynnig y Comander i fenthyca car heddlu. Er hynny, gwyddai'n union beth oedd yn rhaid iddo'i wneud. Heno byddai'n gorfod yfed mewn mwy nag un tŷ tafarn os oedd ei gynllun yn mynd i weithio.

Rhuthrodd y tacsi ar draws heolydd prysur Llundain.

Roedd y gyrrwr wedi edrych yn graff ar Morgan wrth dderbyn y cyfeiriad. Diolchodd yntau'n dawel ei fod wedi cofio dod â'i wn bach gydag ef – y gwn na wyddai Elisabeth ddim byd amdano. Câi gysur o'i deimlo wedi ei glymu'n ddiogel am ei figwrn.

Gwyddai Morgan yn union i ble'r oedd yn mynd. Roedd y strydoedd yn gyfarwydd iawn iddo wrth i'r tacsi adael canol y ddinas a symud yn gyflym tuag at Whitechapel – canolfan yr isfyd. Sylweddolai'r peryglon a oedd o'i flaen. Roedd wedi gwneud hyn droeon yn y gorffennol ac roedd un o'r rheiny wedi ei adael â chraith gas ar ei wyneb.

Ei gynllun oedd ymweld â thair tafarn arbennig ar yr ochr ddwyreiniol, y *Spotted Dog*, y *Blind Beggar* a'r *Three Nuns* – nid i yfed ond i ddangos ei wyneb. Oedd, roedd e'n gwneud peth hynod beryglus, yn enwedig gan nad oedd mantell diogelwch yr heddlu drosto i'w amddiffyn y tro hwn. Ond roedd yn rhaid iddo ddatrys y dirgelwch. Dyna'i ffordd; dyna'i reddf.

Yfodd ddau wydraid hamddenol yn y *Spotted Dog*. Gwyddai'n iawn fod sawl un yno wedi ei adnabod. Lledodd tawelwch drwy'r lle wrth iddo gerdded i mewn. Gwelodd yr olwg amheus yn llygaid y tafarnwr pan archebodd ei ddiod, ond yn araf daeth y bwrlwm yn ôl i'r lle ac fe anwybyddwyd Morgan a'i adael ar ei ben ei hun.

Yr un fu'r drefn yn y *Blind Beggar*, er, y tro hwn roedd mwy o gyffro yn y lle pan archebodd ei ail ddiod. Gwyddai Morgan fod llygaid yn ei wylio ac roedd yn hanner disgwyl i rywun gyffwrdd ei ysgwydd neu afael yn ei fraich unrhyw eiliad, ond heblaw am gyfarchiad un neu ddau wrth iddo edrych o amgylch y bar, ni ddaeth neb ato. Ac fe wyddai hefyd nad oedd y tafarnwr yn falch o'i weld.

Nid felly y bu hi yn y *Three Nuns*. Cafodd groeso gan y tafarnwr, er mai croeso digon oeraidd ydoedd. 'Noswaith dda, Mister Morgan, beth fedra i estyn i chi?' Archebodd Morgan ei ddiod arferol – wisgi mawr – a sylwodd fod y gŵr wedi mynd i ymyl y bar i wneud galwad ffôn cyn iddo orffen ei yfed. Roedd Morgan yn ffyddiog fod y cynllun yn gweithio. Archebodd wydraid arall.

'Fydd y graith 'na byth yn diflannu,' clywodd Morgan lais yn sibrwd yn ei glust. Nid oedd wedi sylwi ar y dyn mawr yn symud tuag ato ond gallai ei deimlo'n gwthio yn ei erbyn. 'Na, peidiwch â symud modfedd os nad y'ch chi eisiau cyllell yn eich stumog neu rywbeth cyffelyb. Nawr, cerddwch allan yn dawel tra bod y cyfle gyda chi.'

Gwyddai Morgan mai bygythiad gwag oedd hwn. Roedd 'na lawer gormod o bobl yn y dafarn i'r llabwst fentro ymosod arno – rhai yn lleol, rhai o'r isfyd a rhai o'r ysbyty fawr ar draws y ffordd. Byddai pawb yn dystion i ymosodiad o'r fath.

'Wy' ishe cyfarfod eich meistr newydd,' meddai Morgan yn dawel gan godi ei wydryn at ei geg.

'A beth sy'n gwneud i chi feddwl bod fy meistr newydd,' pwysleisiodd y gŵr y ddau air olaf, 'ishe gweld lwmp o gachu fel chi?'

Bu bron i Morgan wenu. Doedd dim yn y byd wedi newid, meddyliodd. Yr un hen drefn; yr un hen eiriau; yr un hen ymateb a ddaethai mor gyfarwydd iddo dros y blynyddoedd.

'Gan fy mod i ishe atebion i gwestiwn neu ddau, a chan fy mod i'n gofyn am gyfarfod yn neis, neis,' atebodd. Y tro hwn trodd ei ben i edrych i fyw llygaid ei elyn.

Doedd e ddim yn adnabod y gŵr ond roedd ei wyneb

creulon, crychlyd yn gyfarwydd. Gwyddai Morgan ei fod wedi ei weld o'r blaen a hynny yng nghwmni Ricky Capelo y noson y cafodd ei niweidio mor erchyll. Roedd ôl y noson honno yn glir ar ei foch.

'Bore fory, Mister Morgan, fe wnawn ni eich nôl,' a dechreuodd y dyn droi.

'Wy'n brysur bore fory,' atebodd Morgan. Oedodd y dyn a daliodd Morgan ei lygad heb gyffroi, 'Ond beth am ganol dydd?' gofynnodd gan godi ei aeliau i ysgafnhau'r sgwrs.

'Ym ... iawn, canol dydd 'te,' atebodd y dyn, wedi ei ddrysu braidd gan yr ymateb.

'Ble wnawn ni gyfarfod?' gofynnodd Morgan yn ysgafn.

'O, peidiwch â phoeni, Mister Morgan, fe ddown ni i'ch nôl chi. Nawr, gorffennwch eich diod a dychwelwch i ba bynnag dwll y daethoch chi ohono.'

A dyna'r union beth a wnaeth Morgan. Gwyddai ei fod wedi mentro digon y noson honno. Gorffennodd ei ddiod, trodd i adael y bar a cherdded allan lle'r oedd tacsi rhydd yn aros am gwsmer. Gwyddai fod rhywun wedi trefnu i'r tacsi fod yno er mwyn ei gludo o'r dafarn. Gwyddai hefyd nad oedd unrhyw berygl iddo fynd i dacsi dieithr nawr gan fod y cyfarfod wedi ei drefnu ac roedd yn ddigon parod i'r isfyd ddarganfod lle'r oedd yn aros dros dro. Roedd ei gynllun yn gweithio a gwyddai ei fod yn ddiogel – am y tro.

PENNOD 18

Gorffennodd Morgan ei frecwast a synnu ei bod eisoes yn tynnu am naw o'r gloch. Roedd ganddo apwyntiad pwysig y bore 'ma. Gwthiodd ei gadair yn ôl a chodi'n araf oddi wrth y bwrdd.

'Cymro y'ch chi, on'd ife?' Cofiodd Capten Williams yn gofyn yr un cwestiwn iddo ar draeth Pwll Gwyn, ond y tro yma un o bedair gwraig a eisteddai yng nghornel yr ystafell fwyta oedd wedi anelu'r cwestiwn tuag ato. Nid oedd wedi sylwi arnynt cyn hyn.

'Ie,' atebodd.

'O ble y'ch chi'n dod, 'te?' holodd y wraig ymhellach.

'O Bwll Gwyn,' atebodd, gan synnu ei hun ei fod wedi datgelu'r wybodaeth mor barod. Fel arfer byddai'n cuddio popeth amdano'i hun.

'Jiw, ble mae fan'ny?' edrychodd y wraig ar y tair arall.

Roedd Morgan ar fin egluro wrthi pan dorrodd un o'r gwragedd eraill ar ei draws, 'O Hendy-gwyn y'n ni'n dod,' meddai. Bu bron iddo yntau ofyn ble'r oedd y fan honno – roedd rhyw gysylltiad â Hywel Dda, cofiodd, ond ni wyddai fwy am y lle.

'Wy'n gwbod ble mae Pwll Gwyn,' meddai gwraig arall, gwraig ddeniadol â gwallt gwinau trwchus, 'ro'n i'n arfer byw yng Nghastellnewydd pan o'n i'n blentyn. Mae 'mrawd yn dal yno; rheolwr banc yw e,' a gwenodd y wraig yn gyfeillgar arno.

'Hwn yw ein diwrnod olaf yma'n Llundain ac mae Ifor yn mynd i baratoi gwledd arbennig inni heno er mwyn inni gael dathlu ein noson olaf mewn steil,' meddai'r wraig a ddechreuodd y sgwrs.

'Neis iawn,' atebodd Morgan. Roedd e bron â thorri'i fol eisiau dianc. Yna sylwodd fod y wraig â'r gwallt gwinau yn syllu arno.

'Fyddwch chi yma heno?' gofynnodd.

Cofiodd Morgan am y gwahoddiad i fynd i gael swper gyda'r Comander a Dorothy.

'Yn anffodus, na fyddaf,' ymddiheurodd.

'Dyna drueni,' gwenodd y gochen yn siomedig. Gwenodd yntau'n ôl.

'Gyda'r *W.I.* y'n ni, wedi dod draw i siopa a chael tipyn o hwyl ...' meddai un o'r lleill. Y *W.I.* Cofiodd y byddai'n rhaid iddo ffonio Elisabeth yn fuan; roedd wedi addo ffonio'n rheolaidd ond roedd amser mor brin. Diolchodd ei fod wedi cymryd y cyfle i'w ffonio o swyddfa J-J ddoe i ddweud wrthi ei fod wedi cyrraedd yn ddiogel.

'Mae'n ddrwg gen i ond mae'n rhaid i mi fynd – mae gen i lawer i'w wneud wyddoch chi,' edrychodd ar ei wats, 'ond mwynhewch eich hunain heno,' a gwenodd yn gyfeillgar cyn ffarwelio.

'Falle y gwelwn ni chi cyn bod y noson ar ben?' awgrymodd y gochen heb wên ar ei hwyneb.

'Falle,' atebodd wrth droi i adael yr ystafell. Clywai'r pedair yn sibrwd yn dawel wrth ei gilydd ac yn chwerthin yn ysgafn wrth iddo gilio drwy'r drws. Noson ddifyr gyda chriw o ferched – ac efallai gydag un yn arbennig – oedd y peth olaf ar ei feddwl.

Roedd Llundain yn byrlymu wrth i'r tacsi gystadlu â'r

cerbydau eraill drwy'r strydoedd llawn. Onid oedd hi'n rhyfedd sut yr oedd cymeriad y ddinas yn newid wrth iddi nosi? Roedd y lle fel petai'n perthyn i ddau fyd gwahanol. Ond neithiwr oedd hynny. Nawr roedd e ar ei ffordd i gyfarfod ei gyfreithiwr, Syr Wilson Mainwaring, gyda'r dogfennau'n ddiogel ym mhoced ei siwt a'r gwn yn ddiogel ar ei figwrn.

* * *

Bu bron i Elisabeth redeg i ateb y ffôn. Roedd rhywbeth yn dweud wrthi mai Alun oedd yn galw ond wrth iddi ruthro teimlodd boen fel cyllell yn trywanu rhan isaf ei chorff. Atebodd y ffôn yn araf. 'Helo,' meddai'n wan.

'Beth sy'n bod?' gofynnodd Morgan. Melltithiodd Elisabeth ei hun wrth sylweddoli ei fod wedi clywed.

'Dim byd, cariad. Symud fymryn bach yn rhy gyflym wnes i, dyna i gyd, dwi'n iawn rŵan. A sut wyt ti?' ond roedd y boen yn dal i'w phoeni, er ei fod yn cilio'n raddol.

Bu'r ddau yn adrodd eu hynt a'u helynt yn ystod eu cyfnodau ar wahân, er mai dim ond diwrnod oedd wedi mynd heibio! Ond ni soniodd Morgan air am ei ymchwil yn y tafarnau. Dywedodd ei fod wedi blino'n lân ar ôl y daith a'i fod wedi cael noson gynnar.

'A be wnei di heno?' gofynnodd Elisabeth.

'Paid â phoeni, wy'n mynd draw i gael swper gyda'r Comander a Dorothy,' atebodd Morgan wrth i wyneb siriol y wraig â'r gwallt gwinau o Hendy-gwyn fflachio ar draws ei feddwl.

Daeth yr alwad i ben cyn bo hir wrth i'r derbynnydd – a fu'n clustfeinio ar yr alwad gan ryfeddu nad oedd yn medru deall yr un gair, er ei bod yn rhugl mewn tair iaith – sibrwd wrth Morgan fod ei gyfreithiwr yn barod i'w weld.

'Ffonia fi eto, a phaid ag anghofio ei alw'n "cyw"!' chwarddodd Elisabeth a oedd wedi camddeall ynghylch y cyfarfod.

Cododd Syr Wilson Mainwaring o'i sedd fawreddog a cherdded tuag at Morgan gyda'i law wedi ei hymestyn yn barod, 'Alun Morgan, mae'n braf eich gweld unwaith eto – ac yn edrych cystal,' cyfarchodd ef.

Gwyddai Morgan ei fod yn freintiedig iawn o gael y gŵr pwysig hwn yn gyfreithiwr iddo – canlyniad cymwynas a ddigwyddodd flynyddoedd yn ôl yn ystod y rhyfel pan oedd Morgan ar drothwy ei yrfa. Bu'r ddau yn ffrindiau byth ers hynny, gan ymddiried yn llwyr yn y naill a'r llall. Gwenodd Morgan wrth ddychmygu beth fyddai ymateb Syr Wilson pe bai'n ei alw ef o bawb yn 'cyw'!

'A sut mae eich gwraig erbyn hyn? Hen ddamwain gas yn ôl y sôn.'

'Shwt gythrel mae hwn yn gwbod,' meddai Morgan wrtho'i hun? Yna cofiodd fod y Comander yn rhan o'r gymwynas honno flynyddoedd yn ôl pan fuont yn cydweithio ar yr achos i achub merch Wilson Mainwaring. Doedd honno'n ddim ond un o'r amryfal anturiaethau a rannodd y ddau heddwas ar hyd y blynyddoedd.

'Ry'ch chi'n gweithio gyda Gainlaw y dyddiau hyn wy'n clywed.' Datganiad yn hytrach na chwestiwn. Mawredd bach, oedd hwn yn gwybod popeth amdano?

'Dyna i chi ddyn rhyfedd,' meddai Syr Wilson ar ôl i Morgan gadarnhau'r ffaith. 'Dyn dirgel iawn. Does neb yn gwbod dim am ei gefndir, neb yn gwbod beth mae e'n ei wneud, heblaw am y ffaith ei fod yn uchel yn MI5 wrth gwrs. Wy'n gwbod ei fod e'n perthyn i amryw glybiau arbennig yn yr hen le 'ma, clybiau'r gwŷr bonheddig, ond wy' erioed wedi ei weld e yn yr un digwyddiad. Ond, mae'n rhaid i mi gyfaddef, mae e wedi gwneud yn dda er gwaetha'i anabledd.'

'Pa anabledd?' holodd Morgan.

'Ei goes, bachan,' atebodd Syr Wilson, gan synnu na wyddai Morgan. 'Mae un o'i goesau'n gam ofnadwy ac mae e'n cael gwaith cerdded ar brydiau. Doeddech chi ddim yn gwbod?'

Cyfaddefodd Morgan mai dim ond unwaith y daeth wyneb yn wyneb â'r dyn ei hun erioed a'i fod e wedi bod yn eistedd y tu ôl i'w ddesg ar y pryd.

'Ro'n i'n disgwyl i chi fod yn ei adnabod e'n well, gan fod y ddau ohonoch yn Gymry,' awgrymodd y cyfreithiwr.

'Un o'r gogledd yw e, a finnau o'r de,' meddai Morgan yn wan, yn hytrach na chyfaddef ei fod yntau hefyd yn ŵr preifat iawn.

'Na, wy' ddim yn meddwl. Wy'n siŵr mai o'r de y mae ynte'n dod hefyd,' edrychodd Syr Wilson dros ei sbectol hanner lleuad, 'nid o'r cymoedd, ond yn bendant o'r de yn rhywle. Ta waeth, dyna hen ddigon am y dyn rhyfedd 'na. Beth fedra i ei wneud i chi? Beth sy' mor bwysig nes dod â chi yma'n unswydd i'm gweld – heblaw am y ffaith ein bod yn hen ffrindiau, wrth gwrs?' Rhoddodd y cyfreithiwr chwerthiniad bach, 'Fe ddywedoch chi ar y ffôn fod gyda chi rhyw ddogfennau yr hoffech chi imi eu gweld?'

Chwiliodd Morgan yn ei boced ac estyn yr amlen drwchus i'w ffrind. Gwyliodd ef yn tynnu'r dogfennau ohoni yn ofalus cyn eu gosod fesul un ar ei ddesg heb yngan gair.

Darllenodd y cyfreithiwr bob dogfen yn drylwyr cyn

tynnu ei sbectol ac edrych yn graff ar Morgan. 'Beth yw'r broblem?' holodd.

'Yn gyntaf, fe hoffwn i wybod a yw'r dogfennau'n gyfreithlon?'

'Yn berffaith gyfreithlon, Alun. Roedd y sawl a luniodd y rhain yn deall dipyn am y gyfraith. Mae'r ewyllys wedi ei chyflwyno'n iawn ac mae llythyr y Capten –' edrychodd Syr Wilson ar y llythyr i gadarnhau'r enw, '– y Capten Morlais Williams yn ategu'r hyn sy'n cael ei amlinellu yn yr ewyllys. A'r dogfennau eraill – does dim amheuaeth mai ef oedd perchennog yr holl eiddo. Efallai bod y cytundebau braidd yn answyddogol – fel'na yr oedd pethau tan yn ddiweddar – ond maen nhw'n berffaith gyfreithlon.' Gwenai'r cyfreithiwr yn llon, 'Felly Alun, ry'ch chi wedi etifeddu cryn dipyn. Llongyfarchiadau!'

Estynnodd ei law unwaith eto ar draws y ddesg. Gafaelodd Morgan ynddi a theimlodd y cyfreithiwr ei hyder cadarn.

'Mae'n debyg y byddwch chi eisiau i mi drosglwyddo popeth i'ch enw chi.' Cyngor yn hytrach na chwestiwn oedd hwn.

'Byddaf, ond i f'enw i a'm gwraig,' atebodd Morgan.

'A beth yw enw llawn eich gwraig?'

'Elisabeth Mair Williams. Wel, nage – dyna'i henw morwynol,' a chwarddodd y ddau, 'Elisabeth Mair Morgan,' cywirodd Morgan ei hun.

Gwenodd y cyfreithiwr arno. 'Fe glywes i hanes y briodas fawreddog.'

Y Comander eto, meddyliodd Morgan, gan deimlo braidd yn euog am nad oedd wedi ystyried estyn gwahoddiad i Syr Wilson.

'Fe anfonaf y dogfennau i'ch cartref er mwyn i'r ddau ohonoch eu llofnodi – gerbron tyst, cofiwch. Yn y cyfamser, byddaf yn hysbysu'r Cofrestr Tir fel nad oes unrhyw amheuaeth ynghylch y peth. Na, does dim problem o gwbwl, Alun. Chi ac Elisabeth yw perchenogion yr holl eiddo 'ma bellach.'

'A phryd fydd hyn i gyd yn digwydd?' gofynnodd Morgan yn bryderus.

'Gan mai fi sy'n delio â'r achos, a gan mai chi yw'r cleient, fe fydd popeth yn cael ei drosglwyddo y prynhawn 'ma ac fe fydd popeth yn gwbwl swyddogol ymhen tua wythnos. Fe fyddaf yn tanlinellu pwysigrwydd yr achos hwn, ond peidiwch â phoeni, Alun, chi a'ch gwraig yw perchenogion y rhain o'r eiliad hon.' Gwenodd y cyfreithiwr unwaith eto. 'Oedd 'na rywbeth arall? Fe sonioch chi rywbeth am ysgariad?'

'Do,' dechreuodd Morgan egluro sefyllfa Morwenna a bygythiadau Paul. Gwrandawodd Syr Wilson yn astud cyn ochneidio'n ddwfn wrth i Morgan orffen,

'Mae hyn yn digwydd mor aml y dyddiau hyn, Alun bach,' meddai'n gysurol, 'Mae'r un peth yn union wedi digwydd i Amanda, fy merch i. Ry'ch chi'n ei chofio, siŵr o fod?'

'Ydw, wrth gwrs,' atebodd. Roedd hi'n rhyfedd meddwl bod y ferch fach a herwgipiwyd nawr yn wraig ifanc, eisoes wedi priodi a chael ysgariad; ond, sylweddolodd, dim ond chwe mlynedd oedd rhwng Amanda a Morwenna.

'Mae'n anodd derbyn bod ein plant ni ein hunain bellach yn oedolion, on'd yw hi?' Roedd Syr Wilson fel pe bai'n darllen meddyliau ei gyfaill. 'Peidiwch â phryderu. Ydi manylion cyfreithiwr eich mab-yng-nghyfraith gyda chi? Fe wna' i'n siŵr na fydd dim problem gydag ysgariad eich merch ac fe fydd y cyfan drosodd mewn dim o dro. Fe dala' i'r ddyled yn ôl, fel petai,' a chwarddodd y cyfreithiwr.

'Un peth bach arall ...' Nid oedd Morgan yn siŵr iawn sut i ddechrau sôn am y mater arall a oedd yn ei boeni. Roedd yn ansicr a ddylai grybwyll y peth wrth ei gyfreithiwr ond ni wyddai at bwy arall i droi.

'Duwedd mawr, does ryfedd eich bod eisiau treulio'r bore cyfan 'ma,' tynnodd Syr Wilson ei goes yn smala.

'Wy'n ymwybodol iawn fod gyda chi ddylanwad aruthrol ym myd y gyfraith ond a oes gyda chi ddylanwad ym myd bancio hefyd?' gofynnodd Morgan yn obeithiol.

'Oes, tipyn bach. Pam?'

Eglurodd Morgan y cyfan yn drylwyr. Unwaith eto, gwrandawodd y cyfreithiwr yn astud gan ofyn iddo fanylu ar ambell beth. Sylwodd Morgan arno'n cymryd nodiadau bob hyn a hyn.

'Y diawled!' ebychodd Syr Wilson pan orffennodd Morgan ddweud hanes y rheolwr banc a'i gyfaill. 'Pobol fel 'na sy'n dwyn anfri ar ein gwlad, Alun, ac yn anffodus mae eu nifer yn cynyddu o ddydd i ddydd. Gadewch bopeth i mi. Wna i ddim addo gormod ond fe gawn ni weld beth alla i ei wneud.' Roedd y cyfarfod swyddogol ar ben o'r diwedd.

'Beth am i chi ymuno â mi am damaid o ginio?' cynigiodd Syr Wilson yn gyfeillgar. Gwyddai Morgan fod cysyniad Syr Wilson o 'damaid o ginio' yn golygu rhywbeth hollol wahanol i'r mwyafrif o bobl a theimlai braidd yn anghwrtais yn gwrthod.

'Rhyw dro arall,' gwenodd yn gwrtais.

'Chi sy'n gwbod orau ond cofiwch, peidiwch â'i gadael hi mor hir cyn galw eto.'

Ffarweliodd y ddau a theimlai Morgan ei fod wedi cyflawni mwy na'r disgwyl. Nawr roedd e'n barod i wynebu ei elynion.

* * *

'A ble'n union mae'r boen?' holodd John Davies wrth syllu'n ddifrifol ar Elisabeth. Roedd Buddug ac yntau newydd gyrraedd i ymweld â'u claf ac wedi synnu braidd o'i chanfod yn y tŷ ar ei phen ei hunan.

Roedd Elisabeth wedi rhagweld eu gwg a'u cerydd pan welodd y car yn cyrraedd a'r ddau yn camu ohono. Newydd adael oedd Morwenna i fynd ag Anwen fach am dro ar hyd y traeth gan fod y tywydd yn dal yn sych.

'Ble mae Alun, 'te?' holodd Buddug yn gyhuddgar.

'Mae e wedi gorfod mynd i Lundain,' atebodd Elisabeth yn dawel, 'ar fusnes,' ychwanegodd.

Roedd y tri yn y lolfa fawr ac roedd Elisabeth newydd ddweud wrth John Davies ei bod wedi cael poenau y bore hwnnw, er ei bod wedi penderfynu peidio dweud gair wrth neb yn gynharach.

'Felly ry'ch chi yma eich hunan – heb gwmni,' dwrdiodd Buddug. Teimlai Elisabeth ei chalon yn suddo ond cyn i'r nyrs gael amser i ddweud dim arall daeth 'Iw-hw' fach o'r drws ffrynt.

Diolch byth, meddyliodd Elisabeth wrth godi ei phen, Mari Troed y Rhiw. 'Ry'n ni i mewn fan hyn, Mari,' gwaeddodd.

Cerddodd yr hen wraig i mewn ac ni allai Elisabeth fod wedi dychmygu gwell cyfarchiad, 'Mae'n ddrwg calon gen i 'mod i'n hwyr, Elisabeth fach, ond roedd yr hen gloc wedi

171

stopio. Meddyliwch – a finne'n ei weindio fe bob nos fel arfer! Henaint, mae'n siŵr ...' Edrychai John Davies a Buddug yn syn ar y wraig fach.

'Na, na, dwi ddim ar fy mhen fy hunan, Doctor.' Yna trodd Elisabeth at y nyrs. 'Mae Mari'n dod i edrych ar fy ôl pan fydd neb arall yma.' Roedd golwg sarrug iawn ar wyneb Buddug ond gwelodd Elisabeth arlliw gwên ar wefusau John Davies.

'Reit 'te,' meddai, 'fe fyddai'n well i ni fynd lan lofft i gael gweld shwt mae pethau.'

Syllai Elisabeth allan drwy'r ffenest fawr wrth i'r meddyg fyseddu fan hyn a fan draw i geisio canfod achos y boen.

'Y'ch chi ac Alun wedi bod yn bihafio'ch hunain,' gofynnodd Buddug, fel petai'n falch o sylwi ar anghyfforddusrwydd Elisabeth. 'Y'ch chi'n cofio beth ddywedodd y doctor?'

'Na, mae popeth i'w weld yn iawn lawr fan'na. Mwy na thebyg dy fod wedi tynnu pwyth neu ddau,' achubodd John Davies y sefyllfa. 'Dau neu dri diwrnod arall ac fe ddof i dynnu'r gweddill,' a gwenodd ar Elisabeth.

'Mae Alun a finna wedi bod fel dau sant ers y ddamwain ond o leia rydan ni'n cysgu yn yr un gwely erbyn hyn, diolch byth,' meddai Elisabeth gan anelu ei sylwadau i gyfeiriad Buddug, er mai siarad â'r meddyg a wnâi.

'Wy'n falch dy fod yn gwrando ar rhywun,' gwenodd y meddyg yn siriol. 'Fydd hi ddim yn hir nawr ond mae'n rhaid i ti beidio â gorwneud pethe.'

'O paid â phoeni, mae'n rhaid i mi ddringo'r ffrwd yn gyntaf,' atebodd Elisabeth gyda chwerthiniad bach.

Crychodd John Davies ei dalcen yn ddryslyd.

Edrychodd ar Buddug ac yna edrych draw i gyfeiriad y ffrwd ond ni chafodd air o eglurhad gan Elisabeth.

Ar ôl gorffen yr archwiliad ac wrth gamu allan o'r tŷ, edrychodd y meddyg draw at y ffrwd unwaith eto, 'Wy' ddim yn gallu dychmygu neb yn dringo honna,' meddai wrth ffarwelio.

'O, dwi'n adnabod rhywun wnaeth ei dringo unwaith,' gwenodd Elisabeth, heb ymhelaethu.

* * *

Gadawodd Morgan swyddfa Syr Wilson Mainwaring gyda phopeth y bu'n ei drafod gyda'r cyfreithiwr yn chwyrlïo'n ei ben. Camodd allan o'r adeilad ond cyn iddo gael cyfle i benderfynu i ba gyfeiriad yr oedd am fynd, teimlodd law gref yn cydio yn ei fraich.

'Roeddech chi'n hir iawn yn y swyddfa 'na, Mister Morgan,' meddai'r un llais cras a glywodd y noson cynt, 'gobeithio nad oeddech chi wedi anghofio fod apwyntiad arall gyda chi.'

Cafodd Morgan ei dywys at y car mawr a oedd newydd aros ar fin y ffordd, cyn cael ei wthio'n ddiseremoni i mewn iddo. Syrthiodd ar ei hyd ar draws y sedd gefn. Symudodd gŵr arall a eisteddai yng nghefn y car i wneud lle iddo. Cododd Morgan wrth i'r cawr a'i gwthiodd eistedd wrth ei ymyl ac er bod y car yn ddigon mawr, teimlai Morgan ei fod yn cael ei wasgu'n ddidrugaredd gan ei gyd-deithwyr.

Arhosodd y car y tu allan i warws mawr yn Wapping, y warws a fu unwaith yn bencadlys i Ricky Capelo. Arweiniodd y ddau ŵr ef i mewn i'r adeilad cyn ei dynnu i fyny'r grisiau ac i mewn i swyddfa foethus helaeth. Safai

173

pedwar gŵr arall hwnt ac yma yn ei wylio wrth iddo gerdded i mewn. Diolchodd ei fod wedi cofio dod â'i wn gydag ef. Ym mhen draw'r swyddfa, yn syth o'i flaen, roedd desg fawr. Y tu ôl i'r ddesg honno eisteddai gwraig a syllai arno'n dreiddgar.

Rhyddhawyd ei freichiau o afael y ddau gawr cyn i un ohonynt gerdded tuag at y ddesg i sibrwd rhywbeth yng nghlust y wraig, yna rhoddodd orchymyn i Morgan nesáu tuag atynt. Cerddodd yn araf yn ei flaen heb dynnu ei lygaid oddi ar y wraig dlos yn y ffrog ddu gyda llygaid hardd a gwallt hir tonnog, croen sidanaidd, ceg lydan a gwefusau meddal – Eidales, heb os, meddyliodd Morgan ac er nad oedd erioed wedi ei chyfarfod o'r blaen, gwyddai'n syth pwy oedd hi – Lisa Capelo, gweddw ei hen elyn. Nawr, roedd pethau'n dechrau gwneud synnwyr – yr ymosodiad, defnyddio rhywun lleol, llofruddio, dial ...

'Wy'n deall eich bod yn awyddus i ni'n dau gwrdd â'n gilydd ...' Roedd ei llais yn feddal; mor ddeniadol ac mor wahanol i'w gŵr, meddyliodd Morgan â'i dafod ynghlwm. Felly hon yw'r pennaeth newydd? Nid oedd wedi disgwyl hyn. Roedd hon yn hyfryd a'i diweddar ŵr wedi bod mor salw! Roedd hwnnw mor galed a chreulon hefyd, a hon yn ymddangos mor dyner – ac eto ...

'Er, mewn gwirionedd, wn i ddim pam y dylwn i fod yn fodlon cyfarfod â'r dyn a laddodd fy ngŵr a thad fy mhlant ...' gwyrodd ymlaen yn ei sedd gan blethu ei dwylo ar y ddesg o'i blaen a dal i syllu arno.

'Nid fi laddodd e,' edrychai Morgan i fyw llygaid y wraig.

'Y'ch chi'n disgwyl i mi gredu hynny?' roedd tôn ei llais fymryn yn uwch erbyn hyn. Teimlodd Morgan rywun yn symud y tu ôl iddo. Disgwyliai ymosodiad ond ni ddaeth yr un.

'Credwch chi beth y'ch chi eisiau ei gredu, ond damwain gafodd eich gŵr, damwain gas,' atebodd Morgan yn ddiffuant.

Gorchmynnodd Lisa Capelo i'r dynion adael yr ystafell ac fe adawyd Morgan ar ei ben ei hunan gyda gweddw dlos ei gyn-elyn.

'Dywedwch wrtha i yn union beth ddigwyddodd,' gorchmynnodd. 'Eisteddwch fan hyn,' a chyfeiriodd at y gadair gyferbyn â hi.

'Na, mae'n well gen i sefyll, os nad oes gennych wahaniaeth,' gwrthododd Morgan ei chynnig. 'Roedd eich gŵr yn credu mai fi oedd yn gyfrifol am farwolaeth ei frawd,' dechreuodd ddweud yr hanes.

'Roedd Alfred yn ffŵl, yn gaeth i gyffuriau a'r ddiod, ond gwrthodai Ricky dderbyn hynny.'

'A dyna laddodd e yn y diwedd,' cadarnhaodd Morgan, 'nid fi.' Arhosodd am ennyd cyn parhau, 'Ond eich gŵr ...' dechreuodd.

'Wy' am wybod y cyfan,' gorchmynnodd Lisa Capelo.

Dychwelodd yr atgofion am y noson erchyll i feddwl Morgan ac fe adroddodd yr hanes yn llawn. Os mai dyna ei dymuniad, doedd waeth iddi gael gwybod yn union pa fath o ddyn oedd ei gŵr – hyd yn oed ar ddiwedd ei oes, meddyliodd.

'Ond wnaethoch chi ddim ymdrech o gwbwl i'w achub?' gofynnodd Lisa wrth i Morgan orffen adrodd y stori.

'Roedd y tonnau'n rhy gryf, y graig yn rhy llithrig, y noson yn rhy greulon,' atebodd, gan ddechrau ofni fod y gwir wedi bod braidd yn rhy greulon i'r weddw alarus.

'Er hynny, fe ddaethoch chi o'r lle yn ddiogel?' Roedd y dagrau'n cronni yn y llygaid tywyll a sylweddolodd Morgan ei bod wedi caru Ricky yn angerddol.

'Roeddwn i'n lwcus,' cofiodd sut y llwyddodd i ddianc oddi ar y creigiau y noson honno, 'yn lwcus iawn,' ychwanegodd.

'Pam oeddech chi'n awyddus i 'ngweld i heddiw?' gofynnodd Lisa Capelo ymhen hir a hwyr. Llifai'r dagrau i lawr ei gruddiau, er gwaetha'i hymdrechion amlwg i'w hatal, a chwiliodd am hances yn ei phoced. Estynnodd Morgan ei hances fawr wen iddi. Gwyliodd hi'n sychu ei llygaid a sylweddolodd nad oedd hi'n gwisgo colur o gwbl. Roedd y prydferthwch yn hollol naturiol, yn union fel Elisabeth, meddyliodd.

'I egluro pethau, efallai, ac i ddod â'r gwrthryfel a'r dial 'ma i ben,' dychwelodd holl ddiben ei ymweliad i'w feddwl a dechreuodd galedu wrth gofio'r ymosodiad ar ei wraig.

'Dial? Pa ddial?' edrychodd Lisa arno'n ddryslyd.

'Peidiwch ag esgus bod yn ddiniwed,' cododd Morgan ei lais. 'Peidiwch ag esgus nad eich dynion chi oedd yn gyfrifol am yr ymosodiad.'

Yn sydyn gallai Morgan weld Elisabeth yn gorwedd mewn pwll o waed; yn gorwedd ar ei gwely angau yn ymladd am ei bywyd. Sylweddolodd pa mor bwysig fu'r babi bach iddi hi – i'r ddau ohonynt. Teimlodd ei galon yn torri, ei dymer yn codi a theimlodd ei hun yn colli rheolaeth. Ceisiodd ymladd yn erbyn y dagrau a oedd yn dechrau cronni yn ei lygaid yntau hefyd erbyn hyn.

'Wyddoch chi nad fi oedd yn gyrru'r car y noson honno? Nid fi oedd yn y car yr ymosododd Sam James arno, nid fi, nid fi ond ... ond ... Elisabeth, fy ngwraig. Hi gafodd ei hanafu ... hi wnaeth ddioddef yr anafiadau, nid fi ... ond hi – a pheidiwch ag esgus nad oeddech chi'n gwbod hynny. Peidiwch ag esgus nad oeddech chi'n gwbod eich bod wedi methu fy lladd i, peidiwch ag esgus nad oeddech chi'n gwbod eich bod wedi methu lladd Elisabeth ... peidiwch â dweud nad oeddech chi'n gwbod eich bod wedi llwyddo i ladd ... i ladd ein ...' llifai'r dagrau i lawr ei wyneb, er ei holl ymdrechion i'w hatal, '... i ladd y babi yng nghroth Elisabeth – i ladd ein babi bach ni ... oedd heb ei eni. Peidiwch â dweud ...' methodd orffen y frawddeg. Torrodd ei lais wrth i'r gwirionedd a'r tristwch ddod allan. Cwympodd ar y gadair a gwyro ei ben.

Nid oedd Lisa wedi disgwyl gweld y dyn mawr hwn yn gwegian o'i blaen. Roedd hi wedi clywed am y ddamwain trwy rwydwaith yr isfyd ac felly fe gydymdeimlai ag ef. Gallai rannu ei golled a'i alar. Cododd o'i chadair a cherdded yn araf tuag ato. Rhoddodd ei breichiau'n dyner ar ei ysgwyddau a'i dynnu tuag ati i'w gysuro.

'Y'ch chi'n iawn, Alun Morgan?' gofynnodd yn dawel. 'Ry'ch chi'n llygad eich lle. Mae'n hen bryd inni ddod â'r dialedd 'ma i ben – fan hyn, nawr. Mae ein teuluoedd ni wedi dioddef colledion erchyll ac mae'n bryd i'r rhyfela orffen.' Gafaelodd yn dyner yn wyneb Morgan a chodi ei ben i edrych ym myw ei lygaid. 'Efallai mai 'ngŵr i roddodd y graith 'na ar eich wyneb; efallai ei fod e wedi ceisio eich lladd chi ar y traeth y noson ofnadwy honno, ond credwch chi fi, Alun Morgan, doedd gennym ni ddim oll i'w wneud â'r ymosodiad erchyll y sonioch amdano nawr. Nid dyna ein ffordd ni, fe ddylech chi wybod hynny,' ceryddodd ef mor dyner. Gwyddai Morgan ei bod yn dweud y gwir a sylweddolodd pa mor ffôl y bu ei gamgymeriad.

'Fe sonioch chi am ryw Sam James?' holodd Lisa wrth ddychwelyd i'w chadair, 'na, dyw'r enw'n golygu dim i mi, mae'n ddrwg gen i.'

Estynnodd yr hances yn ôl i Morgan a gwenu'n addfwyn, 'O leiaf fe gawson ni'r cyfle i rannu ein dagrau,' meddai'n dawel, 'ac fe fydd hynny'n aros yn gyfrinach rhwng y ddau ohonom,' ategodd.

Cododd Morgan ar ei draed.

'Wy'n gobeithio ein bod wedi rhoi trefn ar bethe, o'r diwedd,' gwenodd Lisa Capelo arno, 'a wy'n gobeithio y dewch chi o hyd i bwy bynnag sy' wedi achosi'r holl boen 'ma i'r ddau ohonoch. Byddwch yn ofalus, Alun Morgan.' Syllodd arno'n hir. 'Fe fydd 'na dacsi yn aros amdanoch y tu allan,' chwiliodd ar ei desg, 'ac mae'n siŵr yr hoffech chi gael hwn yn ôl?'

Edrychodd Morgan ar ei llaw. Roedd hi'n gafael yn ei wn.

Gwenodd y ddau ar ei gilydd, 'O dan amgylchiadau eraill, pwy a ŵyr, efallai y byddem ni wedi bod yn ffrindiau,' ac estynnodd ei llaw tuag at Morgan.

Cymerodd Morgan ei wn yn ôl cyn cydio'n dyner yn ei llaw, 'Ie, pwy a ŵyr?' meddai'n dawel.

PENNOD 19

Eisteddai'r dyn yn ei gadair ledr heb unrhyw amheuaeth yn ei feddwl bellach beth oedd yn rhaid iddo'i wneud ar ôl yr alwad ffôn a adawsai Nigel Owen yn crynu'n ei esgidiau. Ceryddodd ei hunan unwaith eto. Pam yn y byd y gadawodd i'r ffyliaid 'na yng Nghymru reoli pethau – rheoli ei ddyfodol ef? Dylai fod yn gwybod yn well. Dylai fod wedi cymryd y cyfrifoldeb ei hunan yn gynharach – roedd ganddo ddigon o ddylanwad, digon o brofiad, digon o gymwysterau. Ond dyna fe, roedd y peth wedi digwydd nawr; dim pwynt codi pais ... Roedd yn rhaid iddo sicrhau y byddai pethau yn newid o hyn ymlaen. Roedd y gallu ganddo i droi'r dŵr i'w felin ei hunan ac roedd ganddo'r modd hefyd, neu, o leiaf fe fyddai'r modd ganddo cyn nos. Gwyrodd ymlaen a chodi derbynnydd y ffôn unwaith eto.

* * *

Synnodd Elisabeth wrth glywed llais Alun ar y ffôn. Doedd hi ddim wedi disgwyl dwy alwad mewn un diwrnod ond roedd hi'n hynod falch o'r cyfle i sgwrsio.

'Gweld dy eisiau di, 'na i gyd,' clywodd ei eiriau cysurus yn glir dros y ffôn.

'Dwi'n eich caru chi, Alun Morgan,' meddai Elisabeth yn hiraethus.

'A wy' inne'n eich caru chithe, Elisabeth Morgan,' atebodd.

'Roedd arna i angen clywed hynny. O! dwi'n gweld dy eisiau di, Alun.'

'Fe fydda i adre ymhen ychydig ddyddie,' cadarnhaodd.

'Ond ro'n i'n meddwl dy fod di'n gweld y cyw bach heddiw,' cwynodd ei wraig.

'Na, na, cyfarfod â'r cyfreithiwr wnes i heddiw; fory wy'n cyfarfod â Gainlaw. Gyda llaw, mae pob dim yn iawn ynghylch yr ewyllys a'r papurau yn ôl Syr Wilson, felly, Misis Morgan, ry'ch chi'n wraig gyfoethog iawn,' chwarddodd Morgan.

'Sut hynny?' holodd Elisabeth. Eglurodd Morgan wrthi ei fod wedi gofyn i'r cyfreithiwr drosglwyddo'r cyfan i enwau'r ddau ohonynt.

'O, Alun,' ochneidiodd. Yna cofiodd, 'Mae Nigel Owen wedi ffonio o'r banc eisiau i ti gysylltu ag e.'

'Dwed wrth y diawl fynd i grafu os gwnaiff e ffonio'n ôl!' meddai'n ddireidus.

'Alun!' ceryddodd ei wraig.

Chwarddodd Morgan yn uchel, 'Gyda llaw, Bwts, ble'n union mae Hendy-gwyn?'

* * *

Gwyliodd Morgan y Comander yn arllwys gweddillion y drydedd botelaid o win i'w wydryn. 'Beth am inni agor un arall, Morgan?' holodd wrth wyro dros y bwrdd bwyd ac effaith y ddiod yn amlwg arno erbyn hyn.

'Dim diolch,' atebodd. Roedd Dorothy yn edrych arno drwy gil ei llygaid ac yn siglo ei phen rhyw fymryn i'w rybuddio, 'wy'n gweithio yn y bore,' ychwanegodd.

'Gwaith?' bloeddiodd y Comander, 'pa fath o waith sy' gyda ti yma?'

'Wy'n cyfarfod Gainlaw bore fory,' atgoffodd Morgan ei gyfaill.

'O, wyt, ro'n i wedi anghofio am hynny,' a thawelodd y Comander.

'Gainlaw?' edrychodd Dorothy ar Morgan wrth glirio'r platiau, 'dyna enw rhyfedd.'

Gwyddai Morgan ei fod wedi cael un gwydryn yn ormod i fedru egluro'r peth yn synhwyrol i Dorothy. Tro'r Comander oedd hi i ddal ei lygaid nawr, i grychu ei dalcen a siglo ei ben i ddweud wrtho beidio â ffwdanu.

Ar ôl i Morgan dderbyn y gwahoddiad i fynd i'w cartref am swper, paratôdd Dorothy wledd arbennig a oedd yn llawer gwell na'r pryd a fyddai wedi ei gael yn y gwesty. Roedd hi'n amlwg fod y Comander wedi cael cryn dipyn o ddiod cyn iddo gyrraedd y tŷ ac wrth ei wylio'n arllwys wisgi mawr iddo yntau, gallai Morgan ddeall paod ei hen ffrind yn eistedd yn swrth yn ei gadair, ei wyneb yn goch a'i eiriau braidd yn aneglur.

'Ydi, mae fory'n ddiwrnod pwysig,' edrychodd y Comander arno, 'ac ar ôl y cyfarfod byddi 'nôl adre yng nghwmni Elisabeth.'

'Wy'n gobeithio! Nawr, wy'n gwbod 'mod i'n anghwrtais,' edrychodd ar ei oriawr, 'ond ar ôl eich helpu gyda'r llestri, fe fydd yn rhaid i mi adael.'

'O, Morgan,' cwynodd Dorothy, 'wy' ddim wedi cael y cyfle i'ch holi chi'n iawn am bethe. Peidiwch â phoeni am yr hen lestri 'ma, fydda i fawr o dro yn delio â nhw.'

'Fe fydd yn rhaid i chi ddod draw i'n gweld ni yng

Nghymru ac aros am gyfnod – unwaith y bydd y tywydd wedi gwella,' awgrymodd Morgan.

'Ac unwaith y bydd Elisabeth wedi gwella,' cadarnhaodd Dorothy. 'Ond Morgan bach,' roedd y ddau wedi defnyddio ei gyfenw ers iddynt gyfarfod am y tro cyntaf pan nad oedd e'n ddim ond deunaw oed, 'shwt yn y byd y'n ni'n mynd i gael y cyfle ac Edgar yn gweithio ddydd a nos?'

'Dewch draw ar eich pen eich hunan!' awgrymodd gan wenu o glust i glust wrth i'r Comander gael pwl o beswch.

'Fydd hi ddim yn hir nawr cyn 'mod i'n ymddeol ac yna fe allwn ni dreulio ein holl amser yn crwydro, cariad, gei di weld,' edrychodd y Comander ar ei wraig.

'A sawl gwaith wy' wedi clywed hynny o'r blaen?' holodd Dorothy yn swta.

'Mae'n hen bryd i chi ymddeol nawr,' meddai Morgan yn ddifrifol.

'A wy'n bwriadu gwneud 'ny ...' tarodd y Comander ei law ar y bwrdd, '... yn fuan, yn fuan iawn,' ac edrychodd i fyw llygaid Morgan. Ceisiodd Morgan ddadansoddi ystyr ei ymateb cadarn? 'Mae'r dyfodol yn ddiogel i ni nawr. Fe fydd popeth yn ddiogel nawr. Fe fyddi di a fi yn medru treulio gweddill ein dyddiau'n dawel, Dorothy.'

Edrychodd Dorothy yn graff ar ei gŵr. Nid oedd wedi ei weld fel hyn erioed o'r blaen, yn enwedig yng nghwmni pobl eraill. 'Wel, beth yw dy gynlluniau, 'te? Beth wyt ti'n mynd i'w wneud – a phryd?'

Rhwbiodd y Comander ei wyneb. Gwyddai ei fod wedi yfed gormod ac wedi dweud gormod hefyd, efallai. Gwyddai fod ganddo rywbeth pwysig iawn yn ei boced; rhywbeth a dderbyniodd y diwrnod hwnnw; rhywbeth a fyddai'n sicrhau dyfodol ei wraig ac yntau; rhywbeth na wyddai neb arall amdano – heblaw am un neu ddau. Oedd, roedd yfory yn mynd i fod yn ddiwrnod pwysig iddo yntau hefyd, er nad oedd e'n awyddus i wneud yr hyn yr oedd yn rhaid iddo'i wneud.

'Wy' ddim am ddweud dim heno,' meddai'n dawel, 'dyw hi ddim yn amser.'

'A beth y'ch chi'n mynd i'w wneud ar ôl ymddeol, 'te?' torrodd Morgan ar draws yr awyrgylch drom.

'Yr un fath â ti, y diawl,' chwarddodd y Comander, 'gwneud diawl o ddim ond cadw cwmni i'r wraig.'

Clywodd Morgan dinc o genfigen yn llais ei hen ffrind. Y ddiod oedd yn siarad, tybiodd, yn hytrach na'r brawdgarwch cadarn. Doedd Dorothy nac yntau wedi ymuno â'i chwerthin a buan y sylweddolodd y Comander hynny.

'Na, o ddifri,' ceisiodd achub y sefyllfa, 'wy' wastad wedi bod ishe rhedeg tŷ tafarn bach, un digon tawel rhywle yn y wlad. Fe fyddwn i wrth fy modd.'

'Fe fyddi di wedi yfed yr elw i gyd,' meddai Dorothy yn gyhuddgar.

'Dim ond am y mis cyntaf, cariad, dim ond y mis cyntaf,' a chwarddodd eto. 'Fe gei di fod yn gyfrifol am y bwyd. Diawch, dyna bartneriaeth lwyddiannus fydd gyda ni! Beth amdani, Dorothy?'

'Gawn ni weld. Beth wyt ti'n feddwl, Morgan?' edrychodd Dorothy arno'n drist.

'Mae 'na bethe rhyfeddach wedi digwydd yn y gorffennol,' gwenodd wrth i gynllun ddechrau datblygu yn ei ben. Oedd y Comander o ddifri tybed?

Rhyddhad o'r diwedd ... bywyd tawel ... diwedd ar y

creulondeb ... cyfle i fwynhau bywyd ... yr ateb yn ddiogel yn ei boced ... y cyfarfod ... gwibiai meddyliau'r Comander o'r naill beth i'r llall wrth iddo gwympo i drwmgwsg chwil y noson honno – â gwên fodlon ar ei wyneb.

* * *

'Ym ... h-helo, Beti,' meddai Arfon yn swil wrth i Elisabeth agor drws ffrynt Awel Deg, 'digwydd mynd heibio oeddwn i a meddwl galw i weld shwt y'ch chi'n dod mlaen.'

'Digwydd mynd heibio?' gwenodd Elisabeth, 'Mawredd, Arfon, ble oeddet ti'n mynd felly? Dydi'r ffordd ddim yn mynd ddim pellach! Ond waeth iti ddod i mewn ac, er mwyn tad, paid â 'ngalw i'n Beti – fedra i ddim diodde'r enw.'

Camodd Arfon i'r tŷ yn betrusgar ac edrych o'i amgylch. Roedd Elisabeth yn teimlo'n llawen ar ôl i'r meddyg ddweud wrthi ei bod yn gwella ac ar ôl iddi dderbyn y ddwy alwad ffôn gan ei gŵr y diwrnod hwnnw, er ei bod yn hiraethu am ei gwmni. Gwenodd ar swildod y dyn ifanc a safai o'i blaen, gan gofio'i ymgyrch i geisio ei denu hithau, cyn iddi lwyddo i ddod â'r ffârs honno i ben.

Ni wyddai Arfon ble i edrych na beth i ddweud – rhywbeth cwbl annaturiol iddo rai misoedd yn ôl ond roedd pethau wedi newid erbyn hyn. Roedd ei dafod ynghlwm yn ei geg.

'Arfon!' gwaeddodd Morwenna gan achub ei chariad wrth gerdded i lawr y grisiau ag Anwen fach yn ei breichiau. Edrychodd y ddau ar ei gilydd, gan gofio'r hyn a ddigwyddodd y tro diwethaf y gwelsant ei gilydd. Roedd Morwenna wedi ail-fyw y cyfan droeon yn ei meddwl.

Newydd ddod allan o'r bàth oedd Anwen, wedi ei rhwymo mewn lliain sychu gwyn meddal a'i gwallt yn wlyb ac yn gyrliog. 'Be wyt ti'n ei wneud yma?'

'Digwydd mynd heibio,' eglurodd ei mam.

'Mynd heibio?' edrychodd Morwenna yn rhyfedd arno.

'Wel, nage, ro'n i wedi cael cyfarfod ar ôl yr ysgol ac awydd mynd am dro yn y car cyn mynd adre, i hel llwch oddi ar fy meddwl,' eglurodd. 'Yr hen hanes 'na,' ychwanegodd yn dawel gan edrych ar Elisabeth.

Chwarddodd Elisabeth yn uchel y tro yma, 'Angen cyngor ia? Wel, tyrd i mewn i'r lolfa,' cydiodd yn ei fraich ond erbyn hyn roedd Anwen yn gwingo ym mreichiau ei mam ac yn gwichian yn llawen wrth ymestyn ei breichiau tuag at Arfon. Gafaelodd yn y ferch fach a'i thaflu i'r awyr nes ei bod yn gweiddi chwerthin a Morwenna'n gwenu wrth eu gwylio. Sawl gwaith oedd y tri wedi cyfarfod, tybiodd Elisabeth?

'Waeth iti aros i gael swper efo ni?' awgrymodd Elisabeth gan gofio am y prydau parod roedd Sal wedi eu paratoi a'u cadw yn y rhewgell. Aeth i baratoi'r bwyd tra aeth Morwenna i roi Anwen yn ei gwely – a mynd ag Arfon gyda hi. Edrychent fel teulu bach dedwydd wrth ddringo'r grisiau gyda'i gilydd. 'Waeth i mi dderbyn y ffaith,' ochneidiodd Elisabeth yn dawel, ond beth fyddai ymateb Alun, tybed?

* * *

Roedd Morgan yn falch ei fod wedi cymryd tacsi i'w gludo o gartref y Comander yn ôl i'w westy. Er nad oedd yn feddw, roedd wedi cael gormod o ddiod i yrru'n gyfreithlon pe byddai wedi benthyca car y Comander fel yr awgrymodd ei hen gyfaill. 'Cer ag e. Defnyddia fe fel y dymuni a dere 'nôl ag e cyn dy fod di'n mynd adre.'

Cofiai yrru ar hyd y strydoedd cyfarwydd hyn ar ôl yfed llawer mwy nag yr oedd wedi ei yfed heno, ond roedd mantell ddiogel yr heddlu yn ei warchod bryd hynny rhag i unrhyw heddwas ei stopio.

Arhosodd y tacsi a sylweddolodd ei fod wedi cyrraedd y gwesty. Diolchodd fod y lle yn edrych yn ddigon tawel, er bod golau llachar yn dal i oleuo prif arwydd yr adeilad. Chwiliodd am yr allwedd a gafodd gan Ifor Roberts i agor y drws ffrynt petai hi wedi hanner nos arno'n dychwelyd. Edrychodd Morgan ar ei oriawr a gweld ei bod bron yn ddau o'r gloch y bore. Roedd y noson yng nghwmni ei ddau ffrind wedi hedfan.

Mae'n debyg fod pawb yn ei wely, meddyliodd wrth ddringo'r grisiau gwichlyd i'w ystafell wely. Cerddodd yn ofalus tuag at ei ystafell a gwthio'r allwedd i'r clo mor ddistaw ag y gallai.

'Helo,' daeth llais o'r tu cefn iddo, 'ry'ch chi wedi dychwelyd, 'te.'

Trodd Morgan a gweld y wraig â'r gwallt gwinau cyrliog o Hendy-gwyn yn sefyll wrth ddrws agored gyferbyn â'i ystafell ef. Pwysai ei chorff yn erbyn ffrâm y drws â gwên lydan ar ei hwyneb. Sylwodd Morgan ar y llygaid disglair gydag effaith y ddiod yn amlwg ynddynt a'r gwefusau cochion meddal. Sylwodd hefyd ar amlinelliad ei chorff deniadol yn amlwg drwy ei gwisg nos denau wrth i'r golau o'i hystafell dreiddio drwy'r defnydd sidanaidd.

'Beth am ddisied fach o goffi, neu rywbeth cryfach?' Camodd tuag ato cyn gafael yn ei law a'i dynnu'n ysgafn.

Flwyddyn yn ôl, fe fyddwn i wedi bod yn ddigon parod, meddyliodd Morgan, ond nid nawr. 'Na, dim diolch, ddim heno,' gwenodd arni, 'mae'n rhaid i mi olchi fy ngwallt.'

Edrychodd y wraig yn syn arno cyn dechrau chwerthin yn rhywiol wrth sylweddoli ystyr ei ateb, 'Y'ch chi am i mi ddod i'w sychu?' Daeth yn nes ato a gwthiodd ei chorff yn ei erbyn.

Edrychodd Morgan yn ddwfn i'w llygaid, cydiodd yn ei dwylo meddal a'u tynnu'n dyner.

'Y'ch chi'n gwrthod fy nghynnig?' heriodd y wraig.

'Wy' ddim am inni wneud dim byd y byddwn ni'n ei edifar yn y bore,' atebodd yn dawel ond yn gadarn, heb dynnu ei lygaid oddi arni.

Safodd y wraig yn llonydd o'i flaen am eiliad. Sylwodd Morgan ar y dagrau'n dechrau cronni yn ei llygaid a nodiodd ei phen fel pe bai effaith y ddiod yn diflannu, fel pe bai'n dechrau sylweddoli'r hyn a wnaeth. 'Ry'ch chi'n iawn,' meddai'n ddistaw. Cododd ei phen a'i gusanu'n dyner ar ei foch, 'Diolch – a nos da.' Trodd yn araf oddi wrtho, dychwelyd i'w hystafell a chau'r drws yn dawel.

Aeth Morgan yntau i'w ystafell ei hun ac ar ôl dadwisgo aeth i'w wely, gan feddwl am neb na dim heblaw am Elisabeth. Cysgodd yn drwm drwy'r nos.

* * *

'Na, mi fydd Mam yn cysgu tan hanner awr wedi wyth,' cydiodd Morwenna yn dyner yn llaw Arfon wrth y bwrdd brecwast.

'Feddylies i byth y byddai hi'n fy ngwahodd i aros dros nos,' meddai o ddifri.

187

'Wel, roedd hi wedi mynd braidd yn hwyr i ti yrru adre neithiwr ar ôl yr holl waith wnaethon ni – un fel'na ydi Mam.'

'Wyt ti'n meddwl ei bod hi'n gwbod?'

'Gwbod be?' edrychodd Morwenna arno'n ddireidus.

'Ti'n gwbod, dy fod ti a fi wedi … wel, ti'n gwbod,' cododd ei lygaid a gweld y wên ar ei hwyneb.

'Ydi siŵr,' gwasgodd Morwenna ei law, 'ac mi hoffwn i wneud yr un fath eto, ac eto, ac eto …' a throdd y wên yn chwerthin iach.

'Morwenna,' cododd Arfon a'i chusanu'n angerddol.

'Mae'n siŵr y dylet ti gychwyn am yr ysgol,' awgrymodd Morwenna wrth glywed Anwen yn dechrau symud yn y llofft.

'Rwyt ti'n swnio'n gwmws fel gwraig briod yn hala'i gŵr o'r tŷ!' gwenodd Arfon, cyn ystyried yr hyn roedd newydd ei ddweud.

'Nid fel hyn o'n i a 'ngŵr, wyddost ti,' atebodd Morwenna, gan gofio'r boreau hunllefus yng nghwmni Paul, y ddau yn eistedd wrth y bwrdd brecwast heb ddweud yr un gair a Paul yn gwthio Anwen o'r neilltu. 'Ydi, mae hyn mor braf,' gwenodd.

'Diawch, does gen i ddim dillad glân!' sylwodd Arfon yn sydyn.

Chwarddodd Morwenna eto, 'Dos di i gael cawod ac mi chwilia i am un o grysau Dad i ti. Dach chi tua'r un maint ac mae dy siwt di gen ti ers ddoe.' Oedodd Arfon wrth y drws, 'Be sy'n bod?'

'Beth fydd e'n ei ddweud pan glywith e am hyn.'

Sylweddolodd Morwenna pa mor ofnus oedd Arfon o'i thad, er, yn ei thyb hi, Morgan oedd y tad addfwynaf ar wyneb y ddaear. 'Wel,' rhybuddiodd, 'mater i chi'ch dau fydd hynny. Gwna'n siŵr na fyddi di'n eu baeddu nhw,' a chwarddodd eto wrth weld yr olwg ar wyneb ei chariad.

* * *

'Fe wnaethoch chi golli noswaith ddifyr iawn neithiwr,' meddai un o wragedd Hendy-gwyn wrtho wrth iddo lyncu ei frecwast yn frysiog. Unwaith eto, nid oedd Morgan wedi sylwi arnynt yn eistedd yn y gornel fach dywyll.

'Do, siŵr o fod,' gwenodd yn ôl.

'Y'ch chi'n aros yma'n aml?' gofynnodd un arall. Sylwodd Morgan fod y wraig â'r gwallt gwinau yn edrych braidd yn fregus ond cododd ei llygaid wrth glywed y cwestiwn.

'Dyma'r tro cyntaf,' cyfaddefodd.

'Fan hyn y'n ni wastad yn aros,' meddai'r drydedd, 'mae e'n lle mor gartrefol, on'd yw e?'

'Ydi, mae e,' gorffennodd Morgan ei goffi. Byddai ei dacsi yn disgwyl amdano, meddyliodd, felly cododd a thynnu ei siaced oddi ar gefn y gadair a'i gwisgo.

Rhoddodd ei law yn ei boced a theimlo darn o bapur. Beth oedd hwn, tybed? Doedd ganddo mo'r amser i edrych nawr.

'Y'ch chi'n mynd yn barod?' O'r diwedd, agorodd y wraig â'r gwallt gwinau ei cheg.

Edrychodd Morgan arni, 'Ydw. Maddeuwch i mi ond mae gen i gyfarfod pwysig y bore 'ma.'

'Cyfarfod pwysig arall?' cwynodd.

'Fe fyddwn ni wedi gadael cyn i chi ddychwelyd siŵr o fod. Efallai y gwnawn ni gyfarfod yma eto rhywbryd,' meddai'r wraig a ddechreuodd y sgwrs.

'A threulio mwy o amser 'da'n gilydd,' torrodd y wraig â'r gwallt gwinau ar draws ei ffrind.

Edrychodd Morgan arni. Daliodd hithau ei lygaid. 'Efallai,' gwenodd Morgan arni gan obeithio na fyddai'n eu gweld byth eto.

Ffarweliodd â'r pedair cyn gadael y gwesty, neidio i'w dacsi ac i ffwrdd ag ef i gyfarfod Gainlaw.

Cofiodd nad oedd wedi cael cyfle i ffonio Elisabeth.

PENNOD 20

Arhosodd y tacsi o flaen y gwesty moethus yng nghanol
Llundain lle'r oedd Gainlaw wedi trefnu i gyfarfod Morgan,
gan egluro y byddent yn cael llawer mwy o heddwch yno
yn hytrach nag yn swyddfeydd prysur y Gwasanaethau
Cudd. Talodd Morgan i'r gyrrwr a cherdded yn hyderus i
mewn i'r dderbynfa. Cydiodd rhywun yn ei fraich wrth iddo
ddisgwyl ei dro wrth y ddesg fawr a ymestynnai ar hyd ochr
y dderbynfa.

'Mister Alun Morgan?' gofynnodd y gŵr a safai wrth ei
ochr.

Trodd Morgan yn araf i wynebu'r dieithryn a safai gan
wenu'n siriol arno, 'Ie,' atebodd.

'Mae Gainlaw yn disgwyl amdanoch. Dilynwch fi,' a
thynnodd ei fraich yn ysgafn wrth ei arwain i gyfeiriad y
lifftiau. Ni ddywedodd yr un o'r ddau ŵr air wrth i'r lifft
godi i'r trydydd llawr a gadawodd Morgan i'r dieithryn ei
arwain ar hyd coridor hir arall, coridor digon moel ac
amhersonol heb ddim ond drysau'r gwahanol ystafelloedd
ar ei hyd, a phob drws yr un fath yn union â'r nesaf.
Gwyddai Morgan o brofiad fod pob ystafell yr un mor
amhersonol â'i drws – pob un yn nodweddiadol o westai
modern Llundain.

Cyrhaeddodd y ddau ben pellaf y coridor ac yno roedd
ystafell arbennig ar ei phen ei hun ond eto yn rhan o'r

coridor. Gwthiodd y dyn y drws ar agor a thywys Morgan i mewn. Roedd yr ystafell hon yn wahanol, wedi ei dodrefnu fel swyddfa fechan heb wely na chwpwrdd dillad na dim o'r pethau traddodiadol y disgwylid eu cael mewn ystafell gwesty.

'Mister Alun Morgan,' estynnodd Gainlaw ei law tuag ato heb godi o'i sedd, 'shwt wyt ti ers llawer dydd?'

'Wy'n iawn, diolch yn fawr a shwt wyt ti ...' cofiodd awgrym Elisabeth, '... cyw?' ychwanegodd.

'Q?' edrychodd Gainlaw arno'n syn. 'Nid Q ydw i, Morgan. Pennaeth adran y Dwyrain Pell ydi Q. Doeddet ti ddim yn gwbod hynny?'

'Oeddwn, wrth gwrs,' meddai Morgan yn dawel gan ffugio teimlo'n ffôl, 'beth sy'n bod arna i y dyddiau 'ma?' Nid dyna'r ymateb a ddisgwyliodd o gwbl. Oedd Elisabeth wedi bod yn iawn am y Gwyn Llewelyn gwreiddiol, tybed? Oedd Syr Wilson Mainwaring yn gywir pan honnodd nad un o'r gogledd oedd e? Penderfynodd wrando'n fwy astud ar ei dafodiaith. Hyd yn hyn nid oedd wedi sylwi ar unrhyw oslef ogleddol yn ei lais – roedd Morgan yn hen gyfarwydd â honno gan fod acen ogleddol gan Morwenna ac Elisabeth, er mai de Cymru oedd eu cartref bellach. Eisteddodd yn y gadair gyferbyn â Gainlaw.

'Ydi popeth yn iawn, Morgan?' gofynnodd ei feistr newydd.

'Ydi, am wn i ta beth.'

'Does gennych chi ddim problemau o gwbwl?'

'Nag oes.'

'Dim byd yn pwyso arnoch chi, dim byd yn amharu ar eich gwaith?'

I lle ddiawl oedd y sgwrs fach yma'n mynd, tybiodd?

Roedd y ddau wedi gorffen yfed eu coffi erbyn hyn wrth fân siarad am hyn a'r llall ond mwyaf sydyn, sylwodd Morgan fod y sgwrs wedi troi'n weddol ffurfiol a'r ' ti' wedi mynd yn 'chi'.

'Y'ch chi'n gweld, Morgan,' ymsythodd Gainlaw gan blethu ei freichiau a gosod ei ddau benelin ar freichiau'r gadair ledr, a daeth â'i fysedd at ei gilydd o'i flaen fel pe bai ar fin gweddïo, 'mae'n rhaid i mi ddweud wrthoch chi nad y'n ni'n hapus iawn.'

'Gyda beth?' holodd Morgan.

''Dyn ni ddim yn hapus gyda chi, y ffordd yr y'ch chi'n ymddwyn,' syllai Gainlaw arno.

'Dwi ddim yn deall ...' syllodd Morgan yn ôl ar ei feistr.

'Ie, wel, dyna'r broblem, Morgan. Mae'ch agwedd chi'n anghywir. Dych chi byth yn cysylltu â ni; does neb yn eich adnabod yn y gwasanaeth; dych chi erioed wedi anfon adroddiad atom ni i ddweud shwt y'ch chi'n ymdopi â'r sefyllfa lawr tua Pwll Gwyn ac Aberporth. Yn gryno, does gyda ni ddim syniad beth sy'n digwydd.'

'Pam? Ydi gwersyll Aberporth wedi ei lenwi ag ysbïwyr o Rwsia? Oes 'na sôn fod llwyth o arfau wedi eu mewnforio ar hyd yr arfordir? Ydi'r fyddin dros ryddid Cymru wedi gwneud bygythiadau?' arhosodd Morgan am atebion.

'Nag oes ond ...' dechreuodd Gainlaw ateb ei gwestiynau.

'Wel, dyna fe, 'te,' gwenodd Morgan, 'mae hynny'n profi pa mor effeithiol wy' wedi bod. Mae 'mhresenoldeb i yn ddigon i atal hyn i gyd.'

'Nid dyna'r pwynt, Morgan ...' ceisiodd Gainlaw gael trefn ar y sgwrs unwaith eto.

'Dyna lle'r y'ch chi a fi yn anghytuno felly, Gwyn,'

defnyddiodd yr enw yn fwriadol. 'Fy ngwaith i, yn ôl yr hyn wy'n ei gofio, yw gwneud yn siŵr nad yw'r pethe hyn yn digwydd, ac mae'n amlwg fy mod i'n llwyddiannus iawn. A dweud y gwir wrthoch chi, ro'n i wedi meddwl gofyn am godiad cyflog.'

'Codiad cyflog?!' syfrdanwyd Gainlaw gan ei awgrym, ''Machgen bach i ...'

Hoeliodd Morgan ei sylw ar y ffon a bwysai yn erbyn y wal y tu ôl i'w feistr. Cofiodd am Syr Wilson yn sôn am goes gam Gainlaw ac, am ryw reswm anhygoel, cofiodd Mari yn sôn am fab y Capten yn eu diddanu drwy esgus bod yn Charlie Chaplin ' ... â'i ffon fach yn chwyrlïo o amgylch y lle'. Erbyn hyn, nid oedd ond yn hanner gwrando ar eiriau Gainlaw; roedd ei feddwl ar bethau llawer mwy dyrys. Daeth lleisiau eraill i'w gof a geiriau'r bobl hynny yn llenwi'r atgofion fel drama radio:

Syr Wilson: '*Nid o'r gogledd ond o'r de.*'

Elisabeth: '*Mae'r Gwyn Llew Tomos ro'n i'n ei adnabod wedi hen fynd ... ro'n i yn y cynhebrwng hyd yn oed.*'

Mari: '*Welodd ei dad erioed mohono fe ar ôl iddo'i erlid o'r pentref, na chlywed unrhyw sôn amdano. Y peth diwetha wy'n cofio'r Capten yn ei ddweud amdano oedd: "Synnwn i damaid nad yw e wedi newid ei enw a'i fod e'n rheolwr banc yn rhywle!".*'

Atseiniai'r geiriau ar draws ei feddwl. Oedd hyn yn bosib? Nag oedd, siŵr Dduw. Ond wedyn, pam lai?

Mari: '*Roedd e'n actor da, chi'n gweld – ar un eiliad medrai daro arno ei fod yn ffermwr cefn gwlad gan siarad yn union fel un o'r ffermwyr lleol a'r funud nesaf byddai'n swnio'n union fel un o'r bobol fawr 'na o Loegr ...*'

Mab a oedd yn medru twyllo ei dad? A thad a oedd â chryn dipyn o wybodaeth – digon o wybodaeth i fedru paratoi dogfennau swyddogol, meddyliodd Morgan.

Syr Wilson: *'Wy'n siŵr mai o'r de y mae ynte'n dod hefyd.'*

Yr ymateb i 'cyw'.

Elisabeth: *'Roedd o'n swnio'n debycach i rywun o'r de – ti'n gwbod, rhyw acen debycach i Dylan Thomas neu Richard Burton wrth iddyn nhw geisio esgus eu bod nhw'n Saeson rhonc.'*

Oedd hi'n bosib i'r holl feddyliau hyn darddu o'r ffon a bwysai yn erbyn y wal? Na, na, roedd y peth yn chwerthinllyd.

Syr Wilson (yn uwch): *'Nid o'r cymoedd ond o'r de yn rhywle.'*

O orllewin Cymru, efallai, yn hytrach na de Cymru? Na, nid o'r cymoedd ond o Bwll Gwyn. Pwll Gwyn ger Aberteifi – cartref Sam James. Oedd hi'n bosib mai Gainlaw oedd William, mab Capten Williams?

Peidiodd Morgan feddwl am y peth ymhellach. Roedd e wedi mynd dros ben llestri y tro 'ma. Roedd e eisoes wedi camgymryd cysylltiad yr isfyd a Lisa Capelo â'r ddamwain a gwyddai ei fod yn anghywir ynghylch Gainlaw hefyd. Ble'r oedd y dystiolaeth? Ble'r oedd yr awgrym? Serch hynny byddai'n blot gwych ar gyfer drama dditectif rhyw ddydd, meddyliodd! Sylweddolodd yn sydyn fod Gainlaw wedi gofyn cwestiwn iddo a'i fod yn disgwyl ateb.

'Fe fydd yn rhaid i mi feddwl am 'na,' atebodd Morgan, heb unrhyw syniad beth oedd y cwestiwn. Roedd wedi bod yn mwytho'i graith â'i fys wrth i'r holl feddyliau redeg yn wyllt o'r naill beth i'r llall.

'Meddwl am beth? Mae'r cyfan yn hollol glir, bydd yn rhaid i chi naill ai newid eich ffordd a gwneud pethe yn ôl y drefn neu fe fydd yn rhaid i ni adael i chi fynd, i ddychwelyd i'ch ymddeoliad cynnar ym Mhwll Gwyn.'

'Dwi ddim yn gweld fy hunan yn newid fy ffordd a dweud y gwir, Gwyn. Wrth gwrs, mae gan Bwll Gwyn lawer o atyniadau, yn enwedig nawr â'r haf rownd y gornel. Fe fydd hi'n braf mynd i fracso yn y môr fel roeddwn i'n arfer ei wneud pan o'n i'n grwt.'

'Does dim byd tebyg pan fydd hi'n dwym,' cytunodd Gainlaw.

'O'ch chi'n arfer bracso hefyd?' gofynnodd Morgan yn ysgafn.

'Gyda'r cyntaf bob blwyddyn; bracso yn y tonnau â'r merched yn gwichal fel wn i ddim beth,' tynerodd wyneb Gainlaw wrth iddo wenu.

Llais Elisabeth (pan ddaeth i Awel Deg am y tro cyntaf): '*Padlo, ti'n gwbod, rhoi dy draed yn y dŵr.*'

Yntau'n ei hateb yn heriol: '*Bracso y'n ni'n galw rhywbeth fel'na, nid padlo. Ma' padlo'n rhywbeth hollol wahanol, rhywbeth ti'n ei wneud mewn canŵ.*'

Elisabeth (yn ei wawdio): '*Bracso, pa fath o air ydi hwnnw?*'

Ac eto roedd Gainlaw, Gwyn Llew Tomos o Fethesda, yn arfer bracso. Ai'r 'merched' oedd yn arfer gwichal, Gainlaw neu'r 'genod' pan oeddet yn 'grwt' – neu ai 'hogyn' oeddet ti bryd hynny? Daeth y caledrwydd yn ôl i lygaid Morgan. Syllodd yn oeraidd ar Gainlaw.

'Dych chi'n ddim mwy o gog na fi, Gwyn Llew, neu beth bynnag yw eich enw iawn. Pwy y'ch chi mewn gwirionedd? O ble'r y'ch chi'n dod yn wreiddiol? Pam cynnal y cyfarfod yma mewn gwesty yn hytrach nag yn eich swyddfa?' Safai Morgan ar ei draed erbyn hyn gan edrych i lawr ar Gainlaw a oedd yn dal i eistedd yn y gadair esmwyth. Wrth gwrs – y gwesty! Yr un gwesty moethus yng nghanol y ddinas ble cafwyd hyd i foto-beic Sam James! Edrychodd Morgan yn graff ar wyneb crychlyd y gŵr o'i flaen ond ni sylwodd ar ei fraich yn codi'n sydyn; ni theimlodd y pigiad yn cael ei wthio i'w gnawd, na'r hylif yn cael ei chwistrellu'n sydyn.

Y peth olaf a welodd Morgan cyn iddo gwympo'n swrth ar y carped trwchus oedd llygaid a gwên yr hen Gapten Williams yn syllu arno.

* * *

Cerddai'r Comander yn araf ar hyd y coridor. Ni ddychmygodd erioed y byddai'r achlysur hwn yn cyrraedd ond gwyddai bellach mai hon oedd yr awr. Teimlai'n siomedig wrth deimlo ei fod yn gorfod troi cefn ar ffrindiau a chydweithwyr, ond ar y llaw arall, ei ddyfodol ef a'i wraig oedd yn bwysig erbyn hyn. Treuliodd ei yrfa gyfan yn gwasanaethu eraill; ei dro ef a Dorothy oedd hi bellach. Arafodd ei gerddediad, rhoddodd ei law yn ei boced, tynhaodd ei dei, llyncodd ei boer a syllu ar yr enw ar y drws o'i flaen. Curodd arno'n ysgafn cyn clywed y gwahoddiad i fynd i mewn ac agorodd y drws yn araf.

'Edgar,' safodd Syr David Green – 'Dixonofdock' i'w gydweithwyr agos, prif gwnstabl heddlu'r brifddinas a heddwas pwysica'r wlad – i gyfarch y Comander gan gyfeirio at gadair gyfagos. Eisteddodd y ddau.

'Be sy'n dy boeni di?' holodd Syr David. Roedd e'n adnabod y Comander ers blynyddoedd. Roedd gyrfa'r ddau wedi cychwyn ar yr un pryd, mewn oes arall, cyn i'r rhyfel ddechrau a chwalu popeth am byth.

'Yn anffodus, David,' ochneidiodd y Comander, 'dyw pethe ddim fel dylen nhw fod.'

'Rwyt ti'n dweud wrtha i!' Chwarddodd y prif gwnstabl yn ysgafn ond sylwodd nad oedd ei hen ffrind yn gwneud yr un fath. 'Gwaethygu mae hi hefyd, er gwaetha ein hymdrechion ni i wella pethe. Diawch, wyt ti'n cofio shwt oedd hi pan ddechreuon ni? Yr heddlu'n cael parch, gobeithion yn uchel ...'

'Mae'r dyddiau hynny wedi hen fynd,' torrodd y Comander ar ei draws.

'Rwyt ti'n iawn,' cyfaddefodd Syr David, 'a dwi ddim yn eu gweld nhw'n dod 'nôl chwaith, yn anffodus.'

Arhosodd y Comander am ennyd i geisio penderfynu sut i dorri'r newydd i'w feistr. Ni allai feddwl am yr un ffordd hawdd. 'Wy'n ymddeol,' meddai o'r diwedd, yn blwmp ac yn blaen.

'Ro'n i'n hanner disgwyl hyn,' edrychodd Syr David ar ei ddwylo. 'Ro'n i wedi bod yn pendroni pam oeddet ti eisiau'r sgwrs fach ffurfiol hon mor sydyn. Beth yw barn Dorothy am hyn?'

'Dyw hi ddim yn gwbod am y cyfarfod 'ma.'

'Tair neu bedair blynedd arall ac fe fydde'r ddau ohonom yn gadael ar yr un pryd,' gwenodd Syr David, 'a'r ddau ohonom wedi hen wneud ein siâr.'

'Tair neu bedair blynedd arall' – atseiniai'r geiriau drwy feddwl y Comander. Rhoddodd ei law yn ei boced a thynnu amlen wen ohoni. 'Yn anffodus, wy' wedi derbyn hwn,' ac estynnodd yr amlen dros y ddesg.

Edrychodd Syr David arno heb yngan gair. Agorodd yr

amlen yn araf. Tynnodd y llythyr ohoni a'i ddarllen yn ofalus – llythyr swyddogol oddi wrth brif feddyg yr heddlu yn dweud nad oedd calon y Comander yn ddigon cryf iddo barhau i weithio dan bwysau ei swydd bresennol ac y byddai'n rhaid iddo naill ai weithio mewn swydd â llai o gyfrifoldeb neu ymddeol.

'Dwi ddim yn dy weld di'n gwneud dim byd arall, wyt ti?' edrychodd Syr David yn drist arno.

'Nac ydw,' cytunodd y Comander.

'Ymddeoliad amdani felly?' awgrymodd ei gyfaill.

'Ymddeoliad.'

'Ymddeoliad ar sail afiechyd?' cododd Syr David ei aeliau.

'Ie, yn anffodus,' cytunodd y Comander.

'Ydi'r meddyg wedi dweud faint o amser sy' gen ti?'

'Blwyddyn neu ddwy, gyda lwc, os na wna i newid fy swydd; oes faith os edrycha i ar f'ôl fy hunan, hynny yw, cymeryd y moddion ac ymddeol,' atebodd y Comander yn dawel.

'Does dim amheuaeth, felly,' gwenodd Syr David eto. 'Bydd Dorothy'n gwneud yn siŵr dy fod yn cymryd y moddion ac yn edrych ar dy ôl di tra byddi dithau o dan ei thraed drwy'r dydd.'

'Mae'n swnio'n baradwysaidd, dwyt ti ddim yn cytuno?' meddai'r Comander yn nawddoglyd.

Gwyddai'r ddau y byddai'r Comander yn derbyn iawndal sylweddol – gan mai ei swydd fu'n gyfrifol am yr afiechyd – yn ogystal â phensiwn swmpus ar ôl gweithio am gyfnod maith i'r heddlu. Edrychodd y prif gwnstabl ar y Comander a dechrau chwerthin a'r tro yma ymunodd y Comander ag ef gan deimlo'r pwysau'n codi oddi ar ei ysgwyddau. Teimlodd ryddhad o'r diwedd.

'Edgar, wyt ti'n fodlon aros deufis imi chwilio am rywun i gymryd dy le di?'

'Wrth gwrs,' atebodd y Comander.

'Yn anffodus, mae Alun Morgan wedi'n gadael ni – fe oedd y ffefryn, fe oedd y dirprwy. Wyt ti'n meddwl y byddai'n ystyried dychwelyd?'

'Wy' eisoes wedi gofyn iddo fe,' atebodd y Comander. 'Dim gobaith. Cofia, dwi ddim yn gweld bai arno fe.'

Edrychodd y ddau ar ei gilydd. 'Na, na,' meddai Syr David yn drist, 'Trueni, serch hynny.

* * *

Gwenai Morwenna'n hapus wrth edrych ar ei mam yn cerdded ar draws y traeth ac Anwen yn rhedeg o'i blaen gan aros yn ei hunfan yn awr ac yn y man i wneud yn siŵr bod ei nain yn ei dilyn. Gwyliodd Anwen yn nesáu at lan y dŵr cyn camu'n bryderus i'r môr yn ei hesgidiau rwber ac yna'n eistedd yn y tywod gwlyb. Cerddodd Elisabeth ati ac fe allai Morwenna ddychmygu llais ei mam yn ceryddu ei hwyres fach yn dyner wrth rwbio'r tywod gwlyb oddi ar ei dillad. Gafaelodd Anwen yn llaw ei nain a cherddodd y ddwy oddi wrth y tonnau a gusanai'r tywod yn dawel.

'Na, mae'n rhaid i ti gerdded, 'nghyw bach i. Dydi Nain ddim i fod i dy gario di,' meddai Elisabeth yn dyner, 'Dim ond Dad-cu sy'n medru dy gario di ar ei ysgwyddau, felly mae'n rhaid i ti gerdded.'

Roedd Elisabeth wedi gobeithio cyrraedd cyn belled â Charreg y Fuwch ond buan y sylweddolodd na allai'r fechan gerdded yr holl ffordd yno ac yn ôl heb gael ei chario.

Edrychodd ar Anwen wrth iddi fynnu gollwng ei gafael a rhedeg yn rhydd ar draws y traeth. Plygai bob hyn a hyn â'i phen-ôl gwlyb yn yr awyr wrth iddi godi carreg neu gragen neu ddyrnaid o dywod sych, meddal. Roedd y tywydd wedi bod yn sych am rai dyddiau ond gallai Elisabeth weld cymylau duon yn ymgasglu ar y gorwel a gwyddai na fyddai'r glaw yn hir yn cyrraedd.

Edrychodd ar draws y traeth i gyfeiriad y ffrwd a dychmygodd honno'n byrlymu'n wyllt i lawr y clogwyn unwaith y byddai'r glaw yn cyrraedd. Yna sylwodd fod Mari hefyd ar y traeth yn ei ffrog ddu gyfarwydd, yn amlwg yn casglu rhywbeth. Cerddodd Elisabeth tuag ati.

'Dach chi'n brysur iawn, Mari,' gwaeddodd wrth nesáu at yr hen wraig. Sythodd hithau gan daro un llaw ar ei chefn yn boenus. Sylwodd Elisabeth mai hel darnau o froc môr oedd ei chymdoges.

'Elisabeth fach, wy'n casglu'r hen bren 'ma tra mae e'n dal yn sych. Fe fydd e'n gwlychu'n glou unwaith y daw'r glaw 'co. Oes angen peth arnoch chi?'

Cofiodd Elisabeth am y pentwr coed tân oedd yn y cwt glo. 'Na, mae Alun wedi sicrhau bod digon acw, diolch yn fawr ichi,' atebodd.

'Mae angen tân arna i, er bod y gaea'n cilio a'r gwanwyn yn dechrau dangos ei liw,' meddai Mari, 'ond wy'n dal i deimlo'r oerni ym mêr fy esgyrn – henaint ni ddaw ei hunan, unwaith eto!'

Sylwodd Elisabeth fod Mari'n crynu ond ni ddywedodd air gan fod yr hen wraig yn amlwg yn ceisio cuddio'i hoerfel. I newid cyfeiriad y sgwrs trodd ei phen ac edrych i fyny ar y graig uwchben. 'Mae Troed y Rhiw ar ben clogwyn hefyd on'd ydi o, Mari, ond doeddwn i ddim wedi sylweddoli ei fod o mor uchel chwaith.'

'Ydi wir,' trodd Mari ei phen tuag at ei chartref, 'ond ddim cweit mor uchel ag Awel Deg.'

'Na'r ffrwd,' ychwanegodd Elisabeth.

'O, does dim byd yn uwch na'r ffrwd,' cytunodd Mari ac edrychodd y ddwy draw ar hyd y traeth.

'Oes 'na lwybr i fyny i'w ben o?' gofynnodd Elisabeth ymhen ychydig.

'Roedd 'na un unwaith pan oeddwn i yn groten fach,' camddeallodd Mari'r cwestiwn, gan feddwl mai cyfeirio at ei chartref wnâi Elisabeth, yn hytrach na'r ffrwd, 'ond wrth gwrs, mae e wedi hen ddiflannu erbyn hyn, yn union fel rhannau o'r ardd, mae rhannau helaeth o honno wedi cwmpo i lawr ar y creigiau dros y blynyddoedd – diolch byth bod yr hen Gapten wedi rhoi'r ffens fach bren 'na ar waelod yr ardd 'weda i.'

Daeth tawelwch eto wrth i Elisabeth geisio gwneud synnwyr o'i hateb.

'Mae'r ferch fach yn mwynhau ei hunan ar y traeth,' nodiodd Mari ei phen tuag at Anwen a chwarddodd y ddwy wrth weld yr wyneb a'r gwallt tywodlyd, heb sôn am ei dillad.

'Alun sy'n dod â hi i lawr i'r traeth fel arfer,' eglurodd Elisabeth, 'ac mae o'n gadael iddi wneud fel fyd a fynno hi. Arhoswch chi, mi fydd y tywod 'na yn ei llygaid hi unrhyw funud rŵan ac wedyn mi fydd 'ma le.' Ac ar y gair dechreuodd Anwen sgrechian â'i cheg a'i llygaid yn llawn tywod.

Rhedodd Elisabeth tuag at ei hwyres a'i chodi yn ei breichiau i'w chysuro, cyn sylweddoli ei bod wedi gwneud hynny heb unrhyw boen o gwbl. Gwenodd yn llawen wrth ffarwelio â Mari a chariodd Anwen yr holl ffordd yn ôl i Awel Deg gan rhwbio'r tywod yn dyner o'i gwallt ac oddi ar ei hwyneb a'i dillad.

Cofiodd yn sydyn nad oedd Morgan wedi galw arni y bore hwnnw, er ei fod wedi addo. Teimlodd don sydyn o ddiflastod. Er nad oedd ganddi unrhyw newyddion i ddweud wrtho, ysai i glywed ei lais, ond hyd yma ni ddaethai'r alwad.

PENNOD 21

Nid oedd gan Alun Morgan unrhyw syniad ble'r oedd pan ddeffrodd o'i drwmgwsg annaturiol. Curai gordd y tu mewn i'w ben ac roedd ei lygaid yn llosgi gymaint fel na wyddai a allai eu hagor. Roedd cadach wedi ei glymu'n dynn am ei lygaid ac un arall am ei geg. Yn araf, daeth i deimlo ei fod yn gorwedd ar fwrdd neu wely caled, fod ei ddwylo wedi eu clymu y tu ôl i'w ben, ei goesau ar led a'i ddwy droed hefyd wedi eu clymu, gerfydd ei figyrnau, bob ochr i waelod y gwely. Teimlai'n oer a sylweddolodd ei fod yn hollol noeth.

Clywai synau cyfarwydd o'i amgylch. Roedd sŵn cerbydau'n gwibio heibio ac fe synhwyrodd ei fod yn agos i briffordd yn rhywle. Oedd 'na rywun yn gweiddi y tu allan, neu ai sŵn rhywbeth arall oedd yno? Dere 'mlân, Alun, ceryddodd ei hunan, defnyddia dy synhwyrau.

Ceisiodd gofio sut y cyrhaeddodd yno. Teimlai ei fod ar ei ben ei hunan a'i fod mewn tywyllwch – o leiaf roedd hynny'n rhywfaint o gysur, nad oedd neb yno i weld ei noethni, ond gwyddai nad felly y byddai cyn hir. Ceisiodd symud ei freichiau a thynnu'r rhaff a oedd yn ei glymu mor dynn ond ofer fu'r ymgais. Digwyddodd yr un peth wrth iddo geisio symud ei goesau. Ceisiodd dynnu ei freichiau am i lawr a'i goesau am i fyny ar yr un pryd i weld a fyddai hynny'n ei ryddhau o'i gaethiwed, ond, er ei fod yn ŵr cyhyrog, methodd symud modfedd. Roedd popeth wedi ei glymu'n dynn a gwyddai ei fod yn gaeth, heb unrhyw obaith rhyddhau ei hunan.

Dechreuodd gofio hyn a'r llall wrth i'w feddwl ddod yn fwy clir. Cofiai fod mewn cyfarfod â Gainlaw ond methai gofio ei ddiwedd. Tybed a oedd yr ymosodiad wedi digwydd yn ystod y cyfarfod hwnnw? Cofiai weiddi ar Gainlaw ond methai'n lân â chofio pam. Penderfynodd weiddi, neu o leiaf gwneud rhyw fath o sŵn drwy'r cadach, yn y gobaith y byddai rhywun gerllaw yn ei glywed, rhywun a allai ei achub. Gwyddai pa mor annhebygol oedd hynny ond gwaeddodd beth bynnag, o leiaf roedd hynny'n well na gwneud dim byd ond gorwedd yn ddiymadferth.

Clywodd ddrws yn agor yn agos iddo; teimlodd awel oer yn taro ei gorff, teimlodd rywun yn sefyll wrth ei ymyl. Pwy oedd yno, tybed? Pwy oedd yn syllu ar ei gorff noeth – ai dyn neu wraig? Ond yn waeth na hynny – sawl un oedd yno?

'Wel, wel, ry'ch chi wedi deffro o'r diwedd,' meddai llais gwraig ag acen gocnïaidd gref. Clywai Morgan arogl persawr rhad yn ei ffroenau wrth i'r wraig blygu drosto a chusanu ei gorff. Trodd ei ben oddi wrthi, gan ddiolch nad oedd hwnnw wedi ei glymu hefyd. Gwingodd wrth deimlo bysedd y wraig yn mwytho'i gorff yn araf.

'Dyna braf cael rhywun fel chi yma,' meddai â chwerthiniad bach yn ei llais. Symudodd ei bysedd yn is ac yn is nes bod ei llaw yn oedi ar waelod bol Morgan, 'rhywun golygus, cyhyrog; mor wahanol i'r arfer.' Roedd ei llaw yn mwytho'i bidyn yn dyner erbyn hyn. Ceisiodd Morgan droi er mwyn symud ei gorff o'i gafael.

'Ooo, edrychwch arno fe'n chwyddo,' dyfnhaodd ei llais, 'fe fydd yn rhaid i ni wneud rhywbeth am 'na.'

'Gadewch lonydd iddo fe er mwyn tad, fenyw!'

Adnabyddodd Morgan y llais main yn syth ac am unwaith, roedd yn ddiolchgar fod Gainlaw yno.

* * *

Fel aelod ffyddlon, roedd Syr Wilson Mainwaring yn hoff o giniawa yng nghlybiau moethus a llewyrchus y brifddinas. Fel arfer byddai'n archebu lle ar ei ben ei hun gan wybod y byddai rhyw aelod arall o'r clwb yn siŵr o ymuno ag ef, boed hwnnw'n aelod seneddol, yn gyfreithiwr, neu hyd yn oed yn aelod o'r teulu brenhinol – dyna sut un oedd Syr Wilson Mainwaring. Ond heddiw, yn groes i'r arfer, roedd wedi trefnu i gyfarfod Philip Smythe, neu'r darpar 'Syr' Philip Smythe, cadeirydd banc ifanc iawn o'i gymharu â chadeiryddion banc arferol.

Bu'r ddau yn sgwrsio am hyn a'r llall wrth fwynhau'r ddau gwrs cyntaf a'r prif gwrs, gan roi'r byd yn ei le fel ag y gwna pwysigion o'r fath.

'Y'ch chi'n cofio Alun Morgan?' gofynnodd Syr Wilson yn sydyn.

'Y Ditectif Brif Uwcharolygydd Alun Morgan y'ch chi'n ei feddwl?' atebodd ei gyfaill.

'Ie,' a chymerodd Syr Wilson lwnc arall o'r gwin drud.

'Ydw wrth gwrs, shwt y medrwn i ei anghofio fe? Oni bai amdano fe fyddwn i byth wedi cyrraedd ble'r ydw i heddiw,' meddai Smythe gan ddilyn ei gyfaill i werthfawrogi blas y gwin.

'Shwt hynny?' synnwyd Syr Wilson gan ei ymateb.

Yn yr un modd, synnwyd Smythe nad oedd Syr Wilson yn gwybod yr hanes, neu tybed ai wedi anghofio oedd e? Bid a fo am hynny, dechreuodd adrodd y stori.

'Yn ôl yn nechrau'r pum degau, pan oeddwn i'n gyfrifol am bedair cangen, fe ddiflannodd llawer o arian ac amryw bethe eraill o'r canghennau yn ystod penwythnos y Pasg. Wrth gwrs, roedd y penaethiaid yn fy nghyhuddo i gan ddweud na fûm i'n ddigon gofalus ac mai 'nghyfrifoldeb i oedd diogelu'r pethe hyn, ac yn y blaen. Ry'ch chi'n gwbod shwt mae penaethiaid yn gallu bod – dweud unrhyw beth i osgoi gorfod cymryd y bai arnynt eu hunain.' Cymerodd seibiant tra dewisai'r ddau bwdin oddi ar y fwydlen. 'Ymhen ychydig oriau sylweddolais y byddwn yn cael fy offrymu ar allor y banc, fel petai.'

'Beth ddigwyddodd?' holodd Syr Wilson, yn bendant nad oedd wedi clywed yr hanes hwn o'r blaen.

'Alun Morgan oedd yn arwain yr ymchwiliad – wrth gwrs, doedd e ddim yn Dditectif Brif Uwcharolygydd ar y pryd – ond ymhen tridiau roedd e wedi darganfod fod dau o weithwyr y banc, dau â swyddi gweddol uchel, yn gysylltiedig â'r isfyd ac yn tynnu cyflog helaeth am eu gwaith yn ogystal â chyflog arferol y banc. Fe ddaeth ar draws yr ysbail ac arestio'r rhai oedd yn gyfrifol. Mae'r ddau yn y carchar o hyd ac aelodau'r isfyd yn yr un lle.' Oedodd am ennyd cyn parhau, 'Ydi, mae 'nyled i'n fawr i Alun Morgan.'

'Nid chi yw'r unig un,' cytunodd ei gyfaill, cyn mynd ati i sôn am Morgan a'i ymddeoliad o'r heddlu er mwyn medru bod gyda'i wraig. 'Ond mae ganddo broblem fach – problem y medrwch chi fod o gymorth i'w datrys, wy'n credu.'

'Roeddwn i'n amau fod 'na reswm amgenach i'r cinio 'ma,' chwarddodd Smythe, 'Sut y galla i helpu?'

Eglurodd y cyfreithiwr beth oedd y broblem ac wrth iddo adrodd yr hanes, dechreuodd Philip Smythe ysgrifennu nodiadau yn ei lyfr bach, gan ofyn i Syr Wilson ailadrodd ambell beth, yn enwedig yr enwau.

'Peidiwch â phoeni,' gwenodd wrth gadw ei lyfryn bach yn ôl yn ei boced, 'alla' i ddim goddef ymddygiad o'r fath. Gadewch i mi feddwl am y ffordd orau i ddatrys hyn ac fe gysylltaf yn ôl yn syth.'

Teimlai Syr Wilson fod y cinio wedi talu ar ei ganfed, yn enwedig gan mai Morgan fyddai'n talu amdano rywsut neu'i gilydd!

* * *

Teimlodd Morgan flanced yn cael ei thaflu drosto i guddio'i noethni. 'Mae'n ddrwg gen i, Alun, nid fel hyn yr oedd pethe i fod.' Tynnwyd y rhwymyn oddi ar ei wyneb ac fe'i dallwyd am eiliad gan y golau llachar a gwaethygu'r cur yn ei ben. Yn araf bach edrychodd o'i amgylch. Gwelodd ei fod wedi cael ei glymu ar wely a'i garcharu mewn ystafell front yr olwg. Roedd 'na gwpwrdd, bwrdd a chadair digon ddi-raen a ffenest fechan gyda'r llenni wedi eu hagor. Yna edrychodd i wyneb Gainlaw. Gwelai dristwch a siom yn llenwi ei lygaid, 'Nage, nid fel hyn o gwbwl,' meddai hwnnw wrth roi ei law ar fynwes Morgan. Pallodd Morgan ddweud gair.

'Ti'n gweld, Alun, pe na byddet ti wedi amharu ar fy nghynlluniau i, fe fydde popeth wedi bod yn iawn. Ond nid ti yn unig sy' ar fai, o nage, ddim o gwbwl. Nage, nage, nage, ddim o bell ffordd.' Herciodd oddi wrth Morgan draw at y gadair fechan a'i gwthio at erchwyn y gwely cyn eistedd.

'Ro'n i'n gwbod yn iawn y byddet ti'n broblem ond fe wnes i gamgymeriad drwy roi fy ffydd yn eraill i wneud y gwaith y dylwn i fod wedi ei wneud fy hunan. Sam James oedd un – wyt ti'n ei gofio fe?'

Syllodd Morgan arno heb ddweud gair. Roedd y niwl yn ei ben yn dechrau chwalu ond roedd syched aruthrol arno.

'Fe wnes i dalu i'r diawl ymosod arnat ti ac egluro iddo pwy oeddet ti. Roedd e'n dy adnabod yn iawn, medde fe. Fe ddywedais i wrtho ble'r oeddet ti'n byw, pa fath o gar oedd gyda ti … popeth. A beth wnaeth e? Ymosod ar dy wraig yn hytrach na ti, ond yn waeth na hynny, wnaeth e ddim ffwdanu i archwilio'r car ar ôl y ddamwain i wneud yn siŵr dy fod wedi cael dy ladd. Wrth gwrs, roedd yn rhaid i mi gael gwared ar y twpsyn yn fuan neu fe fyddai wedi … ond dyna fe, fy musnes i yw hynny.' Siaradai Gainlaw fel pe bai mewn breuddwyd ac nid oedd arlliw o euogrwydd ar ei wyneb wrth iddo gyfaddef hyn. 'Ond i fod yn onest, fe fyddwn i wedi cael ei wared e ta beth fyddai wedi digwydd.'

'Dŵr,' meddai Morgan yn dawel. Deallodd Gainlaw a chodi'n sigledig oddi ar y gadair cyn hercian draw at y bwrdd. Gwelodd Morgan fod 'na botelaid o ddŵr ac amryw bethau eraill arno. Dychwelodd Gainlaw â'r botel yn ei law. Tywalltodd ychydig yn araf i geg Morgan.

'Dy annwyl wraig, wrth gwrs, gafodd ei hanafu yn dy le di. Mae'n ddrwg calon gen i am hynny, Alun. Camgymeriad oedd e, cred di fi.' Syllodd Gainlaw i fyw llygaid Morgan a bu ond y dim iddo yntau ei gredu 'Roedd gen i chwaer fach o'r enw Elisabeth unwaith,' ychwanegodd â thristwch yn ei lais.

'Beth wyt ti ishe, Gainlaw – neu a ddylwn i dy alw'n William nawr?'

'Dy ddewis di, Alun. Mae'n amlwg dy fod yn gwbod pwy ydw i bellach.'

'Dwyt ti ddim yn haeddu cael dy alw'n fab i'r Capten,' meddai Morgan yn hallt.

'O, paid â bod fel'na, Alun,' gwyrodd Gainlaw yn nes ato i dywallt rhagor o ddŵr i'w geg, 'doedd 'nhad ddim mor ddilychwin â hynny cofia. Tipyn o angel pen ffordd a diawl pen pentan oedd yntau hefyd mae arna' i ofn. Ro'n i yn parchu 'nhad, ond Mam o'n i'n ei charu.' Edrychodd eto i fyw llygaid Morgan, 'Nawr 'te, Alun, fedrwn ni fod yn ffrindiau? Wy' ishe i ni fod yn ffrindiau.'

Arhosodd Morgan yn dawel wrth gofio Mari yn dweud hanes gwraig Capten Williams wrtho. 'Os y'ch chi ishe i ni fod yn ffrindiau, tynnwch y rhaff 'ma oddi ar fy nwylo a 'nhraed,' awgrymodd ymhen ysbaid.

Chwarddodd William yn ysgafn, 'Fe wna' i, Alun bach, yn syth ar ôl iti ateb un cwestiwn bach syml.' Gwyrodd yn nes at y gwely unwaith eto ond heb gynnig rhagor o ddŵr y tro hwn, 'Ble mae'r dogfennau, Alun?'

Edrychodd Alun arno, 'Pa ddogfennau?' gofynnodd.

'O, dere nawr, Alun, paid â meddwl 'mod i'n dwp fel hwnna yn y banc a'i gyfaill. Fe wyddost ti'n iawn pa ddogfennau.'

'Cer i'r diawl,' atebodd Morgan yn dawel.

'O'r gorau, fe adawa' i lonydd i ti am dipyn. Efallai y byddi di wedi cofio erbyn i mi ddychwelyd.' Cododd Gainlaw a cherdded at y drws gan bwyso ar ei ffon. Daeth dau ŵr i mewn i gymryd ei le. Adnabyddodd Morgan un ohonynt – y gŵr a aeth ag e i'r ystafell yn y gwesty. Gwyliodd y ddau yn camu tuag ato cyn cydio yn y cadachau a'u rhwymo'n ôl yn dynn o amgylch ei ben unwaith eto. Gwingodd ei gorff wrth iddo gael ei bwnio'n galed yn ei ystlys dde ac yna'r un chwith dro ar ôl tro cyn i'r ddau adael yr ystafell.

* * *

210

'Mae rhywbeth wedi digwydd i Alun,' meddai Elisabeth, 'mae hi bron yn amser gwely a dydi o byth wedi galw. Dwi'n gwbod fod rhywbeth wedi digwydd iddo fo.'

'Efallai ei fod o'n methu dod o hyd i i ffôn,' awgrymodd Morwenna, gan sylweddoli'n syth pa mor wan y swniai ei chysur.

'Yn Llundain? Methu dod o hyd i ffôn yn Llundain?' cododd Elisabeth ei llais, 'A chyn i ti ddweud rhywbeth arall twp, mae'n ffôn ni yn gweithio'n berffaith?'

Daeth tawelwch rhwng y ddwy unwaith eto. Roedd Elisabeth wedi bod yn teimlo'n anghysurus drwy'r prynhawn a gwyddai erbyn hyn fod rhywbeth wedi digwydd i'w gŵr – ond beth fedrai hi ei wneud? Cododd o'i chadair yn araf a cherdded at y ffôn cyn deialu rhif o'r llyfr. Ar ôl cael ateb ar y pen arall, dechreuodd holi hanes ei gŵr.

'Na, dwi ddim yn credu ei fod wedi dychwelyd ers pan adawodd y bore 'ma,' atebodd Ifor Roberts o'r gwesty, 'wnaeth e ddim dweud nad oedd e'n bwriadu swpera yma heno chwaith, er, mae e wedi bod mas y ddwy noson ddiwetha, felly pwy a ŵyr? Hoffech chi i mi ofyn iddo fe eich ffonio pan ddaw e'n ôl?'

'Mas y ddwy noson ddiwetha?' meddai Elisabeth wrthi ei hun ar ôl diolch i'r gŵr ar ben arall y ffôn. Cofiai iddo ddweud ei fod yn swpera gyda'r Comander a Dorothy y noson cynt, ond noson gynnar ar ôl y daith hir oedd ei noson gyntaf yn Llundain i fod. Ble'r oedd o y noson honno felly, mewn gwirionedd? Pa gyfrinachau oedd o'n eu cuddio oddi wrthi y tro hwn – a pham? A ble'r oedd o heno a hithau'n tynnu am naw o'r gloch?

'Lle'r wyt ti, cariad bach? Be wyt ti'n ei wneud?' gofynnodd yn dawel.

Camodd Elisabeth i fyny'r grisiau yn araf a thawel. Diolchodd fod ganddi estyniad i'r ffôn yn ymyl ei gwely – y gwely a deimlai mor unig ac oer y noson honno – ond serch hynny, ac er iddi wneud ei gorau glas i beidio cysgu, nid oedd y ffôn wedi canu cyn iddi gwympo i freichiau cwsg anghysurus.

* * *

'Gwna di'n siŵr eu bod nhw i gyd yn lân cyn dod â nhw'n ôl,' chwarddodd Morwenna wrth glywed Arfon yn egluro ei fod am ddod draw i ddychwelyd y dillad a fenthyciodd y noson cynt.

'Wy' wedi'u golchi nhw ond fentra i ddim smwddo crys,' eglurodd.

'Pam na wnei di ddod draw am y penwythnos? Mi wna i ei smwddio tra byddi di'n diddori Anwen,' awgrymodd Morwenna gan guddio'r gwir ei bod yn ysu am ei weld, am gael cydio ynddo a theimlo'i freichiau cryfion yn ei hanwesu.

'Fe fydde hynny'n braf,' atebodd, 'ac yn gyfle i mi gael rhagor o awgrymiadau am y cynlluniau hanes gan dy fam.

'Dyna i gyd wyt ti ishe?' gofynnodd Morwenna'n siomedig.

'Nage,' dychmygodd Arfon wyneb Morwenna yn gwenu, 'fe hoffwn i weld Anwen fach eto.'

Chwarddodd y ddau. Byddai Arfon yn mynd draw nos Wener ar ôl yr ysgol. Aeth Morwenna i'w gwely yn fwy na bodlon, heb ystyried tybed a oedd ei thad wedi ceisio ffonio adref – efallai.

PENNOD 22

Teimlodd Morgan y rhaffau'n llacio wrth i ddwylo cryfion ddatod y clymau. Ni wyddai beth oedd yn digwydd ond roedd yn falch o gael y cyfle i rwbio'i arddyrnau er mwyn i'r gwaed lifo'n ôl. Doedd ganddo ddim syniad faint o amser a aeth heibio ers ymweliad Gainlaw na beth oedd yn ei wynebu nawr. Disgwyliai deimlo rhagor o boen yn ei ystlysau ond yn lle hynny, teimlodd ei hun yn cael ei wthio a'r rhwymau am ei ben yn cael eu tynnu.

'Dewch,' gorchmynnodd un o'r ddau ŵr, gan gydio'n arw yn ei freichiau er mwyn ei atal rhag ceisio amddiffyn ei hun. Roedd ei goesau mor wan nes iddo fethu sefyll a chwympodd i'r llawr. Cododd y ddau ef a'i lusgo o'r ystafell – ni allai gerdded cam. Gadawodd y ddau ef mewn ystafell ymolchi fechan. Edrychodd Morgan o'i amgylch gan chwilio am ddihangfa, ond dim ond un ffenest oedd yn yr ystafell a honno'n llawer rhy fach i unrhyw un fedru dringo drwyddi. Tybed a oedd yno unrhyw beth y medrai ei ddefnyddio fel arf i amddiffyn ei hun? Ni allai weld ond lwmp bach o sebon a rhywfaint o bapur. Heblaw am hynny roedd yr ystafell yn wag.

Yfodd yn helaeth o'r dŵr oer clir a theimlo ychydig yn well ond nid oedd wedi bwyta briwsionyn ers hydoedd a theimlai wacter dolurus ym mhwll ei stumog. Fe fyddai wedi hoffi archwilio'r cleisiau yn ei ystlys ond doedd dim drych yn agos i'r lle.

Ar ôl iddo orffen yn yr ystafell ymolchi ac wrth i'r ddau ŵr ei arwain yn ddiseremoni yn ôl i'w ystafell, gallai Morgan glywed arogl bwyd. Gwyddai fod hyn yn rhan o'r artaith. Byddai'n cael ei lwgu hyd nes y byddai'n cydweithio â'i elyn – ac wedyn? Pwy a ŵyr beth fyddai'n digwydd wedyn ond gwyddai ei fod mewn perygl enbyd. Digwyddiad y byddai Gainlaw, neu William, yn ei adael yn fyw.

Er bod y ddau ŵr a'i tywysai yn gewri ac yntau'n teimlo mor wan, byddai Morgan wedi mentro ymosod arnynt ond cyn gynted ag y cyrhaeddodd yn ôl i'w gell fe'i bwriwyd yn greulon ar draws ei ben a syrthiodd yn un swp i'r llawr. Pan ddaeth ato'i hun, gwyddai ei fod yn ei ôl ar y gwely, ei gorff a'i ben wedi eu clymu fel o'r blaen a dim sôn am y flanced i orchuddio'i noethni.

* * *

'Mam, mi alwa' i'r gwesty yn eich lle chi,' awgrymodd Morwenna wrth weld yr olwg ar wyneb ei mam, 'wnewch chi ond ypsetio'n fwy nag sy' raid.'

'Dwi'n meddwl – na, dwi'n hollol bendant – fod rhywbeth wedi digwydd iddo fo. Mi alla' i deimlo'r peth ym mêr fy esgyrn. Fydd o ddim wedi dychwelyd i'r gwesty, gei di weld,' atebodd Elisabeth.

Gwyddai ei merch nad oedd unrhyw ddiben dadlau â'i mam a hithau yn y fath hwyliau croes.

'Mi alwa' i'r gwesty yn gyntaf i weld, ac os na fydd o yno, mi wnawn ni feddwl am y cam nesa wedyn.' Gobaith Morwenna oedd fod ei thad wedi bod allan gyda'r bois y noson cynt a chael noson hwyliog – er, yn ei chalon, gwyddai hithau na fyddai e byth yn torri ei addewid i'w mam.

'Nac ydi wir, dyw e ddim wedi dychwelyd ers bore ddoe,' cadarnhaodd Ifor Roberts eto ar ben arall y ffôn, 'ond peidiwch â becso, chi'n gwbod shwt mae'r dynion 'ma yn gallu bod ac mae ganddo lwyth o hen ffrindiau yn Llundain. Mae ei stwff e i gyd yn ei ystafell, felly mae e'n siŵr o ddychwelyd cyn bo hir â'i gwt rhwng ei goesau.'

'Dyna fo – ro'n i'n gwbod yn iawn,' meddai Elisabeth wrth weld yr olwg ar wyneb ei merch. 'Reit 'ta, y cam nesa ydi galw Dorothy.'

Cadarnhaodd Dorothy fod Morgan wedi bod yno am swper y noson o'r blaen. Na, doedd e ddim wedi dweud wrthi hi am ei gynlluniau y diwrnod wedyn. Na, doedd hi ddim yn gwybod ble'r oedd e wedi bod y noson flaenorol ond fe gynghorodd Elisabeth i ffonio'r Comander i'w rif personol yn Sgotland Iard. Dim ond hanner gwrando wnaeth hi ar y newyddion fod y Comander yn mynd i ymddeol – ac ymddeol yn fuan iawn. Ffarweliodd y ddwy ffrind â'i gilydd ond gwyddai Dorothy hefyd na fyddai Morgan yn anghofio ffonio ei wraig ar chwarae bach.

* * *

'Wyt ti'n teimlo'n well erbyn hyn, Alun?' Teimlodd Morgan y rhwymau'n cael eu tynnu unwaith eto a'r flanced yn cael ei thaenu drosto.

'Fel y boi – heblaw am y lwmp 'ma ar fy mhen,' atebodd yn sarrug.

'Rhagrybudd bach, dyna i gyd.'

Roedd llenni'r ffenest wedi eu cau ac ni allai Morgan ddyfalu faint o'r gloch oedd hi. Rhywsut teimlai ei bod yn hwyr yn y dydd. Meddyliodd am Elisabeth yn poeni amdano gan ddisgwyl clywed ei lais ar y ffôn. Byddai wedi bod yn disgwyl yr alwad ers ... ers pryd, tybed? Doedd ganddo ddim syniad.

'Rwyt ti'n siŵr o fod yn teimlo'n well ar ôl ymolchi ac yn barod nawr i gymryd y cam nesa cyn cael dy ryddhau,' gwenai Gainlaw arno.

'Fe fyddwn i'n teimlo'n llawer gwell pe bawn i'n cael gwisgo fy nillad,' edrychodd Morgan arno.

'Dyna'r cam nesa,' cadarnhaodd Gainlaw yn llon. 'Nawr 'te, un cwestiwn bach – ble mae'r dogfennau, Alun?'

'Yn ddigon pell o dy grafangau brwnt di,' atebodd.

'O Alun, Alun, ro'n i wedi gobeithio y byddet ti wedi newid dy gân erbyn hyn – ond 'na fe, fe ddylwn i fod yn gwbod yn well.' Gwyliodd Morgan ef yn codi o'r gadair fach a hercian yn ofalus tuag at y bwrdd. Chwiliodd ymysg yr amryw bethau ar y bwrdd cyn dychwelyd i'w gadair â rhywbeth yn ei law.

'Yn anffodus, Alun, fedra i ddim chwarae oboiti ddim rhagor. Mae amser yn brin.' Cododd botel fach a'i dal o flaen wyneb Morgan. 'Nawr 'te, wyddost ti beth yw hwn?' gofynnodd, heb aros am ateb, 'Dyma'r cyffur diweddaraf o Rwsia, yr un mae'r KGB yn ei ddefnyddio i gael carcharorion i gyffesu i ... i ... wel, i beth bynnag maen nhw ishe ei glywed mewn gwirionedd.'

Syllodd Morgan ar yr hylif clir yn y botel fach. Edrychai mor ddiniwed.

'I fod yn fanwl gywir, cymysgedd yw hwn o rhyw dri neu bedwar cyffur gwahanol ond mae'n rhaid i mi gyfaddef nad ydw i'n cofio pa fath o effaith sydd i bob un.' Gwelai Morgan y creulondeb yn llygaid ei elyn. 'Ond mae un peth yn sicr – fe fyddi di'n dioddef poenau aruthrol wrth i'r cyffur lifo drwy dy gorff – wrth iddo ymlwybro tuag at dy ymennydd. O, ie ac fe fyddi di'n colli dy synhwyrau i gyd mewn dim o dro wedyn. Beth sy'n bod arna i?' cywirodd Gainlaw ei hunan, 'fydd gen ti ddim synhwyrau ar ôl ar ddiwedd hyn i gyd ond cyn i'r cyfan ddod i ben, fe fyddi di *wedi* cofio'n union ble mae'r dogfennau,' ymledodd gwên gas ar draws yr wyneb gwelw, 'ac fe fyddi di'n erfyn arna i i stopio chwistrellu. Fe wna i hynny, Alun, paid â phoeni, fe wna i ... gwnaf, gwnaf,' gwelodd Gainlaw yn nodio'i ben mewn cydymdeimlad, 'ond yn anffodus, fe fydd hi'n rhy hwyr arnat ti achos fe fyddi'n gorff ymhen rhyw awr fach ar ôl i mi roi'r gorau iddi. Dyna mae'r Rwsiaid yn ei ddweud ta beth – diddorol on'd ife?'

Teimlai Morgan ei hun yn dechrau chwysu, er ei bod yn ddigon oer yn yr ystafell.

'Fe ddechreuwn ni 'te, os wyt ti'n mynnu peidio ateb fy nghwestiwn?'

'Does dim ateb,' edrychodd Morgan arno a gweld y chwistrell yn ei law.

* * *

'Beth sy'n bod?' synnodd y Comander pan welodd yr olwg ryfedd ar wyneb J-J wrth iddo ddychwelyd i'w swyddfa.

'Mae'r Gyf wedi diflannu,' gwyddai'r Comander yn iawn at bwy y cyfeiriai ei gydweithiwr.

'Damo! Diawl! Uffern! Ro'n i'n gwbod y bydde rhywbeth fel hyn yn digwydd iddo fe,' ebychodd ar ôl i J-J ddweud wrtho am alwad ffôn Elisabeth. 'Druan â hi, mae hi'n siŵr o fod ar bigau'r drain yn disgwyl clywed ganddo fe.' Cododd dderbynnydd y ffôn a dechrau deialu'n wyllt. Edrychodd ar J-J, 'Paid sefyll fan'na, rwyt ti'n gwbod beth i'w wneud.'

'Wy' wedi dechre'n barod,' cadarnhaodd J-J.

'Ffonia MI5 a gofynna am Gainlaw,' cofiodd y Comander fod ei gyfaill wedi sôn am gyfarfod drannoeth y swper. 'Elisabeth?!' gwaeddodd pan glywodd y llais ar ben arall y ffôn, 'Y Comander sy'n siarad.'

'Diolch byth,' atebodd Elisabeth yn dawel, 'oes 'na … oes 'na unrhyw….' Dechreuodd wylo wrth glywed y llais cyfeillgar llawn cydymdeimlad ond methai'n lân â gofyn y cwestiwn oedd ar flaen ei thafod.

'Na, ddim eto, mae hi'n rhy gynnar ond mae J-J a finne a'r tîm i gyd yn ymchwilio i'r achos. Peidiwch â phoeni, fe ddown ni o hyd iddo mewn dim o dro. Dyw rhywun fel Morgan ddim yn diflannu fel'na heb reswm. Nawr, efallai y bydd hyn yn anodd ond wy' am i chi gadw'r lein 'ma yn glir er mwyn i ni fedru cysylltu â chi os byddwn ni angen mwy o wybodaeth, neu rhag ofn y byddwn ni wedi clywed rhywbeth amdano.'

'Iawn, Comander,' roedd Elisabeth wedi dechrau crynu erbyn hyn.

'Oes cwmni gyda chi? Fe anfona i Gwenda draw os y'ch chi eisiau, neu Dorothy falle?' cynigiodd.

'Na, na, mae Morwenna, ein merch, yma ond diolch yn fawr serch hynny.'

Ffarweliodd y ddau. Cododd y Comander ei ben wrth i J-J gerdded i mewn i'w swyddfa, 'Beth sy' gen ti?' gofynnodd heb fod yn obeithiol iawn.

'Fawr ddim,' atebodd J-J yn ddryslyd, 'wy' wedi cysylltu â heddlu afon Tafwys heb unrhyw lwc ond maen nhw'n chwilio'r afon yn rheolaidd. Wy' wedi siarad ag un neu ddau arall hefyd ond yr un oedd yr ymateb.'

'A beth am MI5?'

'Dim byd. Mae Gainlaw ar ei wyliau ond does neb yn gwbod ble mae e, ac mae ei ysgrifenyddes yn dweud nad oedd ganddo apwyntiad na chyfarfod yr wythnos 'ma.'

'Damo fe, J-J, mae'r diawl wedi'i ddwgyd e i rywle,' rhoddodd y Comander ei ben yn ei ddwylo.

'Dych chi ddim yn gwbod 'na i sicrwydd. Efallai bod Gainlaw ar ei wyliau ...?' dechreuodd J-J amau bod ei feistr yn dechrau colli arno'i hunan – wedi'r cyfan, roedd e newydd gyhuddo aelod blaenllaw o'r Gwasanaethau Cudd o drosedd ddifrifol.

Edrychodd y Comander ar J-J â'i lygaid ar dân, 'Fe ddywedodd Morgan ei fod wedi trefnu i gyfarfod Gainlaw, felly fe wnaeth e gyfarfod Gainlaw, reit?' Sylwodd J-J ar y gwrid a'r dafnau chwys ar wyneb ei feistr cyn iddo dawelu mymryn, 'Na, mae Gainlaw wedi'i ddwgyd e, ond pam, J-J, ac i ble?'

* * *

Gwingai Morgan wrth i'r boen annioddefol wibio drwy ei gorff. Roedd y dafnau chwys yn llifo ar hyd ei gorff a'i ên yn wlyb wrth iddo lafoerio poer ewynnog. Nid oedd Gainlaw wedi gorliwio effaith y cyffur, a dim ond effaith y pigiad cyntaf oedd hwn. Gwyddai Morgan fod gwaeth i ddod. Gwyddai hefyd ei fod mewn perygl dybryd ond nid oedd ildio yn rhan o'i natur.

'Ble, Alun? Ble maen nhw?' gofynnodd Gainlaw gan wyro nes ei fod bron â chyffwrdd ei wyneb. Ceisiodd Morgan wenu arno, 'Pa ddogfennau?' gofynnodd yn dawel.

'O'r gorau, mae'n amlwg nad wyt ti wedi cael digon. Fe wnawn ni geisio eto, gyda mwy y tro hwn.'

Gwelodd Morgan y chwistrell o flaen ei lygaid. Roedd yn rhaid iddo feddwl am rywbeth arall, rhywbeth cwbl groes i'r dogfennau; anghofio amdanynt a meddwl am rywbeth arall.

Teimlodd nodwydd drwchus y chwistrell yn treiddio i'w groen unwaith eto. Arhosodd am y boen – a do, fe ddaeth. Y tro hwn roedd yn llawer gwaeth. Clywodd ei hun yn sgrechian a theimlodd ei hun yn torri dan artaith y boen. Ni allai symud blewyn gan ei fod wedi ei glymu mor dynn. Methai wrthsefyll y cyffuriau, doed a ddelo. Gwyddai fod dianc rhag hyn yn gam rhy bell iddo bellach – ei elyn fyddai'n ennill y tro hwn. Ar ôl holl dreialon ei fywyd teimlai fod y diwedd ar y gorwel. O leiaf, teimlai ei fod wedi rhannu hapusrwydd dwfn dros y misoedd diwethaf. Am ennyd fer, cliriodd ei feddwl ac fe allai weld wyneb tlws Elisabeth o'i flaen. Roedd hi yno'n gwmni iddo. Aros gyda fi, meddyliodd. Canolbwyntiodd ar ei hwyneb. Gallai weld ei llygaid gleision tyner, ei gwallt golau yn disgleirio yn yr haul, ei dannedd gwynion a'i gwefusau meddal. Gwelodd y cyfan am eiliad fer cyn iddi ddiflannu unwaith eto wrth i'r boen ei feddiannu. Clywodd ei llais yn galw'n dawel. Gwelodd ddagrau yn llenwi'r llygaid gleision – ond gwyddai mai ei ddagrau ef ei hun oedden nhw, yn cronni yn ei lygaid.

'Bwts!' sgrechiodd.

'Beth?' gwyrodd Gainlaw yn nes ato.

'Bwts!' ochneidiodd Morgan a'i wefusau'n symud fel pe bai am ddweud mwy ond ni allai reoli ei dafod ei hun.

'Dyna welliant,' cymeradwyodd Gainlaw, er na

chlywodd ateb ei garcharor yn glir, 'ond dyna drueni 'fyd. Dim ond dwy chwistrelliad fach a finne wedi edrych 'mlaen i ddefnyddio'r drydedd botelaid hefyd – ond dyna fe.'

'Bwts,' arhosodd enw ei annwyl wraig ar wefusau Morgan wrth iddo lewygu, wedi ei orchfygu'n llwyr gan y boen.

Edrychodd William i lawr ar wyneb Morgan. Roedd hi'n amlwg fod y cyffuriau wedi gwneud eu gwaith. Gwelai'r llygaid caeedig, y geg agored, roedd e'n amlwg wedi ei orchfygu. Tybed beth oedd y cytseiniaid olaf 'na? Nid oedd ynganiad Morgan yn glir o gwbl ond gwyddai William yn iawn beth oedd e'n geisio'i ddweud. Gwenodd yn faleisus, 'Wrth gwrs, dyna lle maen nhw, dylwn i fod wedi sylweddoli o'r dechrau! Yn y bwthyn – ym mwthyn bach fy nhad annwyl, heddwch i'w lwch ...' Chwarddodd William yn uchel cyn gadael yr ystafell, a chyn gadael Morgan fel ag yr oedd yn ei gyflwr truenus. Wedi'r cyfan, roedd ganddo daith hir o'i flaen – cyn gynted â phosib a heb gwmni unrhyw un arall.

PENNOD 23

Gadawai Nigel Owen ei gartref yn Adpar bob bore heb dorri gair â'i wraig – doedd e ddim yn dweud llawer wrthi p'run bynnag y dyddiau hyn. Gyrrodd yn araf i'r banc; fe fyddai'n amrywio'r daith o bryd i'w gilydd – cerdded neu yrru – a'r cyfan yn dibynnu ar y tywydd a'i hwyliau y bore hwnnw. Heddiw, ar fore dydd Gwener oer a gwlyb, teimlai'n flinedig ar ôl noson hwyliog yn y clwb golff yng nghwmni Hubert Nicholas a dwy ferch ifanc ddi-briod. Teimlai braidd yn eiddil o hyd ond bu'n noson werth chweil, gwerth ei chofio. Edrychodd ar gloc bach y car. Oedd, roedd ganddo ddigon o amser i gyrraedd ei waith, er bod y banc wedi bod yn agored ers bron i awr.

Cerddodd i mewn i'w swyddfa ac eistedd yn dywysogaidd ddigon y tu ôl i'w ddesg ond cyn iddo gael y cyfle i wneud unrhyw beth arall daeth cnoc fach ar y drws a cherddodd Elfan Pugh i mewn heb wahoddiad. Edrychodd Owen yn syn arno wrth weld yr olwg ryfedd ar wyneb ei was bach.

'Mae Philip Smythe ishe i chi ei ffonio, Mister Owen,' meddai hwnnw'n ddryslyd.

Trawodd yr enw ben y rheolwr fel gordd, 'Philip Smythe?' holodd.

'Ie, syr, mae Philip Smythe newydd alw ac mae e ishe i chi ei ffonio cyn gynted ag y byddwch wedi cyrraedd,' cadarnhaodd Pugh.

'Wyt ti'n gwbod pwy yw Philip Smythe, Pugh?' gofynnodd Owen yn amyneddgar. Roedd e wastad wedi amau tybed a oedd Elfan Pugh ychydig bach yn wan ei feddwl. Wedi'r cyfan, roedd e'n dod o deulu gweddol ddwl, ei dad ar y clwt, ei fam yn gorfod mynd mas i lanhau hwnt ac yma, a'i chwaer – wel, roedd pawb yn gwybod hanes honno! Ond serch hynny, chwarae teg i Elfan roedd e wedi gwneud yn ddigon da yn yr ysgol i fedru ymuno â'r banc ac roedd e'n weithiwr ffyddlon.

'Ydw,' atebodd Pugh yn dawel.

'Dywed wrtha i pwy yw e, Pugh.'

'Cadeirydd y banc, Mister Owen.'

'A pham y byddai cadeirydd y banc ishe i mi ei ffonio, Pugh?'

'Wn i ddim, syr, ond dyna ddywedodd e – ac mae e wedi gadael ei rif ffôn i chi,' meddai Elfan wrth osod darn o bapur ar ddesg y rheolwr. Edrychodd hwnnw ar y neges a'r rhif.

'Ddywedodd e unrhyw beth arall, Pugh?' yn sydyn roedd sylw Owen wedi ei hoelio ar y llanc ifanc, ei geg yn sych a rhyw deimlad bach rhyfedd yn cronni yng ngwaelod ei stumog.

'Naddo, dyna'r cyfan, syr,' atebodd Pugh, 'heblaw am ofyn am rif ffôn cartref Ann Rhys,' ychwanegodd.

'Ann Rhys?' ebychodd Owen yn llawn anghrediniaeth. Dechreuodd ei feddwl garlamu ar wib. 'Iawn, diolch Pugh,' meddai wrth wyro yn ei flaen ac ymestyn at y ffôn.

'Philip Smythe,' atebodd y cadeirydd ei ffôn bersonol ef ei hun yn y swyddfa.

'Bore da, Philip,' roedd y nerfusrwydd yn amlwg, er y

cyfarchiad anffurfiol, 'Nigel Owen sy' 'ma o Gastellnewydd Emlyn. Fe alwoch chi'n gynharach ...?'

'O, ie, Mister Owen, diolch i chi am ffonio'n ôl.' Nid oedd Philip Smythe wedi bod yn ymwybodol o'r gangen yng Nghastellnewydd Emlyn hyd nes i Syr Wilson Mainwaring ei hysbysu dros ginio, a hyd yn oed wedyn bu'n rhaid iddo chwilio ar fap i weld ble'n union oedd y dref honno.

'Popeth yn iawn, Philip. Nawr, beth fedra i ei wneud i chi?' Oedd, roedd neges Pugh yn iawn felly,

'Gwagio eich desg, Mister Owen. Gwagio eich desg, mynd adref ac fe fyddaf yn disgwyl eich llythyr ymddiswyddo ar fy nesg ben bore dydd Llun,' meddai Smythe yn oeraidd.

'Ond ... ond ... pam? Dwi ddim yn deall!' Teimlai Owen fel petai ar fin llewygu a diolchodd ei fod yn eistedd.

'Oes raid i mi restru'r rhesymau, Owen? Wy'n ddigon bodlon cofiwch, os mai dyna yw eich dymuniad, ond wy'n siŵr bod "ymddwyn yn anghyfreithlon" yn ddigon am nawr. Ac nid peth newydd yw hynny chwaith, fe dybia' i. Dwi ddim ishe gweld enw da y banc yn cael ei lusgo drwy'r llysoedd, ond wy'n bendant yn ddigon parod i wneud hynny os nad y'ch chi'n ufuddhau i 'ngorchmynion i. Felly cliriwch eich eiddo personol a gadewch yr allweddi ar eich desg – cyn hanner dydd, gyda llaw. A chofiwch, Owen, fel y dywedais i, nid gofyn ydw i ond gorchymyn.'

Teimlai Owen ei gorff yn crynu'n ddiarbed ac ni wyddai sut i ymateb.

'Digwyddiad na fyddwn ni'n dau byth yn siarad â'n gilydd eto,' aeth Smythe yn ei flaen, 'ond os y byddwn ni, peidiwch byth â 'ngalw i'n Philip eto. Dydd da i chi, Mister Owen.'

Clywodd Owen swn y ffôn yn cael ei gosod yn ôl yn ei

chrud. Roedd y sgwrs ar ben. Dyna pryd y trawyd Owen mai dyma ben ei yrfa hefyd.

* * *

Roedd Ann Rhys wrthi'n paratoi brecwast i'w mam pan ganodd y ffôn. Doedd hi ddim wedi gwisgo amdani eto, meddyliodd – nid bod hynny'n gwneud unrhyw wahaniaeth! Gwenda fyddai yno, mwy na thebyg, a gwenodd wrth gydio yn y mwgaid o goffi twym cyn brasgamu i'w hateb.

'Ann Rees?' gofynnodd y Sais a'r acen daten boeth yn drwm yn ei lais.

'Ie,' atebodd Ann yn bryderus, gan anwybyddu'r camynganiad Seisnig a oedd yn dân ar ei chroen fel arfer.

'Bore da, Ann; Philip Smythe sy'n siarad.'

Roedd yr enw'n canu cloch ond cymerodd eiliad i gofio pwy yn union oedd Philip Smythe. Pan sylweddolodd pwy oedd yno gadawodd i'r cwpan gwympo ar y llawr a dechreuodd deimlo'i choesau'n crynu.

'Mae'n ddrwg gen i dorri ar eich traws fel hyn a chithau ar eich gwyliau ond mae rhyw anhwylustod wedi digwydd yn y banc ac fe hoffwn i ofyn am eich cymorth i'w ddatrys.'

'Fy nghymorth i?' Ni allai Ann gredu ei eiriau. Wedi'r cyfan, hwn oedd cadeirydd y banc. Pam yn y byd mawr y byddai hwn eisiau ei chymorth hi? Roedd y cryndod wedi cyrraedd i'w llais erbyn hyn.

'O, peidiwch ag ofni, Ann,' gallai Smythe synhwyro ei phryder, 'Wy' am ofyn i chi ohirio eich gwyliau, os oes modd, a dychwelyd i'r banc yn Nghastellnewydd Emlyn i reoli pethe yno dros dro.'

'Fi?' Oedd hi'n breuddwydio. Dychwelyd i'r banc? Rheoli pethe yno dros dro? 'Ond beth am Mister Owen?' Oedd e wedi cael anaf erchyll? Trawiad ar ei galon efallai?

'Peidiwch â phryderu am Mister Owen,' siaradai Philip Smythe yn dyner ond yn gadarn, 'mae Mister Owen wedi ymddiswyddo – wel, wedi gorfod ymddiswyddo rhyngoch chi a fi a'r wal. Nawr, mae angen rhywun arna i i reoli'r banc dros dro a wy'n deall eich bod chi yn weithiwr y galla' i ymddiried ynddi.'

'Diolch yn fawr,' atebodd Ann mewn llais bach gwan.

'Wy' hefyd wedi clywed eich bod wedi cael eich camdrin yn ddiweddar gan Mister Owen. Fe gewch iawndal am hyn, ond nid dyna'r unig reswm pam mae e wedi ymddiswyddo, er bod hynny'n rhan o'r penderfyniad.' Arhosodd am seibiant. 'Un peth arall, Ann; fedra' i ddim addo mwy na swydd rheolwr dros dro i chi, yn anffodus, ond fe wnaf fy ngorau i wneud y swydd yn un llawn amser os y galla' i. Yn anffodus, mae gen innau feistri penderfynol hefyd! Wel, beth y'ch chi'n feddwl? Wy'n sylweddoli fod hyn ar fyr rybudd ond fedrwch chi fod o gymorth i mi?'

Swniai Philip Smythe fel pe bai'n erfyn arni. Y cadeirydd mawr yn gofyn am gymwynas ganddi hi, Ann Rhys o Rydlewis o bawb! Roedd hi wedi gorfod gadael ei gwaith o dan gwmwl du rhyw ddiwrnod neu ddau yn ôl. Hi, Ann Rhys, a gafodd fai ar gam am roi'r dogfennau i ... i ... Daeth wyneb Alun Morgan i'w chof. Tybed a oedd ei fys ef yn y briwes hwn yn rhywle, meddyliodd Ann.

'Medraf, wrth gwrs,' atebodd â'i hyder yn dychwelyd.

'Diolch yn fawr i chi, Ann. Un peth bach arall, pe byddech yn medru dychwelyd i'r banc ar ôl hanner dydd heddiw fe fyddwn i'n ddiolchgar tu hwnt. Peidiwch â phoeni, fe fydd Mister Owen wedi gadael erbyn hynny ond os bydd unrhyw anhawster, unrhyw anhawster o gwbwl cofiwch, ffoniwch fi'n syth.'

'Diolch yn fawr, syr,' atebodd.

'Dwi ddim yn hoff iawn o'r "syr", Ann. Galwch fi'n Philip o hyn 'mlaen.'

Clywodd Ann y ffôn yn cael ei diffodd. 'Mam!' gwaeddodd, 'ddyfalwch chi byth pwy oedd ar y ffôn!' a rhedodd yn llawen i fyny'r grisiau â wyneb Alun Morgan yn llenwi ei phen.

* * *

Synnwyd y Ditectif Uwcharolygydd Martyn Ifans o Heddlu Aberystwyth gan yr alwad ffôn a dderbyniodd oddi wrth bennaeth yr adran dwyll yn Sgotland Iard ac yn enwedig pan ddeallodd ddiben yr alwad.

'Ron,' gwaeddodd ar ei ddirprwy, 'dere 'ma – glou!'

Brasgamodd y Ditectif Sarjant Ron Powell i mewn i'r swyddfa ar frys. 'Beth sy'n bod?' gofynnodd.

Eglurodd Ifans neges yr alwad ffôn a'r gorchymyn a ddaeth o Lundain.

'Mawredd mawr!' oedd unig ateb y dirprwy ifanc cyn mynd ar ei union i nôl ei got lwyd a'i het.

Mewn llai nag awr camodd y ddau heddwas yn hyderus heibio i'r ysgrifenyddes a wnaeth ei gorau glas i'w hatal rhag mynd i swyddfa Hubert Nicholas. Bu bron i Nicholas neidio pan welodd y ddau yn cerdded drwy'r drws cyn cyflwyno'u hunain iddo yn swyddogol.

'A beth fedra i ei wneud i chi?' gofynnodd yn bryderus.

'Mister Nicholas, rydym wedi dod yma i'ch arestio ar

gyhuddiad o dwyll,' datganodd Martyn Ifans. 'Mae gennych hawl i beidio yngan gair ond mae'n rhaid i mi eich rhybuddio, fe fydd unrhyw beth a ddywedwch ...' ac aeth yn ei flaen i adrodd y rhybudd swyddogol na lefarwyd ganddo ers misoedd.

'Ond mae'r peth yn anhygoel,' dadleuodd Nicholas, 'fedrwch chi ddim gwneud hyn.'

'O, medrwn,' cadarnhaodd Ron Powell yn hyderus. 'Dewch nawr, dewch yn dawel.'

'Ond i ble'r ewch chi â fi?' gofynnodd Nicholas a'i wyneb fel y galchen.

'I'r gell yn Aberystwyth nes y bydd aelodau adran dwyll Sgotland Iard yn dod i'ch holi ynghylch amryw o faterion sy'n ymwneud â newid ewyllysiau a dogfennau arbennig yn y gorffennol.'

Cododd Hubert Nicholas o'i gadair, cydio yn ei got fawr oddi ar y bachyn wrth y drws a cherdded yn dawel rhwng y ddau heddwas allan o'i swyddfa. Heb yngan gair fe'i tywyswyd i'w gar swyddogol cyn ei gludo i'r gell yn swyddfa heddlu Aberystwyth.

Gallai Nigel Owen weld car yr heddlu wedi ei barcio'n flêr y tu allan i swyddfa ei gyfaill. Fe'i gwelodd yn cael ei arwain allan o'r adeilad ac yna gwelodd y cyffion cyn i Nicholas gael ei wthio i sedd gefn y car. Roedd e â'i ben i lawr wrth gael ei gludo ymaith. Gwelodd Owen y golau glas a chlywodd y seiren yn canu. Wrth gerdded yn araf tuag at ei gar, diolchodd na ddigwyddodd hyn iddo yntau. Roedd hi'n ddeng munud i hanner dydd.

Yn Llundain, eisteddai Syr Wilson Mainwaring yn ei swyddfa yn fodlon ei fod, fel arfer, wedi bod yn drylwyr iawn yn ei waith ac wedi cadw at ei air. Er nad oedd yn ymwybodol o'r hyn a ddigwyddai yng ngorllewin Cymru y bore hwnnw fe wyddai, wrth estyn ffeil Alun Morgan i'w ysgrifenyddes, fod rhan o'i ddyled i'w ffrind parchus wedi ei thalu'n ôl.

* * *

Cododd Ann Rhys dderbynnydd y ffôn ar ei desg a deialu rhif arbennig yn Sgotland Iard. Roedd hi am ddweud yr hanes i gyd wrth Gwenda a rhannu ei llawenydd â hi. Penderfynodd hefyd y byddai'n gofyn am rif ffôn Alun Morgan er mwyn diolch iddo, ond o fewn eiliadau roedd hi'n gegrwth wrth glywed ei chyfnither yn dweud y newyddion diweddaraf am ei harwr – a'r ddwy yn rhannu'r un gofid.

* * *

Gorweddai Elisabeth ar ei gwely yn hanner noeth unwaith eto. Gwyliodd John Davies yn ei harchwilio'n fanwl yn ôl ei arfer a'r nyrs yn craffu ar ei hwyneb rhag ofn iddi ddangos unrhyw boen. Fodd bynnag, nid Buddug oedd wedi dod gyda'r meddyg y tro hwn gan ei bod ar ei gwyliau. Diolch i'r drefn, meddyliodd Elisabeth. Roedd hi wedi dod i arfer cael ei harchwilio'n drylwyr gan y meddyg bellach ac fe sylweddolai mai dim ond un claf ymhlith cannoedd oedd hi iddo fe, ond ni allai oddef gwep Buddug wrth i honno edrych arni â rhyw olwg ryfedd yn ei llygaid.

Gwyliodd y meddyg yn astudio'r hen gadachau wrth iddo baratoi i roi rhai glân yn eu lle.

'Pryd wnes ti newid hwn?' gofynnodd.

229

'Neithiwr cyn mynd i'r gwely,' atebodd Elisabeth yn euog. Roedd hi wedi anghofio ei newid y bore hwnnw – a hithau â chymaint o bethau eraill ar ei meddwl a heb ddisgwyl ymweliad gan y meddyg.

'Ti'n siŵr?' ciledrychodd John Davies arni.

'Yn berffaith siŵr,' atebodd yn gadarn. Roedd hi wedi rhoi'r gorau i frwydro yn erbyn y meddyg a dweud celwyddau am ei chyflwr gan ei fod e'n gweld trwy'r anwiredd bob tro!

'Felly, Elisabeth Morgan,' gwenodd John Davies arni wrth daenu'r flanced yn ôl dros ei chorff, 'byddwn yn argymell dy fod yn dal i wisgo'r cadach hwn am ddiwrnod neu ddau eto, rhag ofn i ti gael damwain fach, ond heblaw am hynny gallaf ddatgan dy fod wedi gwella'n llwyr.'

Cododd hyn rywfaint ar galon Elisabeth, 'Wyt ti'n siŵr?' gofynnodd.

'Yn berffaith siŵr, mae pob dim fel y dylai fod, heblaw am dy bwysau. Digonedd o fwydydd ffres ac awyr iach ac fe fyddi mor ddeniadol ag erioed!'

Gwisgodd Elisabeth ei dillad wrth i'r nyrs ffysian i geisio'i helpu.

'Fe gei di ac Alun adfer eich perthynas gorfforol fel gŵr a gwraig ond byddwch yn bwyllog i ddechrau. Cofia dy fod yn dal mewn ychydig o wendid, ond fe ddaw popeth 'nôl fel yr oedd mewn dim o dro heblaw am ... wrth gwrs ... heblaw am ...' Edrychodd ar Elisabeth a gweld y dagrau'n llifo i lawr ei gruddiau, heb ddeall mai dagrau o lawenydd oedd y rhain. Ceisiodd ei chysuro ond daeth y geiriau o'i geg yn un gybolfa letchwith, 'Cofia, Elisabeth, mae'r goeden afalau yn dal i flodeuo'n hardd a'i thlysni'n rhoi mwynhad er nad oes yr un afal yn tyfu arni.'

Gwenodd Elisabeth yn wan a nodio'i phen.

'Wel, fe fydd hyn yn newyddion da iawn i Alun pan ddaw e adre. Pryd fydd hynny?' gofynnodd.

Methodd Elisabeth edrych ar y meddyg, 'Dwi ddim yn gwbod,' meddai'n dawel, 'mae o ar goll.'

'Ar goll?'

'Ydi, mae o wedi diflannu,' ac eisteddodd ar y gwely gan feichio crio.

PENNOD 24

Gallai Arfon deimlo'r awyrgylch annifyr o'r eiliad y camodd dros riniog Awel Deg. Roedd hyd yn oed Anwen fach yn dawel a golwg ddigon diflas arni. Ofnai mai arno ef ei hun yr oedd y bai – wedi'r cyfan, roedd e wedi cael diwrnod uffernol yn yr ysgol gan feddwl ar un achlysur na fyddai diwedd y prynhawn byth yn cyrraedd.

Efallai mai'r tywydd oedd ar fai. Roedd hi wedi bod yn tywallt y glaw drwy'r dydd a gobeithiai Arfon nad oedd hi'n mynd i barhau felly gydol y penwythnos. Tybed a oedd rhywbeth wedi digwydd rhwng Morwenna a'i mam, rhyw anghytundeb yn ei gylch ef efallai? Efallai nad oedd Elisabeth yn fodlon iddo ddod i aros. Doedd e ddim wedi siarad â Morwenna ers nos Fercher i gadarnhau'r trefniadau.

'Efallai y byddai hi'n well i mi fynd adref,' cynigiodd wrth sylwi ar lygaid coch, chwyddedig Elisabeth.

'Na, na,' sibrydodd Morwenna, 'Dad sy' wedi diflannu,' eglurodd.

'Diflannu?' ebychodd Arfon, roedd y peth yn anghredadwy.

'Ydi, Arfon,' edrychodd Elisabeth arno, 'ers dydd Mercher a does neb yn gwbod ble mae o.'

'Ond ...?'

'Mae Sgotland Iard a phob heddwas yn y brifddinas yn

chwilio amdano ond does neb fawr callach,' eglurodd Morwenna. 'Yr unig beth wyddom i sicrwydd ydi ei fod wedi gadael y gwesty i fynd i gyfarfod arbennig ond does neb yn gwbod dim am y cyfarfod a neb wedi ei weld ers hynny.'

'Beth am ...?'

'Paid, Arfon,' torrodd Elisabeth ar ei draws, 'paid â gofyn, paid â gofyn unrhyw beth, rydan ni wedi meddwl am bopeth. Fedrwn ni wneud dim byd arall ond aros a disgwyl ... a gobeithio.'

Doedd gan Arfon ddim syniad beth i'w ddweud na'i wneud. Teimlai'n lletchwith yn sefyll yng nghanol y lolfa â'i fag yn ei law. Roedd yn hynod falch pan ddaeth Anwen draw ato a chynnig ei llaw fach iddo. Plygodd tuag ati a'i chodi yn ei freichiau. Yr eiliad honno, canodd y ffôn.

Rhedodd Elisabeth at y ffôn gan obeithio mai'r Comander oedd yno gyda'r newyddion diweddaraf. Na, doedd dim byd newydd wedi dod i'r golwg, heblaw am y ffaith eu bod nhw wedi dod o hyd i yrrwr y tacsi a gludodd Morgan i'r gwesty a'i fod e wedi cadarnhau fod Morgan wedi cyrraedd y lle yn ddiogel. Yn anffodus roedd e wedi gyrru ymaith yn syth cyn gweld a oedd Morgan wedi mynd i mewn ai peidio. Doedd neb yn y dderbynfa yn cofio gweld Morgan ar y bore dydd Mercher, ond wedi'r cyfan, roedd e'n westy prysur iawn. Roedd gan holl heddweision Llundain ddisgrifiad o Morgan ac roedd pawb yn chwilio amdano. Cysylltodd J-J ag amryw o'i gydnabod yn yr isfyd hefyd ond ni chafodd unrhyw wybodaeth o gwbl.

'Ond peidiwch â phoeni, Elisabeth,' ceisiodd y Comander ei chysuro, 'fe fyddwn ni'n gweithio ddydd a nos nes dod o hyd iddo. A chofiwch, os yw e mewn perygl, mae Morgan yn medru edrych ar ôl ei hunan.'

'Mae o'n dal yn fyw, dwi'n gwbod hynny,' meddai Elisabeth yn dawel, 'dwi'n gwbod hynny.' Methodd ddweud dim arall wrth i'w llais dorri ac wrth i'r dagrau ailddechrau llifo. Rhoddodd y derbynnydd i lawr yn ddistaw ac aeth i fyny i'w llofft i wylo ar ei phen ei hunan.

* * *

Doedd Mari Troed y Rhiw ddim yn arfer ysgrifennu llythyrau ond heno eisteddai wrth y bwrdd gyda llythyr gorffenedig o'i blaen, wedi ei blygu'n daclus a'i roi mewn amlen. Ysgrifennodd y cyfeiriad yn ofalus. Ni allai gredu ei bod wedi llwyddo i'w orffen heb ddim ffwdan. Ond wrth gwrs, unwaith y penderfynai Mari wneud rhywbeth, prin iawn oedd y pethau a fyddai'n ei hatal y dyddiau yma. A heno roedd yr hen wraig yn benderfynol, er ei bod yn hwyr, yn llawer hwyrach na'r disgwyl. Fel arfer byddai yn ei gwely ymhell cyn hyn – ond nid heno.

Aeth i eistedd wrth y tân ond roedd ei meddwl ymhell o fod ar y fflamau wrth iddynt anwesu'r broc môr a losgai'n araf. Teimlai yn isel ei hysbryd ac fe wyddai fod ei bywyd bach syml yn prysur ddiflannu, fel y mwg wrth iddo hedfan i fyny'r simdde. Nid fflamau a welai Mari bellach ond darluniau – darluniau byw o oes a fu.

Gwelai ei hun yn ferch ifanc unwaith eto, yn cerdded yn droednoeth ac yn rhydd ar draeth Pwll Gwyn gyda sŵn y tonnau'n atseinio yn ei chlustiau a'r gwynt yn chwalu ei gwallt. Cerddai drwy'r dŵr a hwnnw'n ddigon oer i rewi'r gwaed. Ond buan y diflannodd y rhyddid wrth i ddyletswyddau teuluol ei gorfodi i fynd adref at ei gwaith tŷ ac i baratoi bwyd i'w mam. Gwarchod a gweini – dyna ddiben ei bywyd erioed.

Roedd pob heddiw fel ddoe a phob fory fel heddiw, yr wythnosau'n troi yn fisoedd a'r misoedd yn flynyddoedd heb i ddim newid yn ei bywyd bach diflas ... nes i William ddod yn rhan o'i bywyd. Bu'n gwmni iddi o leiaf; roedd e wedi rhoi sylw iddi a'i difyrru gyda'i storïau a'i gampau. Daeth â rhywfaint o gysur i'w bywyd beunyddiol diflas. Oedd, roedd hi wedi teimlo'n ifanc yn ei gwmni, er ei bod bron yn ddeugain oed.

Gallai glywed ei lais meddal yn atseinio unwaith eto yn ei chlyw; gwelai ei lygaid disglair, ei bersonoliaeth gadarn – gobaith i'w dyfodol. Roedd e'n ŵr sengl, yr unig un yn y pentref am na allai ymuno â'r lluoedd arfog; roedd e'n ddyn a hithau'n ddynes. Rhoddodd Mari ei chalon a'i chorff iddo – fe oedd yr unig ddyn i gael y cynnig – y cyntaf a'r olaf yn ei bywyd bach unig.

Cofiodd y ddau ohonynt ar yr aelwyd, y tân clyd fel hwn heno, ei dillad yn cael eu diosg fesul un, y ddau yn gorwedd yn noeth. Oedd, roedd popeth wedi bod mor naturiol. Cofiodd roi ei hunan iddo ond gwyddai bellach mai gwerthu ei chorff a wnaeth mewn gwirionedd, yn ddistaw bach, yn gyfrinachol. Do, cafodd bleser, ond ble'r oedd y rhamant? Ble'r oedd y cariad? Trodd y cyfan yn sur yn y diwedd. Y babi, y ddamwain, y diflaniad, yr unigedd, yr euogrwydd ...

Clywodd eto sŵn ei droed yn agosáu at y drws cefn, yr hercian anwastad, y ffon bren yn taro ar hyd y llwybr wrth ddod yn nes ac yn nes. Ymsythodd Mari yn sydyn wrth iddi ddod yn ôl o fyd breuddwydion a sylweddoli ei bod yn clywed y sŵn cyfarwydd yn dod o'r tu allan i'w thŷ ar yr union eiliad honno. Yr hercian fel yn y dyddiau gynt; y ffon bren yn taro'n gyson ac yn drwm – er, ychydig yn drymach nag y cofiai. Cododd Mari yn llawn anghrediniaeth a cherdded yn araf tuag at y drws cefn.

'Helo! Mari! Agor y drws imi,' gwaeddodd. Agorodd Mari'r drws ar ei hunion. 'Mae hi'n arllwys y glaw,' cyfarchodd William hi yn swta, gan wthio heibio cyn cael ei wahodd. 'Dyna dân braf sy' gyda ti ac mae ei angen e ar noson fel hon.' Eisteddodd yng nghadair Mari a gwyro ymlaen tuag at y tân i dwymo. Roedd Mari wedi ei tharo'n fud a theimlai fel pe bai hi 'nôl ym myd ei breuddwydion.

'Beth wyt ti'n ei wneud yma, William?' gofynnodd o'r diwedd.

'Roedd yn rhaid i mi ddychwelyd,' atebodd yn siriol, gan ymestyn ei ddwylo yn nes at wres y tân a'u rhwbio yn ei gilydd. Am eiliad fach tybiodd Mari ei fod wedi dychwelyd yn unswydd i ymweld â hi. Fe'i dychmygodd yn hiraethu am yr hen le, yn hiraethu am ei gynefin a'i fod, o'r diwedd, wedi dod adref i dreulio gweddill ei ddyddiau yno, ond buan y deallodd Mari nad dyna'r gwir.

'Mae'r hen foi wedi mynd o'r diwedd ond mae 'na ddogfennau wy' ishe. Nawr wy'n gwbod ble maen nhw ac fe wn i fod gen ti allwedd i'r hen fwthyn, os wy'n cofio'n iawn.'

Dogfennau? Allwedd i'r bwthyn? Pa fath o resymau oedd y rhain?

Doedd William erioed wedi ymddiheuro iddi am ei gadael yn feichiog ar ei phen ei hunan yr holl flynyddoedd yn ôl. Doedd e ychwaith erioed wedi ymddiheuro am beidio â dod yn ôl ati. Ble'r oedd yr ymddiheuriad am adael i'w dad rannu'r baich yn hytrach nag ef? Ble'r oedd yr ymddiheuriad am yr holl addewidion gwag? Deffrodd Mari'n sydyn wrth i'w breuddwyd droi'n hunllef.

'Fi yw perchennog dy dŷ nawr. Wy' ishe byw 'ma am

gyfnod.' Sylwodd William ar y braw ar ei hwyneb, 'O, paid â phoeni, wna i mo d'adael di heb gartref. Bydd angen morwyn arna i, i edrych ar ôl y lle.'

'Ond Alun Morgan ...' dechreuodd Mari.

'Alun Morgan?' chwarddodd William yn gras, 'fydd Alun Morgan ddim yn poeni neb byth mwy.'

Sylwodd ar Mari yn camu oddi wrtho, 'Oedd e'n ffrind i tithe hefyd oedd e? Wel, fe gei di fynd i'w angladd e 'te, os wyt ti ishe ... pan ddon' nhw o hyd i'w gorff.'

Aeth ias oer drwy Mari. Beth oedd William yn geisio'i ddweud? Pam oedd e'n edrych mor rhyfedd, gyda golwg wyllt yn ei lygaid a'i ben yn nodio drwy'r amser. Ai'r dyn yma oedd wedi dwyn ei chalon flynyddoedd maith yn ôl? Ai hwn oedd wedi cymryd ei gwyryfdod a'i gwneud yn feichiog. Am y tro cyntaf erioed fe welodd Mari y gwir William Williams ... ond beth oedd e newydd ei ddweud? Alun Morgan yn farw? Corff? Angladd?

'Ond beth am ei wraig e?' brathodd ei thafod ond roedd hi'n rhy hwyr.

'Elisabeth Williams wyt ti'n ei feddwl?' edrychodd arni eto, 'Ie, wel, mae honno eisoes wedi cael un ddamwain gas yn ei char; bydd hi'n ddigon hawdd trefnu un arall – a gwneud yn siŵr na fydd neb yn gwneud cawlach y tro nesa ...'

Doedd Mari ddim eisiau clywed rhagor. Beth fedrai hi ei wneud? Sut y medrai hi rybuddio ei ffrind? Sut y medrai hi ddweud wrthi bod ei hannwyl ŵr yn farw. Dychmygodd ymateb Elisabeth i'r newyddion – a hyn i gyd o achos William.

Edrychodd Mari ar y llythyr ar y bwrdd. Teimlodd rywbeth yn gwywo y tu mewn iddi a'r eiliad honno penderfynodd beth fyddai'n rhaid iddi ei wneud.

'Oes, mae gen i allwedd i'r bwthyn ond mae hi'n anodd agor y clo. Dwi ddim yn siŵr a alli di agor y drws yn dy gyflwr di. Mae'n rhaid ei wthio fe mewn rhyw ffordd arbennig.' Ceisiodd wenu ar William ond gwyddai mai rhyw wên fach ddigon rhyfedd oedd ar ei hwyneb. 'Efallai y byddai'n well i mi ddod gyda ti i dy helpu?' cynigiodd.

Gwenodd William arni. Roedd hyn yn haws na'r disgwyl, meddyliodd, ond erbyn meddwl, roedd Mari wastad wedi bod yn un hawdd i'w thrin a'i thrafod.

Gwyliodd hi'n nôl ei chot fawr ddu ac aeth y ddau allan drwy'r drws cefn. Roedd y glaw wedi peidio erbyn hyn a'r cymylau'n clirio. Oedodd Mari ar y llwybr y tu allan i'r drws am ennyd.

'Dere 'mlaen, Mari fach, wy' ar frys. Wy'n gobeithio bod nôl yn Llundain cyn nos fory.'

'O, edrych ar y lleuad ar y môr, William. Wyt ti'n cofio ni'n arfer cerdded i waelod yr ardd i wylio'r môr, i weld yr haul yn machlud ar y gorwel? Doeddet ti ddim ar frys bryd hynny, oeddet ti, William?'

Meddalodd calon William am funud, 'Rwyt ti'n llygad dy le, Mari. Dyddiau da – ond maen nhw wedi hen fynd bellach.'

'Rho dy fraich am fy ysgwyddau fel roeddet ti'n arfer ei wneud. Dere i ni fynd am dro bach i lawr i waelod yr ardd,' gofynnodd Mari, ei llais yn felysach nag y bu ers tro byd. 'Atgofion,' sibrydodd, 'dyna'r cyfan sydd gen i ar ôl nawr – dim ond atgofion.'

Teimlodd bwysau braich William dros ei hysgwyddau a phwysodd ei gorff yn ei herbyn, 'Dere 'mlaen, 'te, un tro bach arall.' Clywodd Mari ef yn chwerthin yn dawel a'i lais a'i gyffyrddiad yn union fel ddoe.

238

Cerddodd y ddau yn bwyllog ar hyd y llwybr, 'Duw, mae hi'n llithrig ar ôl yr holl law,' meddai.

'Ydi,' atebodd Mari. 'Mae'n rhaid i ti fod yn ofalus; dala fi'n dynn, William.'

Gafaelodd Mari yn dynn yn ei hen gariad a'i breichiau wedi eu clymu o amgylch ei gorff wrth iddynt gerdded at ben y llwybr.

'Rwyt ti'n iawn, mae hi'n olygfa hyfryd ac wedi bod felly erioed,' meddai William yn dawel.

Edrychodd William ar draws y traeth i gyfeiriad Awel Deg. Roedd e wastad wedi dychmygu byw yn y tŷ crand hwnnw.

'Ac edrych, mae'r môr ar drai – ma' teidiau mawr wythnos 'ma' meddai Mari a'i dynnu ychydig bach yn nes at ymyl y clogwyn, hyd nes eu bod yn sefyll lle'r oedd pren y ffens wedi torri gan adael bwlch peryglus.

Rhwymodd ei breichiau'n dynn am y gŵr a fu unwaith yn wrthrych ei holl gariad a chyda'i holl nerth, hyrddiodd ei hunan dros ymyl y clogwyn.

Cwympodd Mari a William fel un, gan daro'r creigiau duon, caled nes i'r tonnau eu llyncu.

Nid oedd neb yno i'w gweld. Yr unig beth a adawyd ar ôl oedd ffon William yn dawnsio ar yr ewyn – ac yn arnofio'n araf draw tuag at Awel Deg.

PENNOD 25

Ar ôl byw am gyfnod yng Nghei Newydd, roedd Arfon yn ddigon cyfarwydd â deffro bob bore i gyfeiliant sgrechian gwylanod, ond heddiw tynnodd rhywbeth arall ef o'i drwmgwsg. Teimlai fysedd bach yn gwasgu ei drwyn ac agorodd ei lygaid yn araf i weld wyneb crwn Anwen yn gwenu'n siriol arno. Rhoddodd chwerthiniad bach a throi ei llygaid at ei mam a safai wrth erchwyn y gwely.

'Mae Anwen eisiau mynd am dro ar hyd y traeth,' gwenodd Morwenna arno.

'Faint o'r gloch yw hi?' edrychodd Arfon ar ei oriawr.

'Does dim byd gwell na mynd am dro ar hyd y traeth cyn brecwast,' awgrymodd Morwenna, 'ac mae hi wedi stopio glawio.'

Roedd y ddau wedi mwynhau cwmni ei gilydd y noson cynt ar ôl i Anwen ac Elisabeth fynd i'w gwelyau, ond ni fentrodd yr un ohonynt awgrymu mynd â'r cyfeillachu ddim pellach – y ddau yn ymwybodol o Elisabeth lan llofft a'r perygl y gallai hi godi a dod i lawr y grisiau ar fyr rybudd! Er hynny, teimlai Morwenna yn rhyfedd wrth sibrwd 'nos da' yng nghlust Arfon ar ben y grisiau a'i wylio'n mynd i'w ystafell. Fe ysai am gael ymuno ag ef a rhannu ei wely. Tybed a oedd e wedi teimlo yr un fath, meddyliodd.

'Tyrd, cwyd, mi fyddwn ein dwy yn dy ddisgwyl yn eiddgar wrth y drws.'

Ymhen deng munud cerddai'r tri yn hamddenol tuag at y traeth gwag.

Gwyliodd Elisabeth nhw o'i hystafell wely – Arfon a'i merch yn cerdded yn agos at ei gilydd, eu dwylo ymhleth ac Anwen fach yn rhedeg a neidio ar y tywod o'u blaenau. Doedd hi ddim wedi cysgu llawer y noson cynt ac fe ddeffrodd y sibrwd y tu allan i'w hystafell hi yn llwyr. Cofiodd Alun a hithau'n cerdded ar hyd y traeth yn union yr un fath â'r ddau yma. Gwelodd Morwenna yn estyn ei hwyneb at Arfon cyn ei gusanu'n dyner ar ei foch ac yntau'n rhoi ei fraich am ei hysgwyddau cyn ei thynnu'n nes ato. Oedd, roedd y tri fel teulu bach dedwydd, cysurus. Trodd Elisabeth oddi wrth y ffenest fawr a dechrau gwisgo amdani.

'Beth yw hwnna sy' gyda ti?' gwaeddodd Arfon wrth weld Anwen yn cario rhywbeth du yn ei dwylo, 'gad i mi weld.'

Rhedodd y ferch fach tuag ato. Gwelai Arfon ei bod yn cario ffon ddu ac er bod tipyn o dywod arni, ymddangosai'n ffon ddrud gyda handlen arian ar ei phen. Trodd Arfon i'w dangos i Morwenna ond roedd hi'n syllu ar rywbeth arall yn agos i Garreg y Fuwch.

'Be ydi hwnna draw fan'na?' gofynnodd yn dawel. Edrychodd Arfon i'r pellter.

'Mae e'n edrych fel craig dywyll,' atebodd, 'ond mae 'na rywbeth ynghlwm wrtho.'

Roedd Anwen wedi dechrau cerdded at y 'graig'. Rhedodd Morwenna ar ei hôl a chydio'n dyner ynddi i'w hatal rhag mynd ymhellach, 'Dos di i weld, Arfon,' gorchmynnodd.

Gwyliodd Morwenna Arfon yn cerdded yn gyflym tuag at y twmpath du. Fe'i gwelodd yn arafu wrth gyrraedd cyn plygu uwch ei ben. Ymestynnodd ei law a chyffwrdd beth bynnag oedd yno. Cododd a dechreuodd redeg yn ôl tuag atynt. Roedd e'n anadlu'n drwm pan gyrhaeddodd a golwg ryfedd yn ei lygaid a'i wyneb mor wyn â'r galchen.

'Dau gorff, Morwenna. Dere, mae'n rhaid inni fynd i ffonio'r heddlu,' meddai'n dawel.

Syfrdanwyd Morwenna gan ei eiriau, 'Dau gorff?' Llifodd y gwaed o'i hwyneb. Teimlai'n benysgafn. Trodd ei phen a sylweddoli mai defnydd du a welsai ynghynt, nid craig.

'Nid ...?' gofynnodd gan edrych yn ddwfn i'w lygaid.

Deallodd Arfon ar unwaith, 'Nage, hen wraig yw un a rhyw ddyn yw'r llall – ond nid dy dad, mae e'n llawer llai. Mae'n debyg mai cwmpo drwy'r ffens 'na wnaethon nhw, edrycha lan fan 'na,' a chyfeiriodd ei law i ben y clogwyn ac yna i gyfeiriad Troed y Rhiw.

'O, na,' llefodd Morwenna, 'nid Mari?' Ceisiodd fynd heibio Arfon ond daliodd ef hi yn ei freichiau.

'Wy' ddim yn adnabod Mari, Morwenna, ond hen wraig fach gyda gwallt brith yw hi.' Gallai deimlo Morwenna yn crynu yn ei freichiau. 'Dere, mae'n rhaid i ni fynd i ffonio'r heddlu.'

Roedd Anwen yn dal i chwarae gyda'r ffon. Cododd Arfon hi yn ei freichiau a cherddodd y tri yn ôl i Awel Deg.

* * *

'Wel, dyma hen dro cas,' meddai Sarjant John Jones wrth Arfon wrth i'r ddau sefyll yn ymyl y cyrff.

Ar ôl dychwelyd i Awel Deg, roedd Arfon wedi ffonio Heddlu Aberteifi a rhoi adroddiad llawn i'r rhingyll tra bod

Morwenna yn dweud yr hanes wrth ei mam, gan geisio'i chysuro cyn cael cadarnhad mai Mari Troed y Rhiw oedd un o'r cyrff a ddarganfuwyd. Brawychwyd Morwenna gan ymateb Elisabeth a bu'n rhaid iddi orfodi ei mam i aros yn y tŷ yn hytrach na mynd i lawr i'r traeth i ymchwilio. Dychwelodd Arfon at y cyrff rhag ofn i rywun arall amharu arnynt ac i ddisgwyl am John Jones.

'Does dim amheuaeth mai'r hen Fari Troed y Rhiw yw'r fenyw ond does gyda fi ddim syniad pwy yw'r dyn,' meddai'r Sarjant yn dawel.

'Y'ch chi'n meddwl mai ef oedd perchennog hon?' dangosodd Arfon y ffon ddrud iddo ac egluro sut y daeth Anwen o hyd iddi ar y traeth. Edrychodd y Sarjant yn graff ar y ffon; edrychodd yn ôl ar y cyrff; gwelodd y breichiau a oedd bron ynghlwm i'w gilydd; sylwodd ar ben Mari fel petai wedi ei droi tuag at y dyn er mwyn sibrwd yn ei glust, er bod wyneb y dyn wedi ei droi oddi wrthi a'i lygaid ar agor.

'Wel, mawredd mawr!' sibrydodd yr heddwas yn dawel wrth edrych ar wynebau'r meirwon.

'Beth sy' gyda ni fan hyn, 'te?' daeth llais uchel o'r tu ôl iddynt. Cododd y ddau a gweld Sarjant Ron Powell yn brasgamu tuag atynt yn ei got lwyd a'i het wedi ei thynnu dros un llygad. 'Sarjant Jones, shwt y'ch chi ers llawer dydd.'

'Iawn diolch, Sarjant Powell,' ochneidiodd John Jones yn uchel. 'Dau gorff mae gen i ofn.'

Edrychodd Ron Powell ar y cyrff. Roedd rhywbeth yn gyfarwydd am yr hen wraig. Torrodd datganiad John Jones ar draws ei feddyliau, 'Mari Troed y Rhiw yw'r fenyw, wy'n siŵr o hynny – ond does dim syniad 'da fi pwy yw'r dyn.'

'Mari Troed y Rhiw,' synnwyd Powell wrth gofio ei chyfarfod unwaith, 'wel, druan â hi,' meddai'n didwyll.

Edrychodd ar Arfon a chodi ei aeliau.

'Arfon Charles,' deallodd John Jones beth oedd ar feddwl y ditectif ifanc, 'mae e'n athro yn ysgol Llandysul ac yn gyfaill mawr i Elisabeth a'i merch.'

'Ac i Alun Morgan, felly,' awgrymodd Powell. Rhyfeddodd Sarjant Jones at hyder cynyddol Powell.

'Ac i Alun Morgan,' cadarnhaodd Sarjant Jones.

'Dyna ryfedd nad yw'r hen Gyf yma?' edrychodd Powell draw tuag at Awel Deg.

'Mae e .... mae e wedi diflannu,' meddai Arfon. Gadawyd yr heddweision yn gegrwth am ennyd.

'Wedi diflannu?' gofynnodd John Jones, 'Beth chi'n feddwl "wedi diflannu"?'

'Y Gyf wedi diflannu?' Roedd yr anghrediniaeth yn amlwg yn llais Powell.

Eglurodd Arfon y sefyllfa ddiweddaraf i'r ddau ac er ei fod yn rhannu gofid a thristwch Elisabeth a Morwenna, teimlai'n falch ei fod yn rhan o'r teulu erbyn hyn.

Wrth gwrs, nid oedd eglurhad Arfon yn ddigon i'r ddau heddwas a chafodd ei holi'n ddiarbed nes ei fod wedi rhoi ei holl wybodaeth iddynt. Teimlai'r heddweision y dylent fynd i Awel Deg i gydymdeimlo ag Elisabeth ond gwyddent hefyd y dylent fynd i fyny i Droed y Rhiw yn gyntaf i weld a oedd unrhyw beth ar gael i daflu goleuni ar farwolaeth y ddau.

Ar ôl i'r Cwnstabl Dai Rees o Aberteifi gyrraedd, dilynodd John Jones y llwybr i Droed y Rhiw lle'r oedd Ron Powell wedi dod o hyd i lythyr a adawyd heb ei bostio ar fwrdd y gegin – y llythyr oedd wedi ei gyfeirio at Elisabeth.

* * *

Eisteddai'r ddau ar y soffa yn lolfa Awel Deg; cydiai Sarjant Jones yn dyner yn llaw Elisabeth. 'Yn gyntaf oll, Elisabeth fach, mae'n ddrwg calon gen i glywed am Alun. Ond ry'ch chi'n ei adnabod yn well na neb ac wy' inne'n ffyddiog y bydd e'n dychwelyd yn ddiogel yn fuan – yn fuan iawn,' ochneidiodd yn gysurlon.

'Diolch, Sarjant,' teimlai Elisabeth y dagrau'n dechrau cronni yn ei llygaid unwaith yn rhagor. Roedd hi eisoes wedi bod yn crio ar ôl i Morwenna ddwyeud wrthi am y darganfyddiad ar y traeth. Dim ond newydd ddechrau dod i adnabod Mari oedd hi ond fe deimlai'n agos at yr hen wraig. 'Ai Mari ...' holodd, yn bennaf oll er mwyn cael cadarnhad swyddogol.

'Ie, y druan fach,' edrychodd John Jones arni. Doedd dim diben gohirio'r newyddion drwg.

'A be am y dyn?'

'Wel, mae'n rhaid i ni ddisgwyl i rywun ddod i ddweud corff pwy yw e, yn swyddogol, ond rhyngoch chi a fi a'r wal, wy' i o'r farn mai William, mab yr hen Gapten Williams, oedd e.'

Cofiodd Elisabeth yr hanes a glywodd gan Alun.

'William? Wedi dychwelyd ar ôl yr holl flynyddoedd yma? Ond pam?' gofynnodd.

'Pwy a ŵyr, Elisabeth, pwy a ŵyr? Ond ry'n ni wedi darganfod car mawr yn agos i ben y rhiw ac ry'n ni'n credu mai ef oedd y perchennog. Mae Ron Powell yn ei archwilio ar hyn o bryd. Y'ch chi'n cofio Ron Powell?' ceisiodd y Sarjant ysgafnhau'r awyrgylch, 'Y ditectif bach diniwed 'na o Aberystwyth?! Duw, mae e wedi altro.'

Sylweddolai John Jones fod Alun Morgan yn holl bresennol – waeth beth oedd y pwnc trafod ac felly brysiodd i egluro diben arall yr ymweliad.

'Elisabeth,' dechreuodd, 'buom yn Nhroed y Rhiw yn chwilio am unrhyw beth a fyddai'n egluro'r hyn a ddigwyddodd neithiwr. Cawsom hyd i hwn wedi ei adael ar y bwrdd.' Gwthiodd ei law i'w boced a thynnu amlen wen ohoni. 'Eich enw chi sydd ar y llythyr, felly chi ddylai ei agor gyntaf. Os yw'n cynnwys unrhyw beth y dylen ni wybod amdano, fe fyddem yn ddiolchgar iawn pe byddech yn trosglwyddo'r wybodaeth i ni – neu'r llythyr yn gyfan gwbwl, efallai. Fe gewch chi ddewis.' Estynnodd y llythyr iddi a'i gwylio'n darllen yr amlen cyn ei hagor heb ddweud gair.

'Annwyl Elisabeth. Er nad y'n ni wedi cael llawer o gyfle i ddod i adnabod ein gilydd yn dda, teimlaf fy mod yn eich adnabod yn well nag y tybiech chi. Dyna fraint oedd bod yn bresennol yn eich priodas. Nid wyf wedi diolch yn iawn i chi am hynny. Wy'n falch ofnadwy eich bod yn gwella o'r anafiadau a ddioddefoch ar ôl y ddamwain gas 'na ac wy'n cydymdeimlo'n ddirfawr â chi yn eich colled. Fe fydd yn golled i chi ac i'ch teulu bach. Wy'n gwbod beth yw colli babi. Fe wnes i golli un hefyd flynyddoedd yn ôl, ond nid oedd gen i gariad gŵr i'm cysuro. Mae cariad eich gŵr chi tuag atoch, a'r cariad mae'r ddau ohonoch yn ei rannu yn hyfryd i'w weld.

'Mae 'na rywbeth difrifol wedi dod ar draws fy mywyd i. Er nad wyf wedi gweld unrhyw feddyg na dim byd felly, wy'n ymwybodol fod 'na ddolur yn treiddio drwy fy nghorff, yr un dolur a laddodd fy mam. Credwch fi, wy'n adnabod yr arwyddion ac mae'r boen yn arswydus ar brydiau. Mae'r amser wedi dod i mi roi terfyn arno. Pan fyddwch chi yn derbyn y llythyr bach 'ma fe ddeallwch fy ngeiriau. Byddaf yn gadael gyda chydwybod esmwyth am y pethau sy'n rhaid i mi eu gwneud.

'Cefais sgwrs hir gyda'ch gŵr am etifeddiaeth Capten Williams ond wy'n siŵr nad oedd e wedi sylweddoli ar y pryd pa mor fawr oedd hi. Roedd y Capten yn hoff iawn o Alun ac yn ei ystyried yn fwy fel mab yn hytrach na chyfaill triw – y mab hwnnw a gollodd ond a gafwyd yn y diwedd. Does dim gwell perthynas i'w chael.

'Maddeuwch i mi am yr hyn rwyf am ei wneud. Dymuniadau gorau, Mari Troed y Rhiw.'

Roedd y dagrau'n llifo ar ruddiau Elisabeth ymhell cyn iddi orffen darllen y llythyr. Edrychodd ar y Sarjant ac estynnodd y papur iddo.

'Mae hwn yn dweud y cyfan,' sibrydodd yn dawel. Cododd ac aeth allan yn dawel ar ei phen ei hunan.

PENNOD 26

Dynion dieithr, ffordd hawdd o wneud arian, diod a chyffuriau – dyna fu bywyd ifanc Martina nes iddi sylweddoli, un diwrnod, ei bod wedi heneiddio ymhell o flaen ei hamser. Roedd hi'n rhy hwyr bellach iddi wneud dim byd arall heblaw gwasanaethu dynion ond erbyn hyn dim ond hen ddynion oedd a diddordeb ynddi. Dyna pryd y daeth i adnabod Lisa Capelo.

Cymerodd Lisa hi dan ei hadain a cheisio newid ei bywyd. Daeth pethau'n well i Martina am gyfnod ond er bod Lisa wedi bod yn garedig iawn yn rhoi to uwch ei phen a gwaith iddi fel morwyn yn ei chartref moethus, yn araf bach daeth Martina i ysu am ryddid unwaith eto. Wedi'r cyfan, roedd hi wedi bod yn rhydd i wneud fel y mynnai gydol ei hoes, neu o leiaf ers i'w thad-cu a'i mam-gu ddiflannu un noson ar ôl i'r gelyn ymosod unwaith eto a dinistrio'r adeilad lle'r oeddent i gyd yn byw yn agos i'r dociau yn nwyrain Llundain adeg y rhyfel.

Mynd gyda'i mam o un cartref dros dro i'r llall wnaeth Martina wedyn, nes ei bod yn bymtheng mlwydd oed heb wybod cysur na chariad teulu agos. Roedd ganddi ddigon o ffrindiau, roedd ganddi ddigon o ewythrod a oedd bob amser yn galw i weld ei mam, ddydd a nos. Câi hithau ei hanfon allan i chwarae gyda'r plant eraill neu i dreulio'r nos gyda'r wraig drws nesaf. Heb addysg, heb arian, heb waith, tyfodd Martina yn nhlodi'r ardal – ond roedd ei mam yn sicrhau fod 'na fwyd ar y bwrdd, gwres yn y cartref a dillad addas iddi bob amser, yn wahanol i nifer helaeth o'i ffrindiau.

Ac wrth gwrs, roedd hi wastad yn rhydd, tan y noson arbennig honno pan oedd hi'n bymtheng mlwydd oed. Paratôdd i fynd i dŷ ei ffrind wrth i'w hewythr a dau o'i ffrindiau alw i weld ei mam. Milwyr oedd y ddau gyfaill, un yn groenddu a'r llall yn wyn. Gofynnodd y ddau iddi aros gyda'i mam yn hytrach na mynd allan. Cynigiodd un ohonynt lymaid tywyll iddi yfed. Er nad oedd yn hoff iawn o'r blas i ddechrau, cyfarwyddodd ag ef yn gyflym. Gadawodd ei mam iddi gael sigarèt gan ei bod yn bymtheg ac 'yn ferch fawr nawr'.

Arhosodd digwyddiadau'r noson gyda Martina weddill ei bywyd.

Daeth ennill arian yn hawdd iddi ac er ei bod yn gaeth i'r bywyd hwnnw roedd hi'n dal i deimlo'n rhydd.

Ond yng nghartref Lisa Capelo teimlai'n gaeth ac felly dihangodd yn ôl i'w chynefin. Cafodd waith mewn sawl tŷ tafarn fel dawnswraig llwyfan ac er bod angen trwch go dda o golur i guddio'r rhychau erbyn hyn, roedd ei chorff yn atyniadol o hyd ac roedd dadwisgo o flaen dynion yn ail natur iddi.

Un noson, aeth un o'r tafarnwyr â hi i ystafell yng nghefn y dafarn lle'r oedd dynion yn chwarae cardiau. Gwelodd Martina fwndeli o arian ar bob bwrdd – nid oedd wedi gweld cymaint o arian â hyn erioed o'r blaen. Roedd merched eraill yn sefyll y tu ôl i rai o'r dynion, yn ddigon bodlon iddynt fwytho eu cyrff o dan eu dillad bob hyn a hyn. Symudodd Martina yn araf a sefyll y tu ôl i un o'r dynion a edrychai'n fwy cefnog na'r lleill. Ymddangosai'n fwy aeddfed ac yn fwy gwybodus, er ei fod yn ddigon tawedog. Rhwng y gwahanol gemau teimlai Martina ei law yn cyffwrdd ei choesau a mwytho ei phen ôl. Dyna'r tro cyntaf iddi gyfarfod â'r dyn rhyfedd a siaradai mewn acen ffroenuchel. Efallai mai dyn fel hwn oedd ei thad, meddyliodd – y tad na wyddai ddim amdano, hyd yn oed ei enw.

Sylweddolodd yn gyflym fod y dyn yn disgwyl iddi gadw cwmni iddo pryd bynnag y mynnai. Yn rhyfedd, er ei fod yn ei thrin fel pe bai'n rhan o'i eiddo, fel pe bai wedi ei phrynu'n rhyw fath o gaethforwyn rywiol, doedd dim gwahaniaeth ganddi. Roedd hi'n dal i deimlo yn rhydd. Teimlai'n agos iddo, yn enwedig ar ôl iddo ei harwain i'w gartref nid nepell o'r tŷ tafarn. Roedd hi'n rhyfedd meddwl ei bod yn cael aros yn y tŷ hyd yn oed pan oedd y dyn rhyfedd wrth ei waith yn y ddinas. Fe fyddai dyddiau'n mynd heibio heb unrhyw sôn amdano. Ond yn ddirybudd, byddai'n dychwelyd i'r tŷ ac yn disgwyl iddi ei wasanaethu a mynd gydag ef i'r dafarn ac i'r ystafell gefn. Anwybyddai Martina'r creulondeb a ddangosai tuag ati ar brydiau; anwybyddai ei ofynion rhyfedd hefyd am ei fod e mor barod â'i arian – y dyn â'r enw rhyfedd, y dyn â'r goes gam a oedd yn hercian yn lletchwith wrth ei chymryd i'w wely.

Un bore, cyrhaeddodd Martina yn ôl i'r tŷ ar ôl bod mewn parti drwy'r nos. Roedd hi wedi cael gorchymyn i beidio galw yno am ddiwrnod neu ddau ond erbyn hyn roedd ei chorff yn ysu am seibiant ar ôl cysgu mewn gwahanol welyau dros y nosweithiau diwethaf, felly daeth yn bryd iddi ddychwelyd. Rhoddodd yr allwedd yn y drws a'i throi yn ddistaw bach. Clywodd sŵn y dyn llaeth yn dod i lawr y stryd y tu ôl iddi ond gwyddai na fyddai'n galw yno. Cafodd gyngor gan ei meistr i beidio â gadael i neb dieithr ddod yn agos i'r drws ffrynt.

Camodd Martina i mewn i'r tŷ yn dawel rhag ofn bod rhywun yno. Doedd hi ddim am ddeffro neb. Cerddodd i'r gegin wag a sylwi ar y cwpanau brwnt ar y bwrdd. Aeth i mewn i'r lolfa a oedd yr un mor anniben ac yna cerddodd i fyny i'r llawr uchaf helaeth gan edrych ymhob ystafell yn ei thro. Roedd pobman yn wag a thawel.

Aeth at yr ystafell olaf a gwrando'n astud yn y fan honno hefyd – doedd dim smic i'w glywed. Agorodd y drws a mynd i mewn yn ddistaw bach. Gwyddai'n syth fod rhywun yn gorwedd ar y gwely er bod yr ystafell yn dywyll a'r llenni trymion wedi eu cau. Aeth at y ffenest ac agor y llenni mor dawel ac y medrai. Trodd i wynebu'r gwely a gweld y corff noeth arno wedi ei glymu ar led.

'O'r truan, a thithau'n noeth,' meddai wrth gerdded yn araf tuag ato er mwyn edmygu'r dyn cyhyrog cyn ei ddeffro.

'Tyrd i ni gael gwared â'r hen raffau 'ma,' meddai cyn dechrau mwytho ei gorff. Tynnodd ei llaw drwy ei wallt. Gwelodd y chwys ar ei gorff. Gwelodd y llygaid caeedig. Gwelodd y graith ar ochr ei wyneb. Gwyddai ar unwaith pwy oedd yn gorwedd o'i blaen.

Rhegodd yn uchel. Rhegodd eto. Rhegodd a rhegodd wrth redeg o'r tŷ ond doedd neb yno i'w chlywed.

PENNOD 27

Syllodd Elisabeth ar yr wyneb a oedd mor gyfarwydd iddi â'i hwyneb hi ei hunan. Gwelai'r gwallt cyrliog trwchus a oedd yn dechrau britho, y llygaid a fu mor ddisglair ond a oedd nawr mor galed ac oer, y graith ddu ar foch welw. Ie, Alun oedd e ond nid dyma'r Alun a gofiai hi, yr Alun a fodolai yn ei hatgofion. Hen lun a ddewiswyd gan yr heddlu ar gyfer y papur newydd oedd hwn, islaw'r pennawd 'A YDYCH CHI WEDI GWELD Y GŴR HWN?'.

Gyda chaniatâd Elisabeth, roedd y Comander wedi trefnu i lun a manylion Alun ymddangos yn y papurau dydd Sul a'r papurau y dydd Llun canlynol. Atgoffodd Elisabeth ei hun fod Alun wedi defnyddio'r un dull ambell dro ac roedd hi'n syndod cynifer o bobl oedd yn ymateb i'w ymholiadau.

Fel arfer, y dyn llaeth fyddai'n dosbarthu'r papurau newydd yn gynnar bob bore, cyn i neb arall ddeffro ym Mhwll Gwyn. Ond heddiw, a hithau wedi treulio noson ddigwsg arall, roedd Elisabeth wedi ei glywed yn cyrraedd. Cerddodd i lawr y grisiau yn dawel rhag ofn deffro'r lleill ac eistedd yn y lolfa fawr, y papur ar y bwrdd o'i blaen a'i gên yn ei dwylo.

'Ble'r wyt ti, Alun?' gofynnodd yn ddistaw gan syllu i fyw y llygaid yn y llun. Roedden nhw'n llawn caledrwydd, yn llawn blinder. Sylweddolodd Elisabeth mai llun a dynnwyd cyn i Morgan adael Llundain oedd hwn. Edrychodd ar y graith a sylwi mai llinnell ffug oedd hi, wedi ei hychwanegu i'r llun. Onid oedd Elisabeth yn adnabod pob modfedd o wyneb ei hannwyl ŵr? Oedd, roedd y llun hwn bron yn ddwyflwydd oed, os nad yn hŷn.

'Dyma sut oeddet ti'n edrych ers talwm 'te, cariad,' meddai wrthi ei hun. 'Fe wnest ti heneiddio ymhell o flaen dy amser, ond mae pethau'n well erbyn hyn.' Cyffyrddodd y graith yn y llun.

Ni sylwodd Elisabeth fod Morwenna wedi dod i mewn i'r ystafell nes iddi roi ei dwylo yn dyner ar ysgwyddau ei mam a phlygu ymlaen i edrych ar y llun. Trodd Elisabeth i'w hwynebu a gweld y dagrau'n llifo ar ruddiau ei merch.

Cydiodd yn dyner yn ei llaw, 'Mae o'n dal yn fyw, Morwenna,' meddai'n gadarn, 'Dwi'n gwbod ei fod o'n dal yn fyw.'

* * *

Fel arfer byddai Lisa Capelo yn cysgu'n hwyr ar fore dydd Sul. Dyna'r unig ddiwrnod pan na fyddai neb yn torri ar draws ei chwsg ond y bore dydd Sul hwn, deffrodd yn sydyn wrth i'r ffôn yn ymyl ei gwely ganu'n swnllyd. Estynnodd ei braich yn araf tuag at y peiriant a chodi'r derbynnydd at ei chlust heb agor ei llygaid.

Beth? Pwy? Martina? Beth wyt ti'n ei feddwl? Dyn? Rhaffau? Heddwas? Doedd hyn ddim yn gwneud unrhyw synnwyr. Ffonia 'nôl ymhen hanner awr.

Craith? Craith gas ar ei wyneb? Cododd Lisa Capelo ar ei heistedd ar unwaith.

O fewn yr awr roedd hi'n sefyll y tu allan i'r tŷ nid nepell o Dagenham ac yn cysuro Martina.

Anfonodd ddau o'i dynion i mewn yn gyntaf cyn clywed dwy ergyd dawel yn dod o gefn y tŷ. Gwyddai fod pwy bynnag a ddychwelodd i gael gwared â'r carcharor tra bod Martina yn gwneud ei galwad ffôn wedi eu lladd – nawr roedd hi'n ddiogel i'r ddwy wraig fynd i mewn.

'Wel, Alun Morgan, beth yn y byd wyt ti'n ei wneud fan hyn? Pwy wnaeth hyn i ti?' holodd Lisa'n dawel wrth ymchwilio corff y dyn a fu unwaith yn elyn mawr iddi hi a'i theulu. Roedd e'n gorwedd fel pe bai'n gelain ar y gwely a gwelodd Lisa'r chwistrell ar y llawr a rhai eraill wrth y poteli bychain ar y bwrdd.

Teimlodd bwls gwan ar ochr ei wddf a gwyddai fod Alun Morgan yn dal yn fyw ond yn fregus iawn. Roedd Martina wedi tynnu'r rhaffau a rhyddhau ei freichiau a'i goesau gan wylio ei chymdoges yn golchi ei ben gyda'r dŵr glân. Neidiodd wrth i'r corff ochneidio'n uchel.

'Dyna fe, tyrd di, Alun Morgan, tyrd yn ôl atom ni.' Gallai Martina synhwyro'r hapusrwydd yn llais Lisa Capelo. Gwyliodd ei chyn-feistres yn troi'r dyn ar ei ochr i ryddhau ei frest er mwyn iddo fedru anadlu'n rhwydd. Gwyliodd hi'n mwytho'i gorff yn dyner. Roedd hi'n amlwg yn hen gyfarwydd â thrin cleifion fel hwn.

'Y'ch chi'n meddwl y dylen ni anfon am ambiwlans?' gofynnodd.

Gallai Lisa ddychmygu ymateb yr awdurdodau pe baent yn sylweddoli pwy oedd hi a phwy oedd yn gorwedd yn hanner marw ar y gwely o'i blaen. Edrychodd ar Morgan unwaith eto, 'Na, cer i chwilio am ei ddillad,' gorchmynnodd.

* * *

Roedd J-J â'i feddyliau ynghlwm wrth edrych ar y llun yn y papur newydd o'i flaen. Roedd wedi darllen ac ail ddarllen y disgrifiad oddi tano yn dweud pwy ydoedd, beth oedd yn ei wisgo y tro olaf iddo gael ei weld, pryd ac o ble roedd wedi diflannu. Cododd ei ben gan obeithio byddai rhyw ymateb cadarn i'r hysbys. Edrychodd draw ar Gwenda, roedd hithau â'i phen i lawr yn edrych ar yr un erthygl mewn papur gwahanol. Edrychodd draw i swyddfa y Comander – yr un oedd y stori yno. Roeddent i gyd o'r un meddwl, roeddent i gyd o'r un gofid, roeddent i gyd o'r un gobaith. Clywodd y ffôn yn canu yn swyddfa y Comander a gwelodd ef yn plygu ymlaen i'w ateb.

'Flying Squad,' atebodd y Comander yn flinedig.

Gallai glywed llais y wraig yn glir, 'Nawr gwrandewch, Comander, a gwrandewch yn astud. Peidiwch â dweud dim; peidiwch â gofyn yr un cwestiwn. Lisa Capelo sy'n siarad ac wy'n ddigon parod i ddod i mewn i'ch gweld chi ac i ateb unrhyw gwestiwn y dymunwch eu gofyn pryd bynnag y mynnoch chi – ond nid heddiw.' Arwyddodd y Comander ar i J-J godi ei ffôn a gwrando ar yr alwad ar y lein agored. Gwrandawodd y ddau ar Lisa Capelo yn llawn anghrediniaeth. 'Fel y dywedais i wrth un o'ch swyddogion y dydd o'r blaen, does gen i nac unrhyw un sy'n gweithio i mi unrhyw beth i'w wneud â diflaniad Alun Morgan ond fe gefais alwad ffôn yn gynnar y bore 'ma yn dweud wrtha i ble'r oedd eich cyfaill. Wy'n dweud wrthoch chi nawr ei fod e'n fyw.' Daliodd y Comander a J-J lygaid ei gilydd. 'Mae e'n fyw,' cadarnhaodd Lisa, 'ond nid yw'n holliach. Mae e wedi dioddef, ac yn dal i ddioddef o effeithiau rhyw gyffuriau. Dwi ddim yn meddwl ei fod e'n gwbod pwy yw e ac mae e'n ymddwyn fel pe bai mewn breuddwyd. Mae e'n fregus iawn ddywedwn i.'

'Ble ...?' dechreuodd y Comander.

'Ble mae e? Wy' newydd ei adael ar y palmant o flaen eich swyddfa i weld sut y bydd e'n ymateb. Fe gerddodd e i mewn drwy'r giatiau agored ac roedd e'n cerdded yn araf at y dderbynfa pan welais i e ddiwetha.'

Ni ffwdanodd J-J wrando ar weddill y sgwrs. Taflodd y derbynnydd ar ei ddesg a gweiddi 'Mae'r Gyf yn fyw' wrth redeg o'r swyddfa a rhuthro i lawr y grisiau. Rhedodd yr holl ffordd i lawr i'r dderbynfa cyn sylwi ar unwaith nad oedd Morgan yno. Roedd y lle'n wag heblaw am y ferch a eisteddai y tu ôl i'r ddesg. Edrychodd o'i amgylch yn gyflym heb weld neb. Ond sut? Roedd Lisa Capelo'n swnio mor bendant ar y ffôn.

Rhedodd at y drws ac allan i'r maes parcio. Na, doedd dim golwg ohono. Edrychodd J-J i gyfeiriad y giatiau a dyna pryd y gwelodd y car du swyddogol yn sgrialu ymaith yn gyflym. Rhegodd. Rhedodd at y car agosaf a cheisio agor y drws ond roedd e ar glo. Aeth at y nesaf, a'r nesaf ond roedd pob un wedi ei gloi. Roedd Alun Morgan wedi dwyn yr unig gar a oedd â'i ddrws yn agored a'r allwedd yn dal ynddo! Ond i ble'r oedd e'n mynd? Pa gar oedd e wedi'i ddwyn? Beth oedd y rhif? Doedd gan J-J ddim syniad.

Roedd 'y Gyf' wedi bod mor agos ond unwaith eto, roedd e wedi diflannu.

* * *

Roedd y ffôn wedi bod yn canu drwy'r bore yn Awel Deg ond ar ôl siarad â Sal, doedd gan Elisabeth ddim awydd na diddordeb siarad â neb arall. Gwyddai'n union beth fyddai neges pob galwad ac felly gofynnodd i Arfon fod yn gyfrifol am ateb y ffôn a dweud beth oedd yn rhaid ei ddweud.

'Siwsan, gwraig Sarjant Jones; Lewis Llaw Rydd, y prifathro; Marged, ffarm Tŷ Newydd; Ifor Roberts o'r gwesty yn Llundain – fe ddywedodd e y byddai'n anfon pethe Alun yn ôl yma,' meddai Arfon yn dawel wrth restru'r galwadau, 'Martyn Ifans o Heddlu Aberystwyth, Ann Rhys o'r banc – roedd hi yn swnio'n ddagreuol; John Davies ...'

'Dylwn i fod wedi siarad ag e,' meddai Elisabeth, 'ond paid â phoeni, rwyt ti'n gwneud yn iawn. Mawredd, on'd ydi hi'n syndod cynifer o bobol sy'n darllen y papurau dydd Sul?' gwenodd yn wan. 'Unrhyw un arall?'

'Dorothy o Lundain. Bu'n siarad am hydoedd ond dywedodd ei bod yn deall yn iawn pam nad oeddech chi eisiau siarad â neb. Dywedodd y byddai'n galw eto ar ôl i Alun ddychwelyd – roedd hi'n swnio'n hyderus iawn na fyddai hynny'n hir.'

'Mae hi'n ei adnabod cystal â fi,' atebodd Elisabeth.

'Does neb yn ei adnabod cystal â chi, Mam,' awgrymodd Morwenna.

'Syr Wilson Mainwaring, cyfreithiwr o Lundain; Philip Smythe, dyn banc o Lundain; roedd y ddau yn swnio'n drist iawn; a rhyw wraig o Hendy-gwyn ar Daf ond wnaeth hi ddim gadael ei henw.' Ar hynny, canodd y ffôn unwaith eto. Aeth Arfon i'w ateb.

'Y Comander sy' 'na – ishe gair bach â chi, Elisabeth,' meddai Arfon wrth ddychwelyd i'r lolfa.

Cerddodd Elisabeth at y ffôn. Dim ond un peth oedd ar ei meddwl fodd bynnag – pwy oedd y wraig o Hendy-gwyn a wrthododd adael ei henw?

'Elisabeth fach,' clywodd y llais caredig yn dod yn glir o

Lundain, 'mae Morgan yn fyw.' Teimlai Elisabeth ei choesau'n mynd yn wan ac eisteddodd ar y gadair yn ymyl y ffôn, 'mae e'n fyw, Elisabeth, mae e'n fyw,' clywodd ei lais yn torri ac fe wyddai nad oedd y Comander yn un i grio fel arfer.

'Diolch byth,' atebodd hithau rhwng chwerthin a chrio, er y gwyddai fod 'na 'ond' i ddilyn.

'Ond, Elisabeth, mae e mewn rhyw gyflwr rhyfedd.'

'Be dach chi'n feddwl?'

Eglurodd y Comander neges Lisa Capelo a'r hyn a ddigwyddodd wedyn y tu allan i'r swyddfeydd.

'Ond ble mae o wedi mynd?' gofynnodd wrth i'r Comander orffen ei adroddiad.

'Rydym yn gwneud ein gorau i ddod o hyd i'r car nawr. Mae J-J yn teimlo mai ei fai ef oedd y cyfan. Wnaiff e ddim gorffwys nes dod o hyd i Morgan.'

'Dywedwch wrth J-J nad arno fo mae'r bai o gwbwl ac iddo gymryd gofal ohono'i hun,' meddai Elisabeth. 'Dywedwch wrtho y bydd Alun yn iawn.'

PENNOD 28

Ar ôl iddo gael ei wthio o'r car i sefyll ar y palmant roedd yr adeilad o'i flaen yn edrych yn gyfarwydd iawn i Morgan – ond ni wyddai pam. Cerddodd yn araf i gyfeiriad y giatiau mawrion. Roedd ei goesau'n ddigon simsan. Aeth i'r maes parcio ac edrych o'i amgylch. Roedd yn rhaid iddo wneud rhywbeth pwysig a'i wneud yn fuan – gwyddai hynny, ond ni wyddai beth yn y byd roedd yn rhaid iddo'i wneud. Roedd e ar frys a dim ond un ffordd oedd 'na o ymateb i sefyllfa fel hyn. Yn llechwraidd, ceisiodd agor drws dau neu dri char cyn canfod y car mawr du swyddogol â'i ddrws heb ei gloi a'r allwedd yn dal ynddo. Eisteddodd y tu mewn. Taniodd y car yn syth yn ôl y disgwyl. Sbardunodd ar wib drwy'r giatiau. Gwelodd ŵr yn rhedeg o'r adeilad ac yn edrych arno'n gadael ond ni allai Morgan weld unrhyw ddiben aros.

Pwysodd fotwm a chlywed sŵn cyfarwydd, cysurus y seiren. Pwysodd fotwm arall a gweld golau bach glas yn fflachio o'i flaen. Gwyddai yn ei isymwybod mai felly y dylai pethau fod. Clywodd y radio yn clecian yn swnllyd a diffoddodd y peiriant. Oedd, roedd e wedi gwneud hyn i gyd o'r blaen – roedd y cyfan yn ail natur iddo.

Rhuthrodd y car mawr du ar hyd strydoedd Llundain a'r seiren yn canu'n groch. Tynnodd y cerbydau eraill i'r ochr i wneud lle iddo fynd heibio'n ddiogel. Rhoddodd

Morgan ei fys ar ei foch a theimlo'i graith ac ymlaen ag ef heb i neb na dim ddod ar ei draws.

* * *

'John?' bu bron i Elisabeth weiddi ei enw pan atebodd John Davies yr galwad.

'Elisabeth? Beth sy'n bod?'

'Mae Alun yn fyw ond mae e ...' ailadroddodd eiriau'r Comander yn egluro gyflwr ei gŵr ac mai'r cyffuriau oedd ar fai am ei ddryswch meddyliol. 'Dwi'n gwbod ei fod o ar ei ffordd yma, John, dwi'n gwbod hynny; paid â gofyn sut ond dwi'n gwbod ym mêr fy esgyrn ...'

'Iawn, Elisabeth,' ceisiodd y meddyg ei thawelu, 'Shwt alla i dy helpu?'

'Dywed wrtha i be i wneud pan wela i o; sut y dylwn i ymddwyn.'

'Mae hynny'n dibynnu ar y cyffuriau a pha effaith maen nhw wedi ei gael ar ei feddwl ac ar ei ymennydd.' Ceisiodd ei chysuro ond gwyddai pa fath o sgil-effeithiau erchyll oedd i rai cyffuriau – rhai dros dro, eraill yn barhaol. 'Gwna dy orau i ymddwyn yn naturiol ag e, ond cofia, fydd hynny ddim yn hawdd. Os mai dod yn ôl i'r ardal 'ma mae e, fe fydd e'n chwilio am ei gefndir, yn chwilio am wybodaeth am ei orffennol, felly fe fydd e'n chwilio am bethe a mannau perthnasol iddo fe, ac rwyt tithe'n rhan o'r rheiny. Mae e'n siŵr o fynd i fannau cyfarwydd.'

'Pwll Gwyn?' torrodd Elisabeth ar ei draws.

'Mwy na thebyg. Aberteifi, lle'r aeth i'r ysgol; ei hen gartref pan oedd e'n grwt; yr ysbyty 'ma lle treuliodd e shwt gymaint o amser yn ddiweddar ... fel y dywedais i, fydd 'na ddim synnwyr a all egluro shwt na ble fydd e'n mynd. Ond y peth pwysicaf, Elisabeth – paid â'i ddychryn. Mae hi'n bur debygol y daw ei gof yn ôl iddo, ond fe fydd hynny'n digwydd yn raddol ac efallai y daw yn ôl yn gyfan gwbwl yn y pen draw,' arhosodd y meddyg am ysbaid cyn dweud y newyddion drwg wrthi, 'ond mae'n bosib hefyd y gall ei feddwl gloi yn llwyr ac wedyn fydd 'na ddim gobaith o'i gael yn ôl.'

'Mi wela i,' meddai Elisabeth yn dawel, 'diolch am y cyngor.'

Daeth yr alwad i ben. Tybed a ddylai e fod wedi bod yn fwy amyneddgar a'i pharatoi'n well am yr hyn oedd yn ei hwynebu, pe dychwelai ei gŵr o gwbl, meddyliodd John Davies. Wedi'r cyfan, yr oedd Morgan wedi treulio mwy na hanner ei oes heb Elisabeth.

* * *

Roedd hi'n hwyr yn y prynhawn ac roedd Janet Smith newydd ddechrau ei shifft yn yr orsaf betrol ar yr A40 yn agos i'r Fenni. Fel arfer ar brynhawniau Sul byddai'r lle yn eithaf tawel ac ni theimlai Janet fod heddiw yn mynd i fod yn eithriad. Tynnodd y papur dydd Sul tuag ati. Pam oedd yn rhaid i'r papurau hyn fod mor sych a diflas? Cododd ei phen a gweld car mawr du yn aros wrth y pwmp pellaf. Rhegodd Janet yn dawel; doedd dim llonydd i'w gael. Gwisgodd ei chot a cherdded allan i roi petrol yn y car.

Estynnodd y gyrrwr yr allweddi iddi heb yngan gair. Cymerodd Janet yn ganiataol felly ei fod yn dymuno iddi lenwi'r tanc, ac felly y bu. Synnodd mai car heddlu oedd hwn. Rhyfedd, meddyliodd Janet, doedd yr heddlu ddim yn prynu petrol yno fel arfer. Ciledrychodd ar y gyrrwr; ni symudodd hwnnw fodfedd yn ei sedd, dim ond syllu yn ei flaen yn dawel.

Cliciodd y pwmp i ddangos fod y tanc yn llawn. Rhoddodd Janet yr allweddi yn ôl i'r gyrrwr a throdd yntau i'w hwynebu wrth iddi ddweud y pris. Gwyliodd ef yn tynnu waled o'i boced ac estyn papur pum punt iddi. Gwenodd hithau'n siriol wrth gymryd yr arian ond nid oedd arlliw gwên ar wyneb y gyrrwr – a dweud y gwir, nid oedd arlliw o unrhyw fynegiant o gwbl ar yr wyneb blinedig. Edrychai'r gyrrwr ar Janet fel pe na bai hi'n bod, ei lygaid tywyll yn oer ac yn gwbl ddifywyd. Dechreuodd Janet ofni'r dyn rhyfedd hwn a gobeithiai na fyddai'n ei dilyn i mewn i'r siop.

Cerddodd Janet yn gyflym i nôl y newid, yn grediniol ei fod e am ei dilyn. Roedd hi wedi clywed am sawl ymosodiad ar weithwyr mewn gorsafoedd petrol yn ddiweddar. Beth wna' i petai hwn yn ymosod arna i, meddyliodd yn gyflym. Penderfynodd y byddai hi'n rhoi popeth iddo heb wrthod unrhyw beth a gwneud beth bynnag yr oedd e'n ei ddweud wrthi. Cyfrodd y newid o'r til cyn codi ei phen ond doedd neb wedi ei dilyn i'r siop. Ochneidiodd yn uchel a dechrau cerdded allan yn ôl at y car ond cyn iddi gamu dros y trothwy gwelodd y car yn gyrru ymaith ar frys. Cododd ei llaw ar y gyrrwr er mwyn ei stopio ond sbardunodd yn gyflym heb edrych arni.

'Mae hast ar rywun,' meddai'n dawel gan edrych ar y newid yng nghledr ei llaw. Penderfynodd mai cildwrn oedd yr arian felly a'i roi yn ei phoced.

Dychwelodd Janet yn ôl i mewn i ddarllen y papur newydd, heb feddwl eilwaith am yr ofnau a oedd wedi cynhyrfu ei dychymyg bywiog rai eiliadau'n ôl. Trodd y dudalen gyntaf a bu bron iddi â chwympo oddi ar ei chadair pan welodd y llun o'i blaen. Ie, yn bendant – ei lun e oedd hwn.

Adnabyddodd y llygaid a'r gwallt ac er nad oedd hi wedi edrych yn iawn arno, roedd hi wedi sylwi ar y graith gas ar ei foch pan drodd y dyn i'w hwynebu. Darllenodd Janet yr erthygl ar ei hyd ac fe welodd y rhif arbennig o dan y llun. Cerddodd at y ffôn a phenderfynu defnyddio peth o'r arian mân oedd yn ei phoced i ffonio.

* * *

'Mae e ar ei ffordd i Bwll Gwyn,' gwaeddodd J-J. Roedd e newydd dderbyn yr alwad ffôn oddi wrth Janet Smith gan gymryd manylion llawn, yn enwedig cyfeiriad yr orsaf betrol a'i lleoliad ac wedi cerdded at y map mawr ar y wal i weld ble'n union oedd y Fenni.

'Dim ond gobeithio ei bod hi'n dweud y gwir,' meddai Gwenda.

'Rho'r wybodaeth i'r heddlu lleol er mwyn iddynt gadw golwg am y car,' gorchmynnodd y Comander.

'Beth am i mi fynd i Gymru ar ei ôl e?' awgrymodd J-J yn bryderus.

'Na, gwell aros nes y cawn ni air gan yr heddlu lleol yn gyntaf,' gorchmynnodd y Comander, 'a dwi ddim am i unrhyw un ddweud gair am hyn wrth Elisabeth, rhag ofn mai twyll yw e i gyd. Iawn?' edrychodd ar y ddau o'i flaen.

Ond roedd hi'n nos Sul yn Sir Fynwy hefyd ac er i'r heddwas ar ben arall y ffôn fod yn ddigon cyfeillgar â J-J, penderfynodd fod gan y bois ddigon o waith am un noswaith heb orfod chwilio am gar wedi diflannu o Lundain. Rhoddodd y cais ar ben y bwndel o bapurau a fyddai'n cael sylw fore trannoeth.

* * *

Roedd Morgan wedi diffodd y seiren a'r golau glas ar ôl cefnu ar Lundain. Nid oedd fawr o geir na cherbydau eraill ar yr A40 gan ei bod yn ddydd Sul – er na wyddai ef hynny. Gyrrai yn ei flaen, er ei fod wedi blino'n lân, heb unrhyw syniad i ble'r oedd yn mynd. Ond, rhywsut neu'i gilydd, gwyddai ei fod yn mynd i'r cyfeiriad cywir ac y byddai'n gwybod pan fyddai wedi cyrraedd ei nod. Un felly oedd e wrth reddf.

Arhosodd unwaith er mwyn llenwi'r tanc petrol. Roedd y ferch wedi bod yn gyfeillgar. Roedd hi'n dal, ei gwallt yn dywyll a'i llygaid yn ddisglair – roedd hi'n ei atgoffa o rywun ond methai gofio pwy. Gyrrodd yn ei flaen tua'r gorllewin – er na wyddai pam.

Gwelodd yr arwyddion yn cyfeirio at dref Caerfyrddin. Roedd yr enw'n bwysig iddo ond nid dyna ben y daith. Cyrhaeddodd y dref, aeth heibio i'r hen dderwen ond heb sylwi arni. Aeth yn syth i'r orsaf, parciodd y car a chamu ohono. Roedd e'n gweithredu fel robot, heb wybod pam y gwnâi unrhyw beth. Greddf – dyna oedd yn gyfrifol am bopeth bellach.

Edrychodd o'i amgylch; roedd pobman yn dywyll a thawel a gwag heblaw am un car arall a oedd wedi ei barcio gerllaw. Rhoddodd ei law yn ei boced a thynnu allweddi ohoni. Gwyddai y byddai'r allweddi yn agor drws y car. Cwympodd darn o bapur o'i boced. Plygodd i'w godi.

Cerddodd yn araf tuag at y car a gwthio'r allwedd i'r clo. Eisteddodd wrth y llyw a darllen y cyfeiriad ar y papur. Doedd y cyfeiriad yn golygu dim iddo ond wedi dweud hynny, prin iawn oedd y pethau a wnâi unrhyw synnwyr bellach. Taniodd y car a gyrru allan o dref Caerfyrddin.

Llandysul, Castellnewydd Emlyn, Drefach Felindre, Henllan, Aberbanc ... roedd yr enwau ar yr arwyddion i gyd yn gyfarwydd – ond unwaith eto, methai gofio pam. Fflachiodd wyneb merch ar draws ei feddwl ond roedd hi wedi diflannu cyn iddo ei gweld yn iawn. Rhydlewis – pam oedd yr enw mor gyfarwydd?

Roedd hi'n dywyll ac yn hwyr erbyn iddo gyrraedd Brynhoffnant.

* * *

'Mae'r heddlu wedi dod o hyd i'r car yng ngorsaf Caerfyrddin,' gwaeddodd J-J gan groesi eto at y map. Daeth Gwenda draw a rhoi ei bys ar yr enw gan ddangos i'w chariad pa mor agos oedd Caerfyrddin i Bwll Gwyn.

'Dyna ni, 'te. Wy'n mynd lawr 'na,' trodd J-J i wynebu'r Comander. Gwelodd y wên ar ei wyneb.

'Cer 'te, J-J. Ry'n ni'n gwbod gyda sicrwydd nawr,' cadarnhaodd ei feistr.

'Wy'n mynd gydag e, rhag ofn y bydd y Gyf neu Elisabeth ishe cymorth,' meddai Gwenda.

'Wna i mo dy stopio.' Gwelodd Gwenda ddagrau yn ei lygaid pŵl. Camodd ato a rhoi cusan fach ar ei foch.

'Ewch, y ddau ohonoch,' pesychodd i geisio cuddio'r emosiwn amlwg yn ei lais, 'ond byddwch yn ofalus, peidiwch â gadael i ddim byd amharu ar ei daith. Mae'r pethe hyn yn cymryd amser ond mae'n rhaid inni fod yn ffyddiog. Mawredd, y'ch chi'n gwbod faint o'r gloch yw hi? Falle y bydde hi'n well i chi gychwyn bore fory?'

'Na fydde,' atebodd y ddau ag un llais.

* * *

Clywodd Buddug sŵn car yn aros y tu allan i'w thŷ. Clywodd sŵn drws yn cau a sŵn traed trwm yn cerdded ar hyd y llwybr concrid tuag at ei drws ffrynt. Roedd hi newydd ddychwelyd adref ar ôl wythnos o wyliau gyda'i chwaer yn yr Alban ac ar ôl gyrru drwy'r dydd, roedd hi'n falch o gael gorwedd mewn bàth twym i ymlacio cyn dychwelyd i'w gwaith y bore wedyn. Clywodd guro tawel ar y drws ffrynt. Pwy oedd 'na nawr, meddyliodd? Lapiodd ei hun mewn lliain gwyn glân a cherdded i lawr y grisiau i agor y drws.

'Alun!' bloeddiodd yn syfrdan, 'dere i mewn, dere i mewn! Ond beth wyt ti'n ei wneud fan hyn?' Roedd e'n sefyll ar y rhiniog a golwg ar goll ar ei wyneb gwelw. Cofiodd ei chyngor wrth iddi ymadael ag ef y tro diwethaf. Atseiniai'r geiriau yn ei phen – 'Dim ond lan yn Brynhoffnant wy'n byw; mae'n ddigon cyfleus. Ffonia fi unrhyw bryd y byddi di ishe, unrhyw bryd y bydd angen unrhyw beth arnat ti – unrhyw beth cofia. Wedi'r cyfan, ry'n ni'n hen ffrindiau on'd y'n ni?' Cofiai ysgrifennu ei chyfeiriad ar ddarn o bapur. Roedd y darn papur hwnnw ganddo yn ei law. Pam oedd e wedi galw draw heno, tybed?

Gafaelodd yn ei fraich yn dyner a'i arwain i mewn i'r lolfa. Sylweddolodd mai dim ond y lliain gwyn oedd amdani – doedd ryfedd ei fod yn ymddwyn fel petai mewn breuddwyd! Nid oedd Buddug wedi gweld y papur newydd na chysylltu â neb yng Nghymru ers wythnos.

'Eistedda fan'na am eiliad fach,' gwenodd arno, 'tra bydda i'n mynd i wisgo rhywbeth mwy addas na hwn.'

Eisteddodd Morgan ar y soffa gyfforddus wrth i Buddug redeg ar garlam i fyny'r grisiau nes bod y lliain gwyn wedi cwympo ymhell cyn iddi gyrraedd ei hystafell wely. Chwarddai'n hapus wrth edrych arni ei hun yn noeth o flaen y drych. Canodd yn dawel wrth roi diferion o bersawr fan hyn a fan draw ar ei chorff. 'O'r diwedd,' meddai, 'o'r diwedd.' Roedd hi wedi ystyried mynd i lawr y grisiau yn noeth – ond na, fyddai hynny ddim yn weddus. Chwiliodd am ei gŵn nos newydd, yr un sidanaidd, dryloyw. Taclusodd ei gwallt, rhoi dipyn bach o golur ar ei hwyneb ac yna roedd hi'n barod i'w wynebu.

Cerddodd Buddug yn rywiol urddasol i mewn i'r lolfa. Gwnaeth yn siŵr fod ei choesau hirion, noeth yn ymddangos wrth iddi gerdded tuag at Morgan. Edrychodd arno ar y soffa. Roedd yntau wedi codi ei goesau hirion ar y clustogau meddal ac wedi rhoi un o'r clustogau o dan ei ben. Roedd Alun Morgan yn cysgu'n drwm!

* * *

'Ie?' holodd Elisabeth wrth ateb y ffôn a hithau ar fin cysgu.

'Elisabeth, mae'n flin 'da fi ffonio mor hwyr,' clywodd lais y Comander, 'ond ry'n ni newydd ddod o hyd i'r car roedd Morgan yn ei ddefnyddio. Roedd e wedi ei adael yng ngorsaf Caerfyrddin.'

Diflannodd y blinder yn llwyr o'i chorff, 'Mae'n debyg

mai chi oedd yn iawn – unwaith eto,' clywai'r hapusrwydd yn y llais, 'mae e ar ei ffordd adre.'

Gwibiodd iasau drwy ei meddwl a'i chorff, 'Diolch yn fawr, Comander,' meddai'n ddiolchgar. Ni allai feddwl am ddim arall i'w ddweud.

Cododd Elisabeth o'r gwely a rhedeg ar y landin, 'Mae Alun ar ei ffordd adre!' gwaeddodd, ond roedd Morwenna ac Arfon eisoes ar waelod y grisiau yn edrych yn obeithiol arni.

PENNOD 29

Deffrodd Morgan yn sydyn o gwsg trwm. Roedd hi'n dywyll o hyd ond gwyddai ei fod wedi cysgu digon. Teimlai rywun yn pwyso yn ei erbyn. Agorodd ei lygaid yn araf; doedd ganddo'r un syniad lleiaf ble'r oedd. Gwelodd wyneb yn ei ymyl ac er y teimlai fod ganddo rhyw gysylltiad â'r wraig hon, doedd ganddo ddim syniad pwy oedd hi na pham ei bod yn gorwedd yno yn hanner noeth. Symudodd yn ofalus rhag ei deffro. Cododd yn araf a syllu arni. Roedd hi'n ddeniadol, ei gwallt tywyll yn tonni dros ei hwyneb. Roedd ei gŵn nos wedi agor a'i chorff noeth i'w weld yn glir. Gwyddai Morgan yn ei isymwybod nad oedd perthynas rhyngddynt a bod yr ystafell yn hollol ddieithr iddo, felly ar ôl bod yn yr ystafell ymolchi, gadawodd y tŷ yn dawel a mynd allan at ei gar. Pan ddeffrai Buddug byddai'n difaru nad oedd wedi deffro Morgan y noson cynt, ond byddai'n rhy hwyr erbyn hynny ac fe fyddai'n sylweddoli fod cyfle arall wedi ei golli.

Gyrrodd Morgan nes cyrraedd Aberteifi. Oedd, roedd y lle yn gyfarwydd iddo. Gwelodd y maes rygbi, yr ysgol a'r siopau – popeth yn tanio gwreichion bychain yn ei feddwl, ond dim ond gwreichion serch hynny, heb yr un darlun clir. Sylweddolodd yn sydyn ei fod wedi stopio'r car, heb fwriad, o flaen rhyw adeilad arbennig. Roedd hi'n amlwg mai ysbyty oedd yno. Teimlai y dylai gamu o'r car a mynd i mewn – ond, unwaith eto, ni wyddai pam. Craffodd ar yr adeilad i geisio cofio ond ni ddaeth dim byd i'w gof. Yn y diwedd trodd drwyn y car a gyrru ymaith.

Wrth yrru heibio i'r ysgol fawr, fflachiodd wyneb tlws ar draws ei feddwl – wyneb merch ifanc â'i gwallt hir golau yn chwythu yn yr awel. Roedd y ferch yn gwenu arno ac yn ymddangos yn glir iawn yn ei feddwl. Oedd hi'n ceisio dweud rhywbeth wrtho? Erbyn iddo droi'r llyw yn sydyn i osgoi'r dyn llaeth a safai o'i flaen roedd yr wyneb wedi diflannu gan adael ei feddwl yn wag unwaith eto. Er hynny, teimlai ei fod yn teithio ar hyd y ffordd gywir nawr. Gwyddai'n bendant fod ganddo berthynas â'r lle hwn. Roedd yr olygfa'n gyfarwydd wrth i'r wawr dorri.

Cyrhaeddodd y Sarnau. Roedd y ffordd yn ymestyn yn wag ac yn unig o'i flaen. Am ryw reswm, arafodd y car er mwyn edrych ar y wal gerrig a'r ffos ddofn ar ochr y ffordd. Yn sydyn, fflachiodd golygfa ar draws ei feddwl – darlun du a gwyn o gar a hwnnw'n deilchion wrth y wal. Roedd 'na waed yn llifo. Gwelodd gorff diymadferth yn y car. Gwibiodd ton o arswyd drwy ei gorff. Teimlai'n drist, ond ni wyddai pam. Gyrrodd yn ei flaen yn araf cyn troi'r car i'r chwith ar y groesffordd unig.

* * *

Agorodd Elisabeth ei llygaid yn sydyn wrth ddeffro o hunllef. Anghofiodd y golygfeydd arswydus a oedd wedi llenwi ei breuddwyd eiliadau ynghynt a throdd ei phen i edrych ar y cloc bach wrth ochr ei gwely. Rhegodd ei hun am gysgu'n hwyr. Er iddi ymladd yn erbyn cwsg y noson cynt, y blinder a orchfygodd yn y diwedd.

Doedd dim smic o sŵn i'w glywed drwy'r tŷ a chofiodd Elisabeth fod Morwenna wedi sôn y byddai'n mynd ag Anwen draw i Drefach-Felindre i dacluso'r tŷ. Byddai hynny hefyd yn gyfle iddi fod ar ei phen ei hunan i groesawu ei gŵr yn ôl. Ni wyddai Morwenna am wir gyflwr Morgan.

Cerddodd Elisabeth yn araf i lawr i'r gegin. Roedd y tegell yn berwi'n braf ar y Rayburn. Estynnodd gwpan a gwnaeth baned o de iddi ei hun. Byddai paned yn gwneud byd o les ac fe fyddai hithau'n fwy parod i wynebu'r dydd a'i dreialon wedyn. Cymerodd lymaid da wrth groesi at y ffenest fawr. Syllodd ar y traeth euraid a gweld y môr yn cusanu'r tywod. Gwelodd y fan ble darganfuwyd cyrff Mari a'r dyn na wyddai neb yn iawn pwy ydoedd, hyd yn hyn. Edrychodd i gyfeiriad Carreg y Fuwch – a rhewodd yn ei hunfan!

Methodd godi'r cwpan at ei cheg na'i atal rhag cwympo a chwalu'n deilchion ar lawr y gegin. Ni allai gredu ei llygaid. Teimlai ei chalon yn curo fel gordd yn ei mynwes a'i cheg yn sychu'n grimp. Eisteddai dyn ar y graig â'i gefn tuag ati – ond roedd hi'n adnabod y cefn cadarn yn iawn. Roedd hi'n adnabod amlinelliad y corff, y pen, yr ysgwyddau – pob modfedd ohono! Er ei fod yn wynebu draw, gallai Elisabeth weld ei wyneb yn glir yn ei meddwl a gwyddai ei fod yn edrych tuag at y ffrwd. Byddai Elisabeth yn adnabod Alun yn unrhyw le!

Rhedodd i fyny'r grisiau i'r ystafell wely. Tynnodd ei gŵn nos a gwisgo trowsus ei thracwisg a siwmper gynnes cyn rhedeg allan o'r tŷ a neidio fel gafr dros y creigiau i lawr i'r traeth. Yna cododd ei phen ac edrych i gyfeiriad y graig ond roedd pobman yn wag unwaith eto.

'O, na!' gwaeddodd, 'Na!' a dechreuodd grio. Rhedodd ar draws y traeth tua'r graig. Gallai ddychmygu Alun yn sefyll yr ochr arall, yn syllu ar y ffrwd uwchben. Ond pan gyrhaeddodd, roedd y lle yn wag. Nid oedd sôn am neb, dim ond y ffrwd yn byrlymu i lawr y clogwyn, y gwylanod yn sgrechian uwch ei phen, y creigiau'n ddu ac oer ac unig o'i hamgylch. Cwympodd ar ei phengliniau a dechrau llefain. Nid dychmygu wnaeth hi; na, yn bendant, roedd e wedi bod yno; roedd e wedi bod mor agos. Gwyddai mai Alun oedd e ond nawr roedd wedi mynd – wedi diflannu unwaith eto.

Ni wyddai Elisabeth pa mor hir y bu'n cyrcydu ar y tywod oer cyn dod ati ei hun. Cododd yn araf a phwyso yn erbyn y graig. Oedd, roedd Alun wedi bod yno, cysurodd ei hun. Cofiodd gyngor John Davies, 'Fe fydd e'n chwilio am ei gefndir, yn chwilio am wybodaeth am ei orffennol, felly fe fydd e'n chwilio am bethe a mannau perthnasol iddo fe, ac rwyt tithe'n rhan o'r rheiny … Mae e'n siŵr o fynd i fannau cyfarwydd. Aberteifi, lle'r aeth i'r ysgol; ei hen gartref pan oedd e'n grwt; yr ysbyty …'

Dychwelodd Elisabeth yn ôl yn araf tuag at Awel Deg. Synhwyrodd ble i ddechrau chwilio. Am ryw reswm roedd sŵn y môr yn uwch nag arfer heddiw, fel pe bai'n ei gorfodi i ymateb. Edrychodd draw tuag at y gorwel ac eto, roedd atsain y tonnau yn adleisio'n uchel yn ei phen wrth iddi benderfynu beth oedd yn rhaid iddi ei wneud a ble'r oedd yn rhaid iddi fynd i chwilio am ei gŵr. Eisteddodd yn ei char bach a dechrau gyrru.

Gyrrodd yn araf o amgylch Aberteifi, aeth i'r ysbyty, galwodd gyda John Jones yn swyddfa'r heddlu ond doedd dim sôn amdano.

Sal – roedd e'n siŵr o alw i weld Sal! Roedd hi'n byw yn agos i fferm Dan 'Rallt, hen gartref Alun pan oedd e'n blentyn. Gyrrodd yn gyflym ar hyd y ffyrdd cul nes cyrraedd y tŷ bychan gwyngalchog.

Na, nid oedd Sal wedi ei weld ond mynnodd ei bod yn cael tamaid i'w fwyta ac yfed cyn mynd ymlaen ar ei thaith. Ni chafodd Elisabeth gyfle i wrthod ond gwyddai ei bod yn gwastraffu amser gwerthfawr. Roedd hi wedi gadael cyn i Sal ddychwelyd o'r gegin fach â'i hambwrdd yn llawn brechdanau a thebotaid o de poeth.

Wrth gwrs, Llandysul a'r ysgol! Yr union fan lle'r oedd y ddau wedi dod wyneb yn wyneb ar ôl dwy flynedd ar hugain ar wahân! Pam na fyddai hi wedi mynd yno gyntaf? Dychmygodd Alun yn eistedd yn ei gar y tu allan i'r giatiau, fel ag y gwnaeth bron i flwyddyn yn ôl. Dychmygodd ef yn disgwyl amdani i ddod allan o'r ysgol fel o'r blaen. Ond roedd y car hwnnw wedi ei ddifetha mewn damwain ac nid oedd neb yno yn disgwyl amdani pan gyrhaeddoedd, dim ond adeilad llawn plant ac athrawon. Gyrrodd Elisabeth yn ei blaen – doedd dim diben aros a gwastraffu amser. Ond ble nesaf?

Gyrrodd ymlaen heb wybod i ble. Gyrrodd yn araf drwy Drefach-Felindre. Gwelodd gar Morwenna y tu allan i'w hen gartref ond penderfynodd beidio aros. Ymlaen i Gastellnewydd Emlyn, i lawr drwy Adpar, troi i'r chwith ac ymlaen ar hyd ffordd a oedd yn wag ac yn dawel.

'Ble'r wyt ti, Alun? Ble wyt ti 'nghariad i?' sibrydodd.

Yna cafodd syniad – y fynwent! Tybed a fyddai Alun yn mynd yno? Anelodd at fynwent Capel Mawr ond gwyddai nad oedd e yno yn syth ar ôl cyrraedd; nid oedd yr un car arall wedi ei barcio y tu allan i'r giatiau glas. Serch hynny, stopiodd ei char. Dringodd dros y sticil a cherdded tuag at fedd ei deulu. Syllodd ar y garreg ddu â'r ysgrifen euraid. Gwyddai yn ei chalon fod Alun wedi bod yma'n ddiweddar – ond pryd? Cerddodd yn araf yn ôl i'w char cyn dychwelyd i Bwll Gwyn â'i phen mewn breuddwyd.

Gwelodd gar dieithr y tu allan i Awel Deg, car heddlu, a churodd ei chalon yn gyffrous unwaith eto. Yna cofiodd fod y car a ddefnyddiodd Alun i adael Llundain wedi cael ei ddarganfod yng ngorsaf drenau Caerfyrddin. Dychwelodd ei hanobaith.

Roedd 'na ddau yn eistedd yn y car. Cerddodd Elisabeth yn araf tuag ato cyn gweld Gwenda a J-J yn cysgu'n drwm yn y seddau blaen. Beth yn y byd oedd y rhain yn ei wneud yma? Oedd rhywbeth wedi digwydd? Curodd yn ysgafn ar y ffenest flaen.

Gwenda oedd y cyntaf i ddeffro; rhwbiodd ei llygaid cyn sylweddoli ble'r oedd hi a rhoi ei llaw ar ysgwydd J-J i'w ddeffro. Camodd y ddau allan o'r car i gyfarch Elisabeth. Ar ôl egluro diben yr ymweliad yn frysiog, aeth y tri i mewn i'r tŷ gyda'r ddau heddwas yn edrych ymlaen at baned boeth a thamaid i'w fwyta ar ôl eu taith hir.

Ar ôl brecwast ysgafn, bu'r tri yn sgwrsio'n llawn ffydd am Morgan yn dychwelyd i'w gartref, er i Gwenda a J-J gael eu hysgwyd braidd o glywed cyngor John Davies am gyflwr tybiedig Morgan. Cododd J-J a mynd â'i blât a'i gwpan at y sinc. Roedd ar fin llenwi'r bowlen â dŵr pan welodd rywbeth yn y pellter drwy'r ffenest fawr o'i flaen. Nid y traeth na'r môr oedd wedi cipio'i sylw. Gweloedd rywun yn eistedd â'i gefn ato ar graig yn y pellter. Fel Elisabeth, nid oedd rhaid i J-J weld yr wyneb i wybod pwy oedd yno. Roedd yntau'n adnabod y cefn cadarn â'r ysgwyddau llydan. Gwyddai pwy oedd yno – un a fu'n debycach i frawd; yn fwy na chyfaill. Hwn oedd wedi ei hyfforddi; hwn oedd wedi ei achub o sawl sefyllfa beryglus a'i amddiffyn pan wnaethai gam gwag ar ddechrau ei yrfa; hwn oedd wedi ei ddiawlio a'i ganmol – a maddau camgymeriadau; hwn oedd yn barod bob amser i gario unrhyw faich a hwn oedd wedi ei gyflwyno i Gwenda. Ie, heb amheuaeth, Alun Morgan a eisteddai ar y graig yn y pellter. 'Gyf,' ochneidiodd.

Cododd Gwenda ac Elisabeth a mynd at J-J heb ddweud gair.

Oedd, roedd e'n eistedd yn yr un fan yn union, nododd Elisabeth. 'Reit,' ebychodd yn uchel, 'dwi ddim yn mynd i'w golli y tro yma.'

'Ewch chi ato, Elisabeth,' meddai Gwenda'n awdurdodol, 'ac fe awn ni'n dau i fyny'r ffordd i wneud yn siŵr nad yw e'n dianc y ffordd 'na.' Gwasgodd Elisabeth ei braich yn ddiolchgar. Gwyddai fod y ddau heddwas yn ysu i weld Alun; gwyddai eu bod hwythau'n meddwl y byd ohono.

Brasgamodd Elisabeth yn ddistaw ar draws y traeth. Roedd geiriau John Davies yn atseinio'n ei phen: 'Mae hi'n bur debygol y daw ei gof yn ôl iddo, ond fe fydd hynny'n digwydd yn raddol ac efallai y daw yn ôl yn gyfan gwbwl yn y pen draw ... ond mae'n bosib hefyd y gall ei feddwl gloi yn llwyr ac wedyn fydd 'na ddim gobaith o'i gael yn ôl.'

PENNOD 30

Eisteddai Morgan ar Garreg y Fuwch â'i ben yn ei ddwylo. Ceisiai ganolbwyntio ar y fflachiadau o atgofion a oedd yn mynnu dychwelyd, dro ar ôl tro, i'w feddwl. Bu yma yn gynharach heddiw ond gyrrodd ymaith ar ôl clywed rhywun yn gweiddi. Roedd ofn arno. Roedd e wedi gyrru ymaith, allan o'r pentref, heibio i dŷ gwyngalchog bychan, heibio i dŷ ffarm cyn troi a mynd at fynwent. Cofiodd deimlo'n drist wrth sefyll ar lan y bedd cyfarwydd. Roedd yr enwau ar y llechen yn canu cloch ond nid oedd yn gwybod pam. Deuai atgofion dryslyd i'w ben ble bynnag yr âi. Nawr roedd e wedi dychwelyd i eistedd yn yr un fan, ar yr un graig. Roedd yr atgofion yn llawer cliriach yma nag yn unman arall ac roedd yn benderfynol o roi cyfle i'r fflachiadau ddatblygu'n luniau llawn yn ei feddwl. Clywodd lais clir yn ei feddwl, llais a glywsai o'r blaen, fisoedd yn ôl. Clywai atsain y tonnau'n sibrwd yn dawel o'i amgylch.

Wyt, rwyt ti wedi bod yma o'r blaen yn aml, Alun, clywai'r llais melys yn ei feddwl, dwyt ti ddim yn cofio? Dwyt ti ddim yn cofio dod yma'n blentyn? Dod i nofio yn y môr? Dere nawr, Alun Morgan, defnyddia dy ben. Weli di'r ferch ifanc â'r gwallt hir golau? Weli di hi'n glir nawr? Fe wnest ti ei cholli hi unwaith, ond mae hi'n ôl yn dy fywyd erbyn hyn. Oedd, roedd hi'n wastad yn dy galon. Deimli di ei llaw yn dy gyffwrdd? Fedri di gofio cyfarfod

â hi ar ôl yr holl flynyddoedd ar wahân? Wyt ti'n ei chofio
yn cerdded tuag atat? Weli di'r dagrau yn ei llygaid wrth
iddi sylweddoli dy fod wedi dychwelyd? Paid â dweud nad
wyt ti'n cofio'r cofleidio, nad wyt ti'n cofio'r ddau ohonoch
yn dal i garu eich gilydd! Wyt, wrth gwrs dy fod yn cofio,
mae dy gof a'th ewyllys yn gryfach nag yr oeddet ti'n ei
feddwl.

Llundain, y Comander, Awel Deg, merch hardd â'i
llygaid a'i gwên yn debyg iddo ef, merch fach yn chwerthin,
car wedi ei ddinistrio, gwaed, rhywun yn gorwedd ar wely
angau, gwelodd y cyfan.

Llais hen ddyn, ei chwerthiniad bach rhyfedd, y ffrwd
yn byrlymu i lawr y clogwyn – clywai a gwelai'r cyfan â'i
ben yn ei ddwylo, â'i lygaid ar gau. Oedd, roedd e'n gallu
gweld y wraig yn dod allan o'r ysgol nawr. Roedd hi'n
cerdded tuag ato, ei gwallt golau yn chwythu yn y gwynt, ei
llygaid gleision yn edrych arno yn llawn anghrediniaeth,
yn llenwi â dagrau a'r rheiny'n llifo i lawr ei gruddiau.
Gwelodd hi'n cwympo wrth iddi ei adnabod ac yntau'n ei
chodi'n dyner ac yn ei dal yn ei freichiau.

Beth oedd ei henw, Alun? Rhyw enw bach arbennig
oeddet ti, a dim ond ti, yn ei ddefnyddio. Wyt ti'n cofio
beth oedd e, Alun Morgan?

'Bwts,' sibrydodd.

Arafodd Elisabeth ei cham wrth nesáu tuag ato. Gallai
weld fod ei gŵr yn eistedd â'i ben yn ei ddwylo. Ysai am
gael dweud rhywbeth wrtho, mynd ato a'i gyffwrdd a'i
gofleidio ond roedd geiriau'r meddyg yn fyw yn ei meddwl.
Cerddodd heibio iddo yn araf rhag amharu ar ei feddyliau.
Aeth yn nes ato, edrychodd i fyny ar y ffrwd yn tywallt ei
dŵr ewynnog dros y clogwyn, i lawr dros y creigiau ac yna

ymlaen yn afonydd bychain i gyfeiriad y môr. Gwyrodd ei phen; ni wyddai beth i'w wneud. Roedd hithau ar goll. Teimlai'r dagrau hallt yn llifo fel y ffrwd i lawr ei gruddiau. Roedd hi mor agos iddo ond eto mor bell. Am faint y bu hi'n aros amdano, meddyliodd. Oedd, roedd hi wedi aros digon. Sylweddolodd ei bod wedi breuddwydio am gael ei hen fywyd yn ôl unwaith eto. Roedd hi wedi bod yn dychmygu y byddai popeth yn iawn petai Alun yn ddychwelyd yn ddiogel. Ond nid felly y bydd hi, meddyliodd Elisabeth. Roedd ei gŵr wedi cael ei anafu, roedd ei feddwl wedi ei chwalu – ei chwalu'n ddifrifol. Wel, penderfynodd, roedd hi'n barod i aros, yn barod i'w warchod a'i nyrsio; roedd hi'n barod i wneud unrhyw beth dim ond i gael yr hen Alun yn ôl.

Roedd hi'n crio'n dawel nawr, y tristwch yn ei gorchfygu a'r artaith y bu'n rhaid iddo ef ei ddioddef yn torri ei chalon. Llifodd y dagrau ar hyd ei gruddiau ac roedd ei chorff yn crynu i gyd pan deimlodd ddwylo cadarn ar ei hysgwyddau. Roedd y dwylo'n ei dal a theimlodd ei bresenoldeb y tu ôl iddi.

'Bwts,' clywodd yr enw hudol. Clywodd y llais cadarn, tyner. Teimlai ef yn ei thynnu'n dyner tuag ato cyn rhwymo ei freichiau amdani. Teimlai ei gorff yn ei herbyn. Trodd yn araf tuag ato, gafaelodd ynddo a'i gofleidio.

'Alun,' sibrydodd rhwng ei dagrau.

'Wy'n eich caru chi, Elisabeth Morgan,' clywodd ef yn llefaru'r geiriau cyfarwydd yn ei chlust, y geiriau bach cyfrinachol, y geiriau a oedd yn dal yn fyw. Doedd dim angen mwy na hynny.

'A dw inna'n eich caru chi, Alun Morgan,' syllodd y ddau i fyw llygaid ei gilydd. Rhoddodd Elisabeth ei breichiau am wddf ei gŵr. Teimlodd ef yn tynhau'r goflaid. Teimlodd ei wefusau yn cyffwrdd ei gwefusau hi – yn dyner i ddechrau, ond yna'n angerddol a chariad a hiraeth yn boddi mewn angerdd pur.

'Mae'n amser i ni fynd a gadael llonydd i'r ddau,' meddai Gwenda yn dawel wrth wylio'r olygfa drwy ei dagrau. Trodd at J-J a gweld deigryn neu ddau yn cronni yn ei lygaid yntau hefyd. 'Dere 'mlaen,' gafaelodd yn ei fraich yn dyner.

'Ie, mae'r Gyf wedi dod adre. Mae e'n ddiogel nawr,' sibrydodd J-J.

Ni chlywodd yr un ohonynt Elisabeth yn sibrwd yng nghlust ei gŵr, 'Does dim rhaid i mi ddringo'r ffrwd rŵan.'

Na chlywed Morgan yn gofyn, 'Pwy ddywedodd?'

'Y doctor, John Davies – wir yr.'

'Iawn, 'te.'

Ond fe wenodd Gwenda a J-J yn llawen wrth weld Morgan yn cofleidio'i wraig yn dynn a'i chusanu eto wrth iddynt gerdded yn araf ar draws y traeth, yn ôl i'w cartref, a'r ddau yn un ym mreichiau ei gilydd ...

Nofel gyntaf yr awdur John Gwynne -
Ar Lan y Môr y mae ...

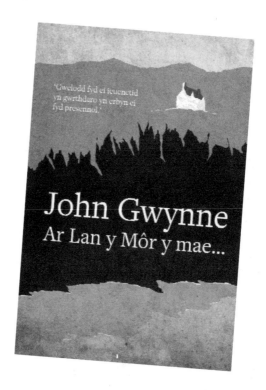

'Gwelodd fyd ei ieuenctid
yn gwrthdaro yn erbyn ei
fyd presennol.'

John Gwynne
Ar Lan y Môr y mae...

Nofel sy'n llawn cynnwrf, dirgelwch a chariad